LES GRANDS CIMETIÈRES
SOUS LA LUNE

Georges Bernanos

LES GRANDS CIMETIÈRES SOUS LA LUNE

Préface de Michel del Castillo

Le Castor Astral

TEXTE INTÉGRAL

ISBN 978-2-7578-4820-3

© Le Castor Astral, 2008
© Points, 2014, pour la préface

Georges Bernanos : la guerre d'Espagne ou le scandale de la vérité

« *Jeunes gens qui lisez ce livre, que vous l'aimiez ou non, regardez-le avec curiosité. Car ce livre est le témoignage d'un homme libre.* » La fière insolence de cette proclamation, son ton désabusé posent la question qui court tout au long du livre : l'homme libre survivra-t-il aux charniers qui s'ouvrent en Europe ?

Ces paroles nous renseignent sur l'état d'esprit de Georges Bernanos au moment où il entreprit d'écrire ce livre, entre colère et résignation accablée. Elles recèlent par ailleurs une ambiguïté, puisque ce mot, liberté, véritable leitmotiv qui fait l'unité profonde des *Grands Cimetières sous la lune*, dès lors qu'on le traduit en langue politique, change de signification et, même, de nature, transposition que la plupart des critiques et des commentateurs opèrent naturellement, sans même y penser.

Comment résisteraient-ils alors que la politique constitue la trame du livre, son ressort tragique ? En s'accrochant au prétexte, qui semble évident, les commentateurs ignorent pourtant le texte qui ne cesse en effet d'aborder la politique, sautant des fautes et des lâchetés des droites françaises aux tueries de Majorque, de la menace totalitaire aux infamies du fascisme, des compromissions de l'Église aux dénonciations violentes de l'idée de Croisade. Mais le lecteur qui garde dans sa mémoire ne fût-ce qu'un soupçon de l'enseignement de l'Église s'aperçoit très vite que, tout en sacrifiant aux querelles politiciennes, tout en empruntant au lexique des théories et des systèmes, le livre nie, dans son développement, cela même qu'il semble affirmer. Avec les emportements, parfois les outrances du pamphlet, c'est en réalité une réflexion morale que Georges Bernanos développe. Il braque l'attention sur le crime qui s'accomplit sous ses yeux, mais c'est pour sans cesse l'élargir à l'Europe entière, aux acides qui la rongent et vont achever de la dissoudre, et, plus profondément, à une lutte souterraine dont l'enjeu se trouve dans le secret de la conscience.

« ... le spectacle de l'injustice m'accable, mais c'est probablement parce qu'il éveille en moi la conscience de la part d'injustice dont je suis capable. » Voilà désignée, sans équivoque, la source de la révolte bernanosienne : la conscience. Non pas une conscience moderne, frottée d'éthique protestante, mais une conscience catholique, morale, qui ne peut pas séparer l'indignation devant l'injustice du sentiment de sa propre déchéance, qui demande pardon de ses fautes en même temps qu'elle se révolte contre le spectacle de l'abjection. Mouvement à double détente qui dénonce en battant sa coulpe.

Cet élan qui mêle le pamphlet à l'aveu intime, la vision prophétique à la récollection, la méditation du passé à la dénonciation du présent fait l'étrangeté et la grandeur des *Grands Cimetières sous la lune*, l'un de ces monstres littéraires qui échappe à tous les genres, à toutes les classifications. Comme les *Mémoires d'outre-tombe* ou *Le Voyage au bout de la nuit*, ce chef-d'œuvre ne possède d'autre unité que le cœur et l'âme de son auteur.

« *Je n'aime*, disait Nietzsche, *que les livres qu'on écrit avec son sang* », formule reprise par tous les philosophes de comptoir de café, par tous les auteurs stériles qui confondent le sang avec un liquide plus trouble, assimilant la tragédie de l'incarnation aux spasmes de l'exhibitionnisme obscène.

Un cri de révolte ? C'est réduire le livre au récit des massacres qui, prendrait-on la peine de le vérifier, occupe dans l'ouvrage une place très restreinte, quelques scènes certes inoubliables, des portraits dessinés à la pointe sèche, des images foudroyantes.

Bernanos refuse de s'attarder sur l'horreur par peur de flatter le voyeurisme, manière aussi de signifier que son propos n'est pas de peindre ou de décrire, mais bien de réfléchir et de stimuler.

Pourtant, il qualifie son pamphlet de témoignage, ce qui explique les malentendus. Car s'il se fait témoin, ce n'est pas un témoignage journalistique ou juridique qu'il couche sur le papier, mais un témoignage de foi. Il dépose, non devant un tribunal politique ou social, mais devant la communauté de ses frères, un peu à la manière de José Bergamin dans *Terrorisme et persécution religieuse en Espagne*[1]. Là où le poète espagnol rédige une plaidoirie brûlante pour la République, Georges Bernanos, de manière plus radicale, ne défend

---

1. Éditions de l'Éclat, 2007.

aucun système politique, ne fustige pas davantage une cause qui, en un premier temps, avait été la sienne. Échappant à la chronologie, il s'installe dans un temps mythique, la royauté, la chrétienté de Jeanne, qui enlève l'événement à l'actualité pour le regarder *sub speciae eternitatis.*

Dans *Les Grands Cimetières sous la lune,* la guerre civile d'Espagne, la répression nationaliste deviennent un *auto sacramental*, un théâtre liturgique, la scène où, depuis la nuit des temps, se joue le salut du monde.

On connaît la méfiance de Bernanos pour l'homme de lettres. C'est peu dire qu'il n'aime pas les mots : il les redoute à cause du mensonge qu'ils recèlent, il les chérit de contenir et détenir une Parole.

Pour ce chrétien des âges héroïques, écrire est une joute, un combat contre les séductions de la rhétorique. Sanglé dans l'armure de la foi, il charge contre les ruses de la belle écriture. C'est, le sien, un style incarné, une Parole dressée contre les tentations de la métaphore.

Georges Bernanos écrit avec son intelligence, avec sa sensibilité d'écorché, avec sa rage et son indestructible espérance. *« Il est dur de regarder s'avilir sous ses yeux ce qu'on est né pour aimer. »* On tient là le mouvement secret de ce chef-d'œuvre, livre d'expiation autant que de dénonciation, de contrition et de refus, une catharsis.

En transposant cette langue eschatologique en sabir politicien, on voit ce que l'on perd, le cœur même du livre, son battement mystérieux. On néglige cet incessant dialogue avec soi, avec le jeune homme que l'on fut et qu'on ne renie certes pas, puisqu'on avait l'enthousiasme et la ferveur de ses vingt ans.

« *La Tragédie espagnole est un charnier. Toutes les erreurs dont l'Europe achève de mourir et qu'elle essaie de dégorger dans d'effroyables convulsions viennent y pourrir ensemble.* » L'immense cimetière que la lune de Majorque baigne d'une lumière impitoyable déborde jusqu'à Toulon où Bernanos achève d'écrire ce livre commencé dans la banlieue de Las Palmas ; l'ossuaire s'étendra jusqu'à Paris, Rome, Berlin, Varsovie, Prague, Minsk ou Leningrad, mais les premières fosses s'ouvrirent à Verdun, dans les campagnes de la Marne, sur les bords de l'Oise et de la Meuse, avec la foule des misérables cadavres escamotés derrière le culte du Soldat inconnu, quand, pour celui qui regarde venir la Tragédie annoncée, ces jeunes morts avaient un visage, un nom ; leurs bouches portaient des sourires d'enfant, chuchotaient « Maman » à l'instant de tomber.

Libre, liberté, on s'empresse de porter ces mots que la partition funèbre ne cesse de scander dans la colonne Gauche, on les retranche de la Droite, faussant ainsi le bilan d'une vie en son mitan qui éclaire le présent à la lumière atroce et dérisoire du passé, regarde le futur en contemplant un présent révoltant. On suggère un retournement politique quand l'auteur indique clairement qu'entendrait-il les clameurs de la Gauche, son écœurement l'emporterait sans doute sur sa fidélité à l'enfance.

Les mots libre et liberté, tout comme l'expression « honneur chrétien », ne peuvent, sans tricher, s'appliquer à la politique.

Bernanos prend d'ailleurs grand soin de les définir : ce qui fonde, dit-il, sa liberté, c'est la foi reçue avec le baptême, foi non pas intellectuelle, logicienne et raisonneuse, mais foi puisée dans la terre, transmise de génération en génération, si gaie, si hardie, si sûre d'elle-même qu'elle se moque du curé et de sa servante, de la pourpre des cardinaux comme des stratégies de la politique pontificale. Elle respecte la hiérarchie apostolique, elle admet que l'Église est humaine, trop humaine dans ses calculs, mais elle s'éprouve comme un bien inaliénable qu'aucun monseigneur ne saurait lui retirer. C'est la foi de Jeanne dans ses prisons, la foi intrépide et juvénile de Saint Louis.

Veut-on comprendre le mouvement des *Grands Cimetières sous la lune*, ses rages et ses tristesses, on doit s'installer au cœur de cette foi que Bernanos, en plusieurs endroits, qualifie de française pour l'opposer au fanatisme espagnol, explicable, pense-t-il, par l'héritage juif et maure, pour l'opposer aussi aux profondeurs de la réforme allemande d'où, toujours selon lui, le nazisme tire sa sombre puissance. Il y a, pour Georges Bernanos, une vocation chrétienne de la France, une vocation à l'héroïsme et à l'universalisme, vocation qui fait son patriotisme.

Dans un passage, il ose cette remarque que tous, dans « *cette petite île bien calme, bien coite dans ses amandiers, ses vignes, ses orangers* », savent qu'il est monarchiste, qu'il assiste à la messe ; qu'il compte de nombreux amis parmi les Phalangistes de la première heure ; que son fils Yves, lui-même membre de la Phalange, combat sur le front de Madrid ; malgré cela, note-t-il, des inconnus lui ouvrent leur cœur, lui confient leur révolte et leur dégoût. Mais, c'est, écrit-il, qu'il est Français et que ces gens savent qu'un Français ne sera jamais un auxiliaire de la police, assertion, les événements le démontreront, pour le moins optimiste. C'est dire à quel point ce livre devenu mythique est et se veut français, d'une France abolie, si tant est qu'elle ait jamais existé, telle que Bernanos la rêve.

Nous sommes loin, très loin, on le constate, de la politique ; nous sommes au cœur de la Mystique, dans cette mystique venue de Péguy, souvent cité, chaque fois avec une tendresse secrète, celle d'une chrétienté héroïque, aux antipodes du catholicisme borné de Claudel ou du moralisme bourgeois de Mauriac. Mais n'est-ce pas cette jeunesse franque, cette hardiesse et cette fraîcheur qui inspireront bientôt Charles de Gaulle ?

Dès 1937, Georges Bernanos oppose ce courage insolent aux résignations moroses de la vieillesse, ce qui fera Londres à ce qui, déjà, fait Vichy. *Les Grands Cimetières sous la lune*, c'est, chronologiquement, le premier appel à la résistance, et il se lève et retentit, non dans le terrain de la politique, mais dans celui de la chrétienté outragée, bafouée, par ceux qui l'incarnent, les cardinaux, les évêques espagnols, la Papauté engluée dans ses calculs tactiques.

Georges Bernanos s'adresse à ceux qui partagent sa foi, à ceux qui parlent sa langue. Sont-ils nombreux ? La question n'arrête pas l'écrivain. En ces matières, le nombre importe peu. Il se propose, non de convaincre, mais de réveiller. Connaissant la coupable mansuétude des catholiques envers le Caudillo, n'ignorant rien de la propagande cléricale qui agite les ruines fumantes des églises incendiées, les cadavres noircis des nonnes déterrées, le spectacle hideux des miliciennes déguisées avec les habits liturgiques et dansant, devant les bûchers où se consument les missels, une carmagnole obscène, il balaie ces ordures pour ne regarder que l'horreur commise sous ses yeux. Il montre ces victimes qu'on mène à l'abattoir et que des aumôniers, une croix blanche sur leur soutane, bénissent avant de les accompagner au bord des fosses.

« ... on les raflait chaque soir dans les hameaux perdus, à l'heure où ils reviennent des champs ; ils partaient pour le dernier voyage, la chemise collée aux épaules par la sueur, les bras encore pleins du travail de la journée, laissant la soupe servie sur la table et une femme qui arrive trop tard au seuil du jardin, tout essoufflée, avec le petit balluchon serré dans la serviette neuve... »

Voilà l'horreur que le chrétien Georges Bernanos jette à la face de tous les chrétiens de France et du monde, voilà l'inhumaine répression que, nuit après nuit, les milliers de nouveaux phalangistes – ils étaient environ cinq cents à la veille du soulèvement militaire, ils sont quinze mille six mois plus tard – poursuivent sous les ordres d'un général italien d'opérette, flanqués de leurs aumôniers bottés. Il montre celui que les convenances l'obligent à traiter d'Excellence et de Seigneurie, l'évêque de Palma, se montrant au balcon de son palais avec, à ses côtés, le général comte Rossi « qui n'était, bien entendu, ni comte, ni général, ni Rossi, mais un fonctionnaire italien appartenant aux Chemises noires », bourreau sanguinaire et grotesque.

Et le prélat bénit les drapeaux, parle de Croisade, du juste combat du Bien contre le Mal !

C'est ce blasphème que l'écrivain dénonce, ce sacrilège qu'il fustige. Il les jette à la face de la chrétienté dans un hurlement de rage, posant la question : si les chrétiens abandonnent leur conscience, s'ils renient la foi de leur baptême, c'est-à-dire leur honneur et leur liberté, que leur restera-t-il pour s'opposer aux massacres qui s'annoncent ? Sur quoi fonderont-ils désormais leur résistance au Mal ?

« C'était le même coup discret frappé à la porte de l'appartement confortable, ou à celle de la chaumière, le même piétinement dans le jardin plein d'ombre ou sur le palier, le même chuchotement funèbre qu'un misérable écoute de l'autre côté de la muraille, l'oreille collée à la serrure, le cœur crispé d'angoisse... »

Bernanos distingue trois étapes dans cette épuration conduite par le sinistre fantoche italien et perpétrée par les nouveaux Phalangistes, désireux de donner des gages : une première, qui dure deux mois, élimine par centaines les « républicains » – médecins, professeurs, instituteurs, pharmaciens, notables locaux, mais aussi, paysans ou métayers –, presque tous modérés note l'écrivain, coupables d'aucun crime. Les équipes de tueurs passent la petite île au peigne fin, entassent leurs victimes dans des camions, les abattent d'une balle dans la nuque avant de les jeter dans les fossés, près d'un cimetière. C'est la terreur sauvage qui sidère, stupéfie, sème partout l'épouvante.

Deuxième moment : on vide les camps, les prisons, les sinistres pontons où des milliers de détenus s'entassent. On les rassemble sur des plages, on les mitraille. La lune éclaire ces charniers où des femmes en noir fouillent à genoux sur le sable parmi les vêtements éparpillés, maculés de sang, recueillant une relique.

Troisième temps, plus abject : on libère les prisonniers en attente d'un procès, on procède aux formalités de la levée d'écrou, on leur rend leurs effets : *« Vous êtes libres ! Vous pouvez retourner chez vous ! »* Des camions les attendent dans la rue qui vont, leur annonce-t-on, les ramener chez eux. Morts, écrira le fossoyeur, de « congestion cérébrale », on retrouvera leurs corps près des cimetières.

« Au début de mars 1937, après sept mois de guerre civile, on comptait trois mille de ces assassinats » : voilà pour le bilan de ce que, au micro de Radio Séville, le général Queipo de Llano appelait crûment une « guerre d'extermination ».

N'aurait-il eu que ce courage-là, celui de dénoncer l'horreur d'une répression féroce, bénie par les évêques, sanctionnée et justifiée par des inquisiteurs en soutane, Georges Bernanos mériterait notre gratitude et notre admiration. Il a sauvé ce qu'il appelle son honneur chrétien en se montrant fidèle à l'enfant qu'il fut, il a défendu et maintenu la liberté chrétienne, cette conscience inaliénable qui permet de s'opposer aux tentatives du Moloch pour anéantir la part spirituelle de l'homme.

Je note au passage que les deux dénonciations les plus véhémentes de la terreur nationaliste ont été faites par deux chrétiens, deux mystiques, Miguel de Unamuno et Georges Bernanos, et qu'elles le furent au nom des valeurs spirituelles de l'homme. Je remarque que nulle dénonciation solennelle ne s'est élevée dans les rangs de la Gauche quand, dans Madrid livré aux communistes, des tueries de masse s'accomplissaient. La politique ne suffit pas à contenir tout l'homme, il faut une part dégagée de la mainmise de l'État, une part véritablement libre, seule capable de s'opposer aux puissances.

J'incite enfin ceux qui voudraient s'assurer de l'exactitude de mon propos à relire *Le Testament espagnol* qui jamais ne quitte le terrain de la politique. Maniant la ruse tactique, le témoignage de Koestler, saisissant, est rempli de silences et d'omissions. Œuvre de militantisme, il cache autant qu'il dévoile.

À ceux qui l'ignorent ou l'ont oublié, je rappelle que Koestler n'avouera que dix ans plus tard avoir été, en Espagne, un agent du Komintern. Georges Bernanos, lui, n'a été l'agent secret d'aucune puissance. Il ne dissimule rien, éclairant chaque recoin de sa conscience ; il évoque clairement ses illusions et ses fourvoiements. Par tous les pores de sa peau, il se jette dans son livre qui sent la sueur. *« Dans ma vie, je n'ai rien accompli qui ne m'ait d'abord coûté. Le démon de mon âme s'appelle : à quoi bon ? »* Avec Koestler, on se trouve devant un témoignage de combat ; Bernanos lutte contre lui-même.

Les Grands Cimetières sous la lune baignent dans une lumière surnaturelle qui permet de lire autrement les pires abominations, partant de les transcender. Georges Bernanos relie les événements auxquels il assiste à ceux qui se préparent dans l'Europe entière, sur toute la surface de la terre, de l'Asie à l'Amérique.

Il se penche sur les charniers de la campagne de Majorque et il regarde les cadavres de Verdun, voit déjà ceux de Treblinka et de Varsovie. « *Mais il est*, écrit-il dans un inédit publié dans l'édition de la Pléiade, *des crimes essentiels, marqués du signe de la fatalité. La guerre d'Espagne est de ceux-là.* »

Le fascisme ? Le communisme ? Ce serait rester dans le terrain de la politique et des idéologies, esquiver la question en s'en tenant au sacrifice du bouc émissaire, attitude, je le crains, dont nous ne sommes pas sortis. Pour Bernanos, ce qui est en jeu n'est pas la victoire d'un camp sur l'autre, ni d'un système politique sur son concurrent. Ce qui est en jeu, c'est l'homme même, la possibilité de sa survie. Il n'y a, pour lui, qu'un crime, dont la Terreur politique est la traduction sanglante, et c'est la négation du spirituel, le scandale de la vérité. « *Où que le général de l'épiscopat espagnol mette maintenant le pied, la mâchoire d'une tête de mort se referme sur son talon... Bonne chance à Leurs Seigneuries !* »

Image effroyable qui résume l'esprit du livre. Ce qui scandalise le chrétien Bernanos, c'est, plus que l'atrocité de la Terreur, sa justification théologique, incarnée dans ce mot, Croisade. Dans cette confusion, il voit un péché de simonie, l'Église d'Espagne vendant la conscience chrétienne pour des avantages politiques. Et parce qu'il craint que Rome à son tour ne marchande avec le nazisme germanique dans l'espoir de sauver ses intérêts immédiats, il redoute que, de concession en compromission, l'Église brade ce qui reste de l'honneur chrétien.

Il n'y a pas, pour lui, une guerre politique car toutes les guerres sont morales. *« Ce peuple* (le peuple espagnol) *a le sens du péché. Voilà pourquoi sans doute il est implacable dans ses vengeances car il sait d'instinct la valeur de l'intention »*, écrit-il dans la revue des dominicains, *Sept.*

« J'écris donc, en langage clair, que la Terreur aurait depuis longtemps épuisé sa force si la complicité plus ou moins avouée, ou même consciente, des prêtres et des fidèles n'avait finalement réussi à lui donner un caractère religieux. »

Le mot Croisade, que l'épiscopat espagnol vient d'exhumer pour légitimer la Terreur nationaliste, fait des adversaires non seulement des infidèles ou des hérétiques, mais des bêtes qu'on peut, qu'on doit exterminer sans scrupule. *« En Espagne, on est catholique ou rien du tout »,* a écrit le cardinal de Tolède, primat de l'Église d'Espagne. *Rien du tout*, une vermine que les chrétiens peuvent écraser sans remords. Contre cette réification, Georges Bernanos s'insurge, car en déniant à l'adversaire sa qualité d'homme, c'est tout l'homme qui est nié, sa dignité ontologique. Avec elle, c'est la liberté chrétienne qui se trouve du même coup rejetée.

Communistes, fascistes méprisent également cette liberté ontologique ? Ce constat fait dire à l'écrivain : *« … le monde est mûr pour toute forme de cruauté, comme pour toute forme de fanatisme ou de superstition. »* Ainsi la liberté chrétienne constitue-t-elle le dernier rempart contre la barbarie des idéologies totalitaires, ainsi, comme Becket devant son roi, l'honneur chrétien se dresse-t-il contre les prétentions du Moloch étatique. Sans conscience morale, l'homme se trouve désarmé devant l'Idée totalitaire.

On croit entendre les militants laïcs, les zélotes de l'athéisme, les agnostiques, l'armée des libres-penseurs, tous se récriant en chœur : quoi ! Les chrétiens seuls auraient le monopole du courage et de la vertu ? On accepte leur protestation, on leur concédera même que, dans le général comme dans le particulier, les incroyants puissent se montrer plus honnêtes, plus sincères, plus intègres que la masse des catholiques. Simplement, la question posée par Bernanos ne se situe pas sur le plan de la morale individuelle ou collective, le moralisme étant à la morale ce que le nationalisme est au patriotisme.

Georges Bernanos a beau répéter qu'il ne connaît de la religion de ses ancêtres que le catéchisme de son enfance, on se dit que ce catéchisme pensé, médité vaut toutes les sommes théologiques. Jamais il ne confond les coucheries et les adultères, les mensonges et les tricheries avec le fondement de sa foi. Il ne parle pas en moraliste mais en théologien. Il croit de toute son âme qu'aucune morale ne saurait découler de l'établissement d'un contrat social entre des hommes pervertis par une mauvaise organisation sociale, pas davantage d'un impératif de la conscience, mais qu'il faut, parce que l'homme est habité par le Mal, un fondement ontologique à la morale. C'est à ce point que se situe sa foi, tout au fond de l'homme, dans son aspiration à s'arracher à sa pesanteur. Contre tous les curés et tous les prélats qui réduisent la religion à des règles de conduite, contre tous les fidèles qui pensent que le chrétien se reconnaît à sa manière de vivre, Georges

Bernanos rappelle avec Pascal que la seule question est celle de Dieu et, pour un chrétien, de l'Incarnation.

Le péché que *Les Grands Cimetières sous la lune* dénoncent n'est pas l'assassinat des innocents, ni même les tueries de masse, non plus l'abjection des délations et des règlements de comptes, car ce sang versé, c'est le tribut payé au péché originel, à la nature souillée de l'homme. Le véritable crime, à ses yeux, est celui commis en esprit, au nom de l'Esprit. C'est lui qui constitue le blasphème. Il n'y a sacrilège que si l'homme renferme plus que sa seule nature, voilà ce que le texte ne cesse de marteler. C'est par là qu'il déborde toute actualité, par là qu'il est un classique.

Poser avec force que l'homme ne se réduit pas à sa nature entraîne une conséquence, sa part spirituelle ne saurait appartenir au monde, à plus forte raison échappe-t-elle à la politique. Un étranger nous habite chacun, et Bernanos l'assimile à l'enfant, à tous les enfants humiliés. Seule cette enfance enfouie peut, dans des conditions décisives, nous sauver de la déchéance. *Les Grands Cimetières sous la lune* entonnent le requiem des enfants humiliés, bafoués dans leur dignité et dans leur liberté ontologiques.

Cette coupure du chrétien, *« Mon royaume n'est pas de ce monde »*, produit un dédoublement de la conscience, séparant le citoyen du croyant. Confronté à des choix qui engagent la totalité de la personne, le croyant devra répondre, parfois douloureusement, à l'une ou l'autre des parties. On mesure combien il en a coûté à Bernanos de dénoncer l'infamie. *« Il est dur de voir s'avilir sous ses yeux ce qu'on est né pour aimer. »* Aveu, au sens propre, déchirant.

Dans un livre bref et concis, *Les Grands Procès dans les systèmes communistes*[1], Annie Kriegel s'interroge : pourquoi des hommes au caractère bien trempé, ayant donné mille preuves de leur héroïsme, ont-ils accepté de s'accuser des crimes les plus invraisemblables, reniant ainsi toute une vie de dévouement et d'abnégation ? Pour eux, note-t-elle, le Parti était toute leur vie et ils ne concevaient pas de s'en détacher, préférant le déshonneur à la solitude absolue. Ont résisté ceux qui, dans leur passé, possédaient une foi à laquelle s'accrocher. Sans doute Annie Kruger pense-t-elle au judaïsme, puisque la majorité des accusés sont des Juifs, mais il n'existe, sur ce point de la conscience et de la foi, aucune différence entre les croyances. Un Dieu unique constitue l'ultime rempart des hommes plongés dans la déréliction. Comme la chrétienté, le judaïsme vient du fond des siècles, mémoire ancestrale qui charpente les caractères.

C'est à cette part étrangère au monde de la politique que Georges Bernanos s'adresse. C'est elle qui fonde sa liberté.

Peut-être ceux qui, comme ce fut mon cas, ont ouvert ce livre dans des circonstances d'abandon total peuvent-ils deviner le choc produit par ces pages de lave ardente. C'était en 1953, à Huesca, dans l'Espagne franquiste ; je garde encore le souvenir de ma lecture haletante ; j'entends encore l'appel brutal à redresser l'échine, à scruter mon esprit pour y discerner la lueur

1. Éditions Gallimard, collection « Idées », n° 256, 1972.

qui fait de chacun un homme déchiré et responsable. Comme un écho, j'entendais la phrase de Dostoïevski : *« Nous sommes tous coupables de tout devant tous. »*

On saisit comment ce texte à première vue politique dépasse et même réfute la politique, puisqu'il lit les événements à la lumière d'une stricte théologie, rappelant à l'Occident que son individualité est fondée sur la liberté de la personne. Il s'adresse à son pays d'une voix déchirée pour lui murmurer que, si le catholicisme espagnol, tout imprégné de judaïsme et de mahométanisme, peut être sombre et fanatique, la chrétienté française fut, elle, compatissante et gaie.

Français, Georges Bernanos s'abandonne à « la douce pitié de Dieu ». Et ce sourire, celui de l'Ange de Reims, illumine ce livre de noirceur, l'arrachant au désespoir.

« Jeunes gens qui lisez ce livre... » : qui peut dire que l'amour de cette liberté bernanosienne soit à jamais éteint, que, dans un coin oublié du pays, il ne se trouve pas un jeune Français pour en maintenir la flamme ? Malgré la déchristianisation qui fait de ce chef-d'œuvre une météorite tombée d'un ciel désormais vide, Georges Bernanos reste le plus actuel, le plus jeune et le plus moderne de nos contemporains.

MICHEL DEL CASTILLO

Si je me sentais du goût pour la besogne que j'entreprends aujourd'hui, le courage me manquerait probablement de la poursuivre, parce que je n'y croirais pas. Je ne crois qu'à ce qui me coûte. Je n'ai rien fait de passable en ce monde qui ne m'ait d'abord paru inutile, inutile jusqu'au ridicule, inutile jusqu'au dégoût. Le démon de mon cœur s'appelle – À quoi bon ?

J'ai cru jadis au mépris. C'est un sentiment très scolaire et qui tourne vite à l'éloquence, comme le sang d'un hydropique tourne en eau. La lecture prématurée de Barrès m'avait donné là-dessus quelque illusion. Malheureusement le mépris de Barrès – ou du moins l'organe qui le sécrète – paraît souffrir d'une perpétuelle rétention. Pour atteindre à l'amertume, un méprisant doit pousser très loin la sonde. Ainsi le lecteur, à son insu, participe moins au sentiment lui-même qu'à la douleur de la miction. Paix au Barrès de Leurs figures ! Celui que nous aimons est entré dans la mort avec un regard d'enfant fier, et son pauvre sourire crispé de fille pauvre et noble qui ne trouvera jamais de mari.

Au seuil de ce livre, pourquoi le nom de Barrès ? Pourquoi à la première page du Soleil de Satan *celui du gentil Toulet ? C'est qu'en cet instant, comme en cet autre soir de septembre «plein d'une lumière immobile», j'hésite à franchir le premier pas, le premier pas vers vous, ô visages voilés ! Car le premier pas franchi, je sais que je ne m'arrêterai plus, que j'irai, vaille que vaille, jusqu'au bout de ma tâche, à travers des jours et des jours si pareils entre eux que je ne les compte pas, qu'ils sont comme retranchés de ma vie. Et ils le sont en effet.*

Je ne suis pas un écrivain. La seule vue d'une feuille de papier blanc me harasse l'âme. L'espèce de recueillement physique qu'impose un tel travail m'est si odieux que je l'évite autant que je puis. J'écris dans les cafés au risque de passer pour un ivrogne, et peut-être le serais-je en effet si les puissantes Républiques ne frappaient de droits, impitoyablement, les alcools consolateurs. À leur défaut, j'avale à longueur d'année ces cafés-crème douceâtres, avec une mouche dedans. J'écris sur les tables de cafés parce que je ne saurais me passer longtemps du visage et de la voix humaine dont je crois avoir essayé de parler noblement. Libre aux malins, dans leur langage, de prétendre que j'«observe». Je n'observe rien du tout. L'observation ne mène pas à grand-chose. M. Bourget a observé les gens du monde toute sa vie, et il n'en est pas moins resté fidèle à la première image que s'en était formée le petit répétiteur affamé de chic anglais. Ses ducs sentencieux ressemblent à des notaires, et, quand il les veut naturels, il les fait bêtes comme des lévriers.

J'écris dans les salles de cafés ainsi que j'écrivais jadis dans les wagons de chemins de fer, pour ne pas être dupe de créatures imaginaires, pour retrouver, d'un regard jeté sur l'inconnu qui passe, la juste mesure de la joie ou de la douleur. Non, je ne suis pas écrivain. Si je l'étais, je n'eusse pas attendu la quarantaine pour publier mon premier livre, car enfin vous penserez peut-être avec moi qu'à vingt ans j'aurais pu, comme un autre, écrire les romans de M. Pierre Frondaie. Je ne repousse d'ailleurs pas ce nom d'écrivain par une sorte de snobisme à rebours. J'honore un métier auquel ma femme et mes gosses doivent, après Dieu, de ne pas mourir de faim. J'endure même humblement le ridicule de n'avoir encore que barbouillé d'encre cette face de l'injustice dont l'incessant outrage est le sel de ma vie. Toute vocation est un appel – vocatus – et tout appel veut être transmis. Ceux que j'appelle ne sont évidemment pas nombreux. Ils ne changeront rien aux affaires de ce monde. Mais c'est pour eux, c'est pour eux que je suis né.

*

Compagnons inconnus, vieux frères, nous arriverons ensemble, un jour, aux portes du royaume de Dieu. Troupe fourbue, troupe harassée, blanche de la poussière de nos routes, chers visages durs dont je n'ai pas su essuyer la sueur, regards qui ont vu le bien et le mal, rempli leur tâche, assumé la vie et la mort, ô regards qui ne se sont jamais rendus! Ainsi vous *retrouverai-je, vieux frères. Tels que mon enfance vous a rêvés. Car j'étais parti à votre rencontre, j'accourais vers vous. Au premier détour, j'aurais vu rougir les feux de vos éternels bivouacs. Mon enfance n'appartenait qu'à vous. Peut-être, un certain jour, un jour que je sais, ai-je été digne de prendre la tête de votre troupe inflexible. Dieu veuille que je ne revoie jamais les chemins où j'ai perdu vos traces, à l'heure où l'adolescence étend ses ombres, où le suc de la mort, le long des veines, vient se mêler au sang du cœur! Chemins du pays d'Artois, à l'extrême automne, fauves et odorants comme des bêtes, sentiers pourrissants sous la pluie de novembre, grandes chevauchées des nuages, rumeurs du ciel, eaux mortes... J'arrivais, je poussais la grille, j'approchais du feu mes bottes rougies par l'averse. L'aube venait bien avant que fussent rentrés dans le silence de l'âme, dans ses profonds repaires, les personnages fabuleux encore à peine formés, embryons sans membres, Mouchette et Donissan, Cénabre, Chantal, et vous, vous seul de mes créatures dont j'ai cru parfois distinguer le visage, mais à qui je n'ai pas osé donner de nom – cher curé d'un Ambricourt imaginaire. Étiez-vous alors mes maîtres? Aujourd'hui même, l'êtes-vous? Oh! je sais bien ce qu'a de vain ce retour vers le passé. Certes, ma vie est déjà pleine de morts. Mais le plus mort des morts est le petit garçon que je fus. Et pourtant, l'heure venue, c'est lui qui reprendra sa place à la tête de ma vie, rassemblera mes pauvres années jusqu'à la dernière, et comme un jeune chef ses vétérans, ralliant la troupe en désordre, entrera le premier dans la Maison du Père. Après tout, j'aurais le droit de parler en* son nom. Mais justement, on ne parle pas au nom de l'enfance, il faudrait parler son langage. Et c'est ce langage oublié ; ce langage que je cherche de livre en livre, imbécile ! comme si un tel langage pouvait s'écrire, s'était jamais écrit. N'importe ! Il m'arrive parfois d'en retrouver quelque accent... et c'est cela qui vous fait prêter l'oreille, compagnons dispersés à travers le monde, qui par hasard ou par ennui avez ouvert un jour mes livres. Singulière idée que d'écrire pour ceux qui dédaignent l'écriture ! Amère ironie de prétendre persuader et convaincre alors que ma certitude profonde est que la part du monde encore susceptible de rachat n'appartient qu'aux enfants, aux héros et aux martyrs.

Palma de Majorque
janvier 1937.

PREMIÈRE PARTIE

I

« J'ai juré de vous émouvoir, d'amitié ou de colère, qu'importe ! » C'est ainsi que je parlais jadis, au temps de *la Grande Peur*, il y a sept longues années. À présent je ne me soucie plus beaucoup d'émouvoir, du moins de colère. La colère des imbéciles m'a toujours rempli de tristesse, mais aujourd'hui elle m'épouvanterait plutôt. Le monde entier retentit de cette colère. Que voulez-vous ? Ils ne demandaient pas mieux que de ne rien comprendre, et même ils se mettaient à plusieurs pour ça, car la dernière chose dont l'homme soit capable est d'être bête ou méchant tout seul, condition mystérieuse réservée sans doute au damné. Ne comprenant rien ils se rassemblaient d'eux-mêmes, non pas selon leurs affinités particulières, trop faibles, mais d'après la modeste fonction qu'ils tenaient de la naissance ou du hasard et qui absorbait tout entière leur petite vie. Car les classes moyennes sont presque seules à fournir le véritable imbécile, la supérieure s'arrogeant le monopole d'un genre de sottise parfaitement inutilisable, d'une sottise de luxe, et l'inférieure ne réussissant que de grossières et parfois admirables ébauches d'animalité.

C'est une folle imprudence d'avoir déraciné les imbéciles, vérité qu'entrevoyait M. Maurice Barrès. Telle colonie d'imbéciles solidement fixée à son terroir natal, ainsi qu'un banc de moules au rocher, peut passer pour inoffensive et même fournir à l'État, à l'industrie un matériel précieux. L'imbécile est d'abord un être d'habitude et de parti pris. Arraché à son milieu il garde, entre ses deux valves étroitement closes, l'eau du lagon qui l'a nourri. Mais la vie moderne ne transporte pas seulement des imbéciles d'un lieu à l'autre, elle les brasse avec une sorte de fureur. La gigantesque machine, tournant à pleine puissance, les engouffre par milliers, les sème à travers le monde, au gré de ses énormes caprices. Aucune autre société que la nôtre n'a fait une si prodigieuse consommation de ces malheureux. Ainsi que Napoléon les « Marie-Louise » de la campagne de France, elle les dévore alors que leur coquille est encore molle, elle ne les laisse même pas mûrir. Elle sait parfaitement que, avec l'âge et le degré d'expérience dont il est capable, l'imbécile se fait une sagesse imbécile qui le rendrait coriace.

Je regrette de m'exprimer si naturellement par images. Je souhaiterais de tout cœur faire ces réflexions si simples en un langage simple comme elles. Il est vrai qu'elles ne seraient pas comprises. Pour commencer d'entrevoir une vérité dont chaque jour nous apporte l'évidence, il faut un effort dont peu d'hommes sont aujourd'hui capables. Avouez donc que la simplicité vous rebute, qu'elle vous fait honte. Ce que vous appelez de ce nom est justement son contraire. Vous êtes faciles, et non simples. Les consciences faciles sont aussi les plus compliquées. Pourquoi n'en serait-il pas de même des intelligences ? Au cours des siècles, les Maîtres, les Maîtres de notre espèce, nos Maîtres ont défriché les grandes avenues de l'esprit qui vont d'une certitude à une autre, les routes royales. Que vous importent les routes royales si la démarche de votre pensée est oblique ? Parfois le hasard vous fait tomber dedans, vous ne les reconnaissez plus. Ainsi notre cœur se serrait d'angoisse lorsqu'une nuit, sortant du labyrinthe des tranchées, nous sentions tout à coup, sous nos semelles, le sol encore ferme d'un des chemins de jadis, à peine visible sous la moisissure d'herbes, le chemin plein de silence, le chemin mort qui avait autrefois retenti du pas des hommes.

C'est vrai que la colère des imbéciles remplit le monde. Vous pouvez rire si vous voulez, elle n'épargnera rien, ni personne, elle est incapable de pardon. Évidemment les doctrinaires de droite ou de gauche, dont c'est le métier, continueront de classer les imbéciles, en dénombreront les espèces et les genres, définiront chaque groupe selon les passions, les intérêts des individus qui le composent, leur idéologie particulière. Pour de telles gens cela n'est qu'un jeu. Mais ces classifications répondent si peu à la réalité que l'usage en réduit impitoyablement le nombre. Il est clair que la multiplication des partis flatte d'abord la vanité des imbéciles. Elle leur donne l'illusion de choisir. N'importe quel commis de magasin vous dira que le public appâté par les étalages d'une exposition saisonnière, une fois rassasié de marchandages et après avoir mis le personnel sur les dents, défile au même comptoir. Nous avons vu naître et mourir un grand nombre de partis, car chaque journal d'opinion ne dispose guère d'un autre moyen pour retenir sa clientèle. Néanmoins la méfiance naturelle aux imbéciles rend précaire cette méthode d'émiettement, le troupeau inquiet se reforme sans cesse. Dès que les circonstances, et notamment les nécessités électorales, semblent imposer un système d'alliances, les malheureux oublient instantanément les distinctions qu'ils n'avaient d'ailleurs jamais faites qu'à grand-peine. Ils se divisent d'eux-mêmes en deux groupes, la difficile opération mentale qu'on leur propose étant ainsi réduite à l'extrême, puisqu'il ne s'agit plus que de penser contre l'adversaire, ce qui permet d'utiliser son programme marqué simplement du signe de la négation. C'est pourquoi nous les avons vus n'accepter qu'à regret des désignations aussi complexes que celles, par exemple, de royalistes ou de républicains. Clérical ou anticlérical plaît mieux, les deux mots ne signifient rien d'autre que « pour » ou « contre » les curés. Il convient d'ajouter que le préfixe « anti » n'appartient en propre à personne, car si l'homme de gauche est anticlérical, l'homme de droite est antimaçon, antidreyfusard.

Les entrepreneurs de presse qui ont employé ces slogans jusqu'à leur totale usure voudront sans doute me faire dire que je ne distingue pas entre les idéologies, qu'elles m'inspirent un égal dégoût. Hélas ! je sais pourtant mieux que personne ce qu'un garçon de vingt ans peut donner de lui, de la substance de son âme, à ces grossières créations de l'esprit partisan qui ressemblent à une véritable opinion comme certaines poches marines à un animal – une ventouse pour sucer, une autre pour évacuer – la bouche et l'anus – qui, même chez certains polypes, ne font qu'un. Mais à qui la jeunesse ne prodigue-t-elle pas son âme ! Elle la jette parfois à pleines mains, dans les bordels. Comme ces mouches chatoyantes, vêtues d'azur et d'or, peintes avec plus de soin que les enluminures de missel, les premières amours s'abattent autour des charniers.

Que voulez-vous ? Je ne crois même pas au relatif bienfait des coalitions d'ignorance et de parti pris. L'indispensable condition à remplir pour entrer réellement dans l'action est de se connaître soi-même, d'avoir pris la juste mesure de soi. Or tous ces gens-là ne se rassemblent que pour mettre en commun les quelques raisons qu'ils possèdent de se juger meilleurs que les autres. Dès lors, qu'importe la cause qu'ils prétendent servir ? Dieu sait, par exemple, ce que coûte au reste du monde le maigre cheptel bigot entretenu à grands frais par une littérature spéciale, répandue à des millions d'exemplaires sur toute la surface du globe, et dont on voudra bien reconnaître qu'elle est faite pour décourager les incroyants de bonne volonté. Je ne veux aucun mal aux bigots, je voudrais simplement que vous ne me rebattiez pas les oreilles de leur prétendue naïveté. Le premier prêtre venu, s'il est sincère, vous dira que nulle espèce n'est plus éloignée que la leur de l'esprit d'enfance, de sa clairvoyance surnaturelle, de sa générosité. Ce sont des combinards de la dévotion, et les gras chanoines littéraires qui entonnent à ces larves le miel butiné sur les bouquets spirituels ne sont pas non plus des ingénus.

La colère des imbéciles remplit le monde. Il est tout de même facile de comprendre que la Providence qui les fit naturellement sédentaires avait ses raisons pour cela. Or vos trains rapides, vos automobiles, vos avions les transportent avec la rapidité de l'éclair. Chaque petite ville de France avait ses deux ou trois clans d'imbéciles dont les célèbres « Riz et Pruneaux » de *Tartarin sur les Alpes* nous fournissent un parfait exemple. Votre profonde erreur est de croire que la bêtise est inoffensive, qu'il est au moins des formes inoffensives de la bêtise. La bêtise n'a pas plus de force vive qu'une caronade de 36, mais, une fois en mouvement, elle défonce tout. Quoi ! nul de vous pourtant n'ignore de quoi est capable la haine patiente et vigilante des médiocres, et vous en semez la graine aux quatre vents ! Car si les mécaniques vous permettent d'échanger vos imbéciles non seulement de ville en ville, de province en province, mais de nation à nation, ou même de continent à continent, les démocraties empruntent encore à ces malheureux la matière de leurs prétendues opinions publiques. Ainsi par les soins d'une Presse immense, travaillant jour et nuit sur quelques thèmes sommaires, la rivalité des « Pruneaux et des Riz » prend une sorte de caractère universel dont M. Alphonse Daudet ne s'était certainement pas avisé.

Mais qui lit aujourd'hui *Tartarin sur les Alpes* ? Mieux vaut rappeler que le gentil poète provençal qu'éleva tant de fois au-dessus de lui-même la consommation de la douleur, le génie de la sympathie, rassemble au fond d'un hôtel de montagne une douzaine d'imbéciles. Le glacier est là tout proche, suspendu dans l'immense azur. Personne n'y songe. Après quelques jours de fausse cordialité, de méfiance et d'ennui, les pauvres diables trouvent le moyen de satisfaire à la fois leur instinct grégaire et la sourde rancune qui les travaille. Le parti des Constipés exige, au dessert, les pruneaux. Celui des Dévoyants tient naturellement pour le riz. Dès lors, les querelles particulières s'apaisent, l'accord se fait entre les membres de chacun des groupes rivaux. On peut très bien imaginer, dans la coulisse, l'amateur ingénieux et pervers, sans doute marchand de riz ou de pruneaux, suggérant à ces misérables une mystique appropriée à l'état de leurs intestins. Mais le personnage est inutile. La bêtise n'invente rien, elle fait admirablement servir à ses fins, à ses fins de bêtise, tout ce que le hasard lui apporte. Et par un phénomène, hélas ! beaucoup plus mystérieux encore, vous la verrez se mettre d'elle-même à la mesure des hommes, des circonstances ou des doctrines, qui provoquent sa monstrueuse faculté d'abêtissement. Napoléon se vantait à Sainte-Hélène d'avoir tiré parti des imbéciles. Ce sont les imbéciles qui finalement ont tiré parti de Napoléon. Non pas seulement, comme vous pourriez le croire, parce qu'ils sont devenus bonapartistes. Car la religion du Grand Homme, accordée peu à peu au goût des démocraties, a fait ce patriotisme niais qui agit encore si puissamment sur leurs glandes, patriotisme que n'ont jamais connu les aïeux, et dont la cordiale insolence, à fonds de haine, de doute et d'envie, s'exprime, bien qu'avec une inégale fortune, dans les chansons de Déroulède et dans les poèmes de guerre de M. Paul Claudel.

Ça vous embête de m'écouter parler si longtemps des imbéciles ? Eh bien, il m'en coûte, à moi, d'en parler ! Mais il faut d'abord que je vous persuade d'une chose : c'est que vous n'aurez pas raison des imbéciles par le fer ou par le feu. Car je répète qu'ils n'ont inventé ni le fer, ni le feu, ni les gaz, mais ils utilisent parfaitement tout ce qui les dispense du seul effort dont ils sont réellement incapables, celui de penser par eux-mêmes. Ils aimeront mieux tuer que penser, voilà le malheur ! Et justement vous les fournissez de mécaniques ! La mécanique est faite pour eux. En attendant la machine à penser qu'ils attendent, qu'ils exigent, qui va venir, ils se contenteront très bien de la machine à tuer, elle leur va même comme un gant. Nous avons industrialisé la guerre pour la mettre à leur portée. Elle est à leur portée, en effet.

Sinon je vous mets au défi de m'expliquer comment, par quel miracle, il est devenu si facile de faire avec n'importe quel boutiquier, clerc d'agent de change, avocat ou curé, un soldat ? Ici comme en Allemagne, en Angleterre comme au Japon. C'est très simple : vous tendez votre tablier, et il tombe un héros dedans. Je ne blasphémerai pas les morts. Mais le monde a connu un temps où la vocation militaire était la plus honorée après celle du prêtre, et ne lui cédait qu'à peine en dignité. C'est tout de même étrange que votre civilisation capitaliste, qui ne passe pas pour encourager l'esprit de sacrifice, dispose, en pleine primauté de l'économique, d'autant d'hommes de guerre que ses usines peuvent fournir d'uniformes…

Des hommes de guerre comme on n'en a sûrement jamais vu. Vous les prenez au bureau, à l'atelier, bien tranquilles. Vous leur donnez un billet pour l'Enfer avec le timbre du bureau de recrutement, et des godillots neufs, généralement perméables. Le dernier encouragement, le suprême salut de la patrie, leur vient sous les espèces du hargneux coup d'œil de l'adjudant rengagé affecté au magasin d'habillement et qui les traite de cons. Là-dessus ils se hâtent vers la gare un peu saouls, mais anxieux à l'idée de manquer le train pour l'Enfer, exactement comme s'ils allaient dîner en famille, un dimanche, à Bois-Colombes ou à Viroflay. Ils descendront cette fois à la station Enfer, voilà tout. Un an, deux ans, quatre ans, le temps qu'il faudra, jusqu'à l'expiration du billet circulaire délivré par le gouvernement, ils parcourront ce pays sous une pluie de fonte d'acier, attentifs à ne pas manger sans permission le chocolat des vivres de réserve, ou soucieux de faucher à un copain le paquet de pansement qui leur manque. Le jour de l'attaque, avec une balle dans le ventre, ils trottent comme des perdreaux jusqu'au poste de secours, se couchent tout suants sur le brancard et se réveillent à l'hôpital d'où ils sortent un peu plus tard aussi docilement qu'ils y sont entrés, avec une bourrade paternelle de M. le Major, un bon vieux… Puis ils retournent vers l'Enfer, dans un wagon sans vitres, ruminant de gare en gare le vin aigre et le camembert ou épelant à la lueur du quinquet la feuille de route couverte de signes mystérieux et pas du tout sûrs d'être en règle. Le jour de la Victoire… Eh bien, le jour de la victoire, ils espèrent rentrer chez eux !

À la vérité, ils n'y rentrent point pour la raison fameuse que « l'Armistice n'est pas la Paix », et qu'il faut leur laisser le temps de s'en rendre compte. Le délai d'un an a paru convenable. Huit jours eussent suffi. Huit jours eussent suffi pour prouver aux soldats de la grande guerre qu'une victoire est une chose à regarder de loin, comme la fille du colonel ou la tombe de l'Empereur, aux Invalides ; qu'un vainqueur, s'il veut vivre pénard, n'a qu'à rendre ses galons de vainqueur. Ils sont donc retournés à l'usine, au bureau, toujours bien tranquilles. Quelques-uns ont même eu la chance de trouver dans leur pantalon d'avant-guerre une douzaine de tickets de leur gargote, de la gargote de jadis, à vingt sous le repas. Mais le nouveau gargotier n'en a pas voulu.

*

Vous me direz que ces gens-là étaient des saints. Non, je vous assure, ce n'étaient pas des saints. C'étaient des résignés. Il y a dans tout homme une énorme capacité de résignation, l'homme est naturellement résigné. C'est d'ailleurs pourquoi il dure. Car vous pensez bien qu'autrement l'animal logicien n'aurait pu supporter d'être le jouet des choses. Voilà des millénaires que le dernier d'entre eux se serait brisé la tête contre les murs de sa caverne, en reniant son âme. Les saints ne se résignent pas, du moins au sens où l'entend le monde. S'ils souffrent en silence les injustices dont s'émeuvent les médiocres, c'est pour mieux retourner contre l'Injustice, contre son visage d'airain, toutes les forces de leur grande âme. Les colères, filles du désespoir, rampent et se tordent comme des vers. La prière est, en somme, la seule révolte qui se tienne debout.

L'homme est naturellement résigné. L'homme moderne plus que les autres en raison de l'extrême solitude où le laisse une société qui ne connaît plus guère entre les êtres que les rapports d'argent. Mais nous aurions tort de croire que cette résignation en fait un animal inoffensif. Elle concentre en lui des poisons qui le rendent disponible le moment venu pour toute espèce de violence. Le peuple des démocraties n'est qu'une foule, une foule perpétuellement tenue en haleine par l'Orateur invisible, les voix venues de tous les coins de la terre, les voix qui la prennent aux entrailles, d'autant plus puissantes sur ses nerfs qu'elles s'appliquent à parler le langage même de ses désirs, de ses haines, de ses terreurs. Il est vrai que les démocraties parlementaires, plus excitées, manquent de tempérament. Les dictatoriales, elles, ont le feu au ventre. Les démocraties impériales sont des démocraties en rut.

*

La colère des imbéciles remplit le monde. Dans leur colère, l'idée de rédemption les travaille, car elle fait le fond de toute espérance humaine. C'est le même instinct qui a jeté l'Europe sur l'Asie au temps des Croisades. Mais en ce temps-là l'Europe était chrétienne, les imbéciles appartenaient à la chrétienté. Or un chrétien peut être ceci ou cela, une brute, un idiot, ou un fou, il ne peut pas être tout à fait un imbécile. Je parle des chrétiens nés chrétiens, des chrétiens d'état, des chrétiens de chrétienté. Bref, des chrétiens nés en pleine terre chrétienne, et qui grandissent libres, consomment l'une après l'autre, sous le soleil ou l'averse, toutes les saisons de leur vie. Dieu me garde de les comparer à ces cornichons sans sève que les curés font pousser dans des petits pots, à l'abri des courants d'air !

Pour un chrétien de chrétienté, l'Évangile n'est pas seulement une anthologie dont on lit un morceau chaque dimanche dans son livre de messe, et à laquelle il est permis de préférer *le Jardin des âmes pieuses* du P. Prudent, ou les *Petites Fleurs dévotes* du chanoine Boudin. L'Évangile informe les lois, les mœurs, les peines et jusqu'aux plaisirs, car l'humble espoir de l'homme, ainsi que le fruit des entrailles, y est béni. Vous pouvez faire là-dessus les plaisanteries que vous voudrez. Je ne sais pas grand-chose d'utile, mais je sais ce que c'est que l'espérance du Royaume de Dieu, et ça n'est pas rien, parole d'honneur ! Vous ne me croyez pas ? Tant pis ! Peut-être cette espérance reviendra-t-elle visiter son peuple ? Peut-être la respirerons-nous tous, un jour, tous ensemble, un matin des jours, avec le miel de l'aube. Vous ne vous en souciez pas ? Qu'importe ! Ceux qui refuseront alors de l'accueillir dans leur cœur la reconnaîtront du moins à ce signe : les hommes qui détournent aujourd'hui les yeux sur votre passage, ou ricanent lorsque vous leur avez tourné le dos, viendront droit vers vous, avec un regard d'homme. À ce signe, je le répète, vous saurez que votre temps n'est plus.

*

Les imbéciles sont travaillés par l'idée de rédemption. Évidemment si vous interrogez le premier venu d'entre eux, il vous répondra qu'une telle imagination n'a jamais effleuré sa pensée, ou même qu'il ne sait pas très exactement ce que vous voulez dire. Car un imbécile ne dispose d'aucun instrument mental lui permettant de rentrer en lui-même, il n'explore que la surface de son être. Mais quoi ! parce qu'un nègre, avec sa misérable houe, ne fait qu'égratigner le sol, juste assez pour qu'y pousse un peu de mil, la terre n'en n'est pas moins riche et capable d'une autre moisson. D'ailleurs que savez-vous d'un médiocre aussi longtemps que vous ne l'avez pas observé parmi d'autres médiocres de sa race, dans la communion de la joie, de la haine, du plaisir ou de l'horreur ? Il est vrai que chaque médiocrité paraît solidement défendue contre toute médiocrité d'une autre espèce. Mais les immenses efforts des démocraties ont fini par briser l'obstacle. Vous avez réussi ce coup prodigieux, ce coup unique : vous avez détruit la sécurité des médiocres. Elle paraissait pourtant inséparable de la médiocrité, sa substance même. Pour être médiocre, néanmoins, on n'est pas forcément un abruti. Vous avez commencé par abrutir les imbéciles. Vaguement conscients de ce qui leur manque, et de l'irrésistible courant qui les entraîne vers d'insondables destins, ils s'enfermaient dans leurs habitudes, héréditaires ou acquises, ainsi que l'Américain fameux qui franchissait les cataractes du Niagara dans un tonneau. Vous avez brisé le tonneau, et les malheureux voient filer les deux rives avec la rapidité de l'éclair.

Sans doute, un notaire de Landerneau, il y a deux siècles, ne croyait pas sa ville natale plus durable que Carthage ou Memphis, mais au train où vont les choses, il s'y sentira demain à peu près aussi en sûreté que dans un lit dressé en plein vent sur une place publique.

Certes, le mythe du Progrès a bien servi les démocraties. Et il a fallu un siècle ou deux pour que l'imbécile, dressé depuis tant de générations à l'immobilité, vît dans ce mythe autre chose qu'une hypothèse excitante, un jeu de l'esprit. L'imbécile est sédentaire, mais il a toujours lu volontiers les récits d'explorateurs. Imaginez un de ces voyageurs en chambre qui s'aperçoit tout à coup que le plancher bouge. Il se jette à la fenêtre, l'ouvre, cherche la maison d'en face, reçoit en pleine figure l'écume sifflante, et découvre qu'il est parti. Le mot « départ » ne convient guère ici, d'ailleurs. Car si le regard de l'homme moderne ne peut plus se poser sur rien de fixe – cause insigne du mal de mer –, le pauvre diable n'a pas l'impression d'aller quelque part. Je veux dire que ses embêtements sont toujours les mêmes, bien que multipliés en apparence, grâce à un effet de perspective. Aucune autre manière vraiment nouvelle de faire l'amour, aucune nouvelle manière de crever.

Tout cela est simple, très simple. Demain ce sera plus simple encore. Si simple qu'on ne pourra plus rien écrire d'intelligible sur le malheur des hommes dont les causes immédiates décourageront l'analyse. Les premiers symptômes d'une maladie mortelle fournissent au professeur le sujet de brillantes leçons, mais toutes les maladies mortelles présentent le même phénomène ultime, l'arrêt du cœur. Il n'y a pas grand-chose à dire là-dessus. Votre société ne mourra pas autrement. Vous discuterez encore des « pourquoi » et des « comment », et déjà les artères ne battront plus. L'image me semble juste, car la réforme des institutions vient trop tard lorsque la déception des peuples est devenue irréparable, lorsque le cœur des peuples est brisé.

*

Je sais qu'un tel langage a de quoi faire sourire les entrepreneurs de réalisme politique. Qu'est-ce que c'est qu'un cœur de peuple ? Où le place-t-on ? Les doctrinaires du réalisme politique ont un faible pour Machiavel. Faute de mieux, les doctrinaires du réalisme politique ont mis Machiavel à la mode. C'est bien la dernière imprudence qu'auraient dû se permettre les disciples de Machiavel. Vous voyez d'ici ce tricheur qui avant de s'asseoir à la table de jeu fait hommage à ses partenaires d'un petit traité de sa façon sur l'art de tricher, avec une dédicace flatteuse pour chacun de ces messieurs ? Machiavel n'écrivait qu'à l'adresse d'un certain nombre d'initiés. Les doctrinaires du réalisme politique parlent au public. Après eux, de jeunes Français, pleins d'innocence et de gentillesse, répètent leurs axiomes d'un fracassant cynisme, dont se scandalisent et s'attendrissent leurs bonnes mères. La guerre d'Espagne, après celle d'Abyssinie, vient de fournir ainsi l'occasion d'innombrables professions de foi d'immoralisme national capables de faire se retourner dans leurs tombes Jules César, Louis XI, Bismarck et Cecil Rhodes. Mais Jules César, Louis XI, Bismarck et Cecil Rhodes n'auraient nullement souhaité chaque matin l'approbation compromettante du pion réaliste suivi de sa classe. Un véritable élève de Machiavel commencerait par faire pendre ces radoteurs.

29

Ne touchez pas aux imbéciles ! Voilà ce que l'Ange eût pu écrire en lettres d'or au fronton du Monde moderne, si ce monde avait un ange. Pour déchaîner la colère des imbéciles, il suffit de les mettre en contradiction avec eux-mêmes, et les démocraties impériales, à l'apogée de leur richesse et de leur puissance, ne pouvaient refuser de courir ce risque. Elles l'ont couru. Le mythe du Progrès était sans doute le seul en qui ces millions d'hommes pussent communier, le seul qui satisfît à la fois leur cupidité, leur moralisme sommaire et le vieil instinct de justice légué par les aïeux. Il est certain qu'un patron verrier qui, au temps de M. Guizot, et si l'on s'en rapporte à d'irrécusables statistiques, décimait systématiquement, pour les besoins de son commerce, des arrondissements entiers devait avoir, comme chacun de nous, ses crises de dépression. On a beau se serrer le cou dans une cravate de satin, porter à la boutonnière une rosette large comme une soucoupe et dîner aux Tuileries, n'importe ! il y a des jours où on se sent de l'âme. Oh ! bien entendu, les arrière-petits-fils de ces gens-là sont aujourd'hui des garçons très bien, du modèle en cours, nets, sportifs, plus ou moins apparentés. Beaucoup d'entre eux se proclament royalistes et parlent des écus de l'aïeul avec le mouvement de menton vainqueur d'un descendant de Godefroy de Bouillon affirmant ses droits sur le royaume de Jérusalem. Sacrés petits farceurs ! Leur excuse est celle-ci : le sens social leur manque. De qui l'auraient-ils hérité ? Les crimes de l'or ont d'ailleurs un caractère abstrait. Ou peut-être y a-t-il une vertu de l'or ? Les victimes de l'or encombrent l'histoire, mais leurs restes ne dégagent aucune odeur.

Il est permis de rapprocher ce fait d'une propriété bien connue des sels du métal magique, qui préviennent les effets de la pourriture. Qu'un vacher dont les méninges sont en bouillie tue deux bergerettes après les avoir violées, la chronique retient son nom, fait de ce nom une épithète infâme, un nom maudit. Au lieu que ces « Messieurs du Commerce de Nantes », les Grands Trafiquants d'esclaves, comme les appelle avec respect M. le sénateur de la Guadeloupe, ont pu remplir des charniers, toute cette viande noire n'exhale à travers les siècles qu'un léger parfum de verveine et de tabac d'Espagne. « Les capitaines négriers semblent avoir été des gens de noble prestance – poursuit l'honorable sénateur. Ils portent perruque comme à la cour, l'épée au côté, les souliers à boucle d'argent, des broderies sur le costume, des chemises à jabot, des poignets de dentelles. » « Un tel négoce – conclut le journaliste – ne déshonorait nullement ceux qui le pratiquaient, ou ceux qui le subventionnaient. Qui donc parmi les financiers ou les bourgeois aisés n'était négrier, peu ou prou ? Les armateurs qui finançaient ces lointaines et coûteuses expéditions divisaient le capital engagé en un certain nombre de parts, et ces parts, dont l'intérêt le plus souvent était énorme, constituaient pour tous les pères de famille un placement extrêmement recherché. »

Soucieux de mériter la confiance de ces pères de famille, les capitaines négriers s'acquittaient scrupuleusement de leurs devoirs, comme le prouve assez le récit suivant emprunté, parmi beaucoup d'autres témoignages de même qualité, à un intéressant ouvrage dont *Candide* rendait compte, le 25 juillet 1935 :

Hier, à huit heures, nous amarrâmes les nègres les plus fautifs aux quatre membres, et couchés sur le ventre dessus le pont, et nous les fîmes fouetter. En outre, nous leur fîmes des scarifications sur les fesses pour mieux leur faire ressentir leurs fautes. Après leur avoir mis leurs fesses en sang par les coups de fouet et les scarifications, nous leur mîmes de la poudre à tirer, du jus de citron, de la saumure, du piment tout pilé et brassé ensemble avec une autre drogue que le chirurgien mit et nous leur en frottâmes les fesses pour empêcher que la gangrène n'y soit mise et de plus pour que cela leur eût cuit sur leurs fesses, gouvernant toujours au plus près du vent, l'amure à bâbord.

Nous trouvons ici en passant un bon exemple de la prudente discrétion de la société d'autrefois, lorsqu'elle se trouvait dans la nécessité de proposer des cas de conscience aux imbéciles. La presse italienne se donne aujourd'hui beaucoup de mal pour justifier aux yeux de ces derniers la destruction massive, par l'ypérite, du matériel abyssin. Toute cette mystique de la force décourage les imbéciles parce qu'elle leur impose une concentration d'esprit fatigante. Bref, elle prétend les forcer à se placer au point de vue de M. Mussolini. L'attitude de ce dernier en face du public de notre pays est d'ailleurs curieuse à observer. M. Mussolini est un solide ouvrier, et il aime la gloire. Sur la foi des manuels il pense aussi que le peuple français a plus qu'un autre peuple le sens de la justice, le respect de la faiblesse et du malheur. Devant ces villages où les défenseurs ont réussi à détruire toute vie, même celle des rongeurs ou des insectes, il se retourne vers les descendants de ces Messieurs du Commerce de Nantes,

venus avec leurs dames, leurs demoiselles et les garçons qui préparent Centrale. Il est d'abord un peu
rouge, je suppose, puis il s'anime, il parle de la grandeur qui depuis que le monde est monde pèse de tout
son poids sur les épaules des misérables, de la Puissance et de l'Empire. Les braves bourgeois se regardent
entre eux, très gênés. Pourquoi M. Mussolini nous a-
t-il amenés là ? Ces paysages sont encore plus tristes
que le cimetière Montmartre, et mon épouse est impres-
sionnable à cause de sa tension. Ce n'est vraiment pas
le moment d'aligner des phrases à propos d'une simple
affaire de nègres. Nos ancêtres ont fait eux aussi,
comme ce monsieur, fortune dans les nègres, et ils ne
se croyaient pas obligés, pour autant, d'élaborer une
philosophie. L'affaire rapporte-t-elle vraiment, oui ou
non ?

*

L'idée de grandeur n'a jamais rassuré la conscience
des imbéciles. La grandeur est un perpétuel dépasse-
ment, et les médiocres ne disposent probablement
d'aucune image qui leur permette de se représenter son
irrésistible élan (c'est pourquoi ils ne la conçoivent que
morte et comme pétrifiée, dans l'immobilité de l'Histoire). Mais l'idée du Progrès leur apporte l'espèce de
pain dont ils ont besoin. La grandeur impose de grandes
servitudes. Au lieu que le progrès va de lui-même où
l'entraîne la masse des expériences accumulées. Il suffit donc de ne lui opposer d'autre résistance que celle
de son propre poids. C'est le genre de collaboration du
chien crevé avec le fleuve qu'il descend au fil de l'eau.

Lorsque après un dernier inventaire l'ancien maître verrier calculait le chiffre exact des bénéfices, il devait bien avoir tout de même une pensée pour le moderne collaborateur qui achevait de cracher ses poumons dans la cendre du foyer, entre le chat galeux qui somnole et le berceau où hurle un avorton à tête de vieillard. L'auteur de *Standards* rappelle le mot célèbre du patron américain au journaliste qui vient de visiter l'usine et trinque avec son hôte avant de reprendre le train. Tout à coup le journaliste se frappe le front : « À quoi diable employez-vous les vieux ouvriers ? demande-t-il. Aucun de ceux que j'ai vus ne paraît avoir dépassé la cinquantaine... » L'autre hésite un moment, vide son verre : « Prenez un cigare, dit-il, et, tout en fumant, nous irons faire un tour au cimetière. »

Le maître verrier, lui aussi, devait parfois faire un tour au cimetière. Et à défaut d'y prier – car les bourgeois de ce temps-là étaient tous libres penseurs – il est très possible qu'il s'y tînt convenablement, ou même qu'il s'y recueillît. Pourquoi pas ? J'écris cela sans rire. Les gens qui ne me connaissent guère me tiennent assez souvent pour un énergumène, un pamphlétaire. Je répète une fois de plus qu'un polémiste est amusant jusqu'à la vingtième année, tolérable jusqu'à la trentième, assommant vers la cinquantaine, et obscène au-delà. Les démangeaisons polémistes chez le vieillard me paraissent une des formes de l'érotisme. L'énergumène s'excite à froid, comme dit le peuple. Loin de m'exciter, je passe mon temps à essayer de comprendre, unique remède contre l'espèce de délire hystérique où finissent par tomber les malheureux qui ne peuvent faire un pas sans se prendre le pied dans une injustice soigneusement cachée sous l'herbe, ainsi qu'une chausse-trappe. J'essaie de comprendre. Je crois que je m'efforce d'aimer. Il est vrai que je ne suis pas ce qu'on appelle un optimiste. L'optimisme m'est toujours apparu comme l'alibi sournois des égoïstes, soucieux de dissimuler leur chronique satisfaction d'eux-mêmes. Ils sont optimistes pour se dispenser d'avoir pitié des hommes, de leur malheur.

On imagine très bien la page qu'eût inspirée à Proudhon, par exemple, la phrase de l'Américain. Je ne crois pas cette phrase si impitoyable qu'elle en a l'air. Il y aurait d'ailleurs tant à dire de la pitié ! Les esprits délicats jugent volontiers de la profondeur de ce sentiment aux convulsions qu'il provoque chez certains apitoyés. Or ces convulsions expriment une révolte contre la douleur assez dangereuse pour le patient, car elle confondrait aisément dans la même horreur la souffrance et le souffrant. Nous avons tous connu de ces femmes nerveuses qui ne peuvent voir une bestiole blessée sans l'écraser aussitôt avec des grimaces de dégoût peu flatteuses pour l'animal qui probablement n'eût pas demandé mieux que d'aller guérir tranquille au fond de son trou. Certaines contradictions de l'histoire moderne se sont éclairées à mes yeux dès que j'ai bien voulu tenir compte d'un fait qui d'ailleurs crève les yeux : l'homme de ce temps a le cœur dur et la tripe sensible. Comme après le Déluge la terre appartiendra peut-être demain aux monstres mous.

*

35

Il est donc permis de croire que certaines natures se défendent d'instinct contre la pitié par une juste méfiance d'elles-mêmes, de la brutalité de leurs réactions. Les imbéciles ont accepté docilement, depuis des siècles, l'enseignement traditionnel de l'Église sur des questions qui, à la vérité, leur apparaissaient comme insolubles. Que la Souffrance ait, ou non, une valeur expiatoire, qu'elle puisse même être aimée, qu'importe là-dessus l'opinion d'un petit nombre d'originaux, puisque le bon sens, comme l'Église, tolère que les gens raisonnables la fuient par tous les moyens ? Certes aucun imbécile n'eût songé jadis à nier le caractère universel de la Douleur, mais la douleur universelle était discrète. Aujourd'hui elle dispose, pour se faire entendre, des mêmes puissants moyens que la joie, ou la haine. Les mêmes types qui réduisaient peu à peu, systématiquement, les relations de famille au point de s'en tenir à l'échange indispensable des faire-part de naissance, de mariage ou de décès, dans le but de ménager leurs minces réserves de sensibilité affective, ne peuvent plus ouvrir un journal ni tourner le bouton de leur radio sans apprendre des catastrophes. Il est clair que pour échapper à une telle obsession, il ne suffit plus à ces malheureux d'entendre une fois par semaine, à la grand-messe, d'une oreille distraite, l'homélie sur la souffrance d'un brave chanoine bien nourri, avec lequel ils découperont un peu plus tard le gigot dominical. Les imbéciles se sont donc résolument attaqués au problème de la douleur comme à celui de la pauvreté. C'est à la science qu'il appartient de vaincre la douleur, pense l'imbécile dans sa logique inflexible, et l'économiste se chargera de la misère, mais en attendant soulevons contre ces deux fléaux l'opinion publique à laquelle chacun sait que rien ne résiste sur la terre ou dans les cieux. Qui parle encore d'honorer le pauvre ? Ce n'est pas d'honneur que le pauvre a besoin, mais que vous le débarrassiez de la pauvreté. Le pauvre se sent si pauvre qu'il n'oserait même pas coudre à son revers graisseux la plus humble décoration, et vous lui parlez d'honneur ! Honorer le pauvre ? Et pourquoi pas les poux de la pauvreté ? Ces rêveries d'Orient étaient sans malice au temps de Jésus-Christ, qui d'ailleurs n'a jamais été un homme d'action. Si Jésus-Christ vivait de nos jours, il devrait se faire une situation, comme tout le monde, et n'eût-il qu'à diriger une modeste usine, force lui serait bien de comprendre que la Société moderne, en exaltant la dignité de l'argent comme en notant d'infamie la pauvreté, remplit son rôle à l'égard du misérable.

L'homme est né d'abord orgueilleux et l'amour-propre toujours béant est plus affamé que le ventre. Un militaire ne se trouve-t-il pas assez payé de risques mortels par une médaille de laiton ? Chaque fois que vous portez atteinte au prestige de la richesse, vous rehaussez d'autant le pauvre à ses propres yeux. Sa pauvreté lui fait moins honte, il l'endure, et telle est sa folie qu'il finirait peut-être par l'aimer. Or la société a besoin, pour sa machinerie, de pauvres qui aient de l'amour-propre. L'humiliation lui en rabat un bien plus grand nombre que la faim et de meilleure espèce, de celle qui rue aux brancards, mais tire jusqu'au dernier souffle. Ils tirent comme leurs pareils meurent à la guerre, non tant par goût de mourir que pour ne pas rougir devant les copains, ou encore pour embêter l'adjudant. Si vous ne les tenez pas en haleine, talonnés par le propriétaire, l'épicier, le concierge, sous la perpétuelle menace du déshonneur attaché à la condition de clochard, de vagabond, ils ne cesseront peut-être pas de travailler, mais ils travailleront moins, ou ils voudront travailler à leur manière, ils ne respecteront plus les machines. Un nageur fatigué qui sent sous lui un fond de cinq cents mètres tire sa coupe avec plus d'ardeur que s'il égratigne des orteils une plage de sable fin. Et remarquez vous-même qu'au temps où les méthodes de l'économie libérale avaient leur entière valeur éducative, leur pleine efficacité, avant la déplorable invention des syndicats, le véritable ouvrier, l'ouvrier formé par vos soins, restait si profondément convaincu d'avoir à racheter chaque jour par son travail le déshonneur de sa pauvreté que, vieux ou malade, il fuyait avec une égale horreur l'hospice ou l'hôpital, moins par attachement à la liberté que par honte – honte de « ne pouvoir plus se suffire », comme il disait dans son admirable langage.

La colère des imbéciles remplit le monde. Elle est sans doute moins à craindre que leur pitié. L'attitude la plus inoffensive de l'imbécile en face de la douleur ou de la misère est celle de l'indifférence imbécile. Malheur à vous si, la boîte à outils sur le dos, il dirige ses mains maladroites, ses cruelles mains vers ces charnières du monde ! Mais il a déjà fini de tâter, il vient de tirer de la boîte à outils une paire de cisailles énormes. En homme pratique, il croit volontiers que la douleur comme la pauvreté n'est qu'un vide, un manque, enfin rien. Il s'étonne qu'elles lui résistent. Le pauvre n'est donc pas simplement, par exemple, le citoyen auquel il ne manque qu'un compte en banque pour ressembler au premier venu ! Certes, il y a des pauvres de cette espèce, d'ailleurs bien moins nombreux qu'on ne l'imagine, car la vie économique du monde est justement faussée par les pauvres devenus riches, qui sont de faux riches, gardant au sein de la richesse les vices de la pauvreté. Encore ces pauvres-là n'étaient-ils sans doute pas plus de vrais pauvres qu'ils ne sont de vrais riches – une race bâtarde. Mais quel crédit voulez-vous qu'accorde à de telles subtilités le même imbécile dont la plus chère illusion est que les individus ne se distinguent entre eux, de peuple à peuple, qu'en raison du mauvais tour qu'on leur a joué de leur apprendre des langues différentes, et qui attendent la réconciliation universelle du développement des institutions démocratiques et de l'enseignement de l'espéranto ? Comment lui ferez-vous entendre qu'il y a un peuple des Pauvres, et que la tradition de ce peuple-là est la plus ancienne de toutes les traditions du monde ? Un peuple de pauvres, non moins sans doute irréductible que le peuple juif ? On peut traiter avec ce peuple, on ne le fondra pas dans la masse. Vaille que vaille, il faudra lui laisser ses lois, ses usages et cette expérience si originale de la vie dont vous ne pouvez rien faire, vous autres. Une expérience qui ressemble à celle de l'enfance, à la fois naïve et compliquée, une sagesse maladroite et aussi pure que l'art des vieux imagiers.

Encore un coup, il ne s'agit pas d'enrichir les pauvres, car l'or entier de vos mines ne saurait probablement y suffire. Vous ne réussiriez d'ailleurs qu'à multiplier les faux riches. Nulle force au monde n'arrêtera l'or dans son perpétuel écoulement, ne rassemblera en un seul lac d'or les millions de ruisseaux par où s'échappe, plus insaisissable que le mercure, votre métal enchanté. Il ne s'agit pas d'enrichir le pauvre, il s'agit de l'honorer, ou plutôt de lui rendre l'honneur. Le fort ni le faible ne peuvent évidemment vivre sans honneur, mais le faible a plus besoin d'honneur qu'un autre. Cette maxime n'a d'ailleurs rien d'étrange. Il est dangereux de laisser s'avilir les faibles, la pourriture des faibles est un poison pour les forts. Jusqu'où seraient tombées les femmes – vos femmes – si d'un commun accord, au cours des siècles, disposant des moyens de vous les asservir corps et âme, vous ne vous étiez prudemment décidés à les respecter ? L'idée qu'un traitant millionnaire puisse devoir céder le pas à un honnête pauvre diable vous paraît sans doute absurde ? Prenez garde, cependant, qu'il vous arrive de voir chaque jour des garçons robustes en agir de même avec n'importe quelle femme, vieille ou jeune, laide ou jolie, toutes d'ailleurs parfaitement impuissantes à exiger de tels égards. Vous respectez la femme ou l'enfant, et il ne viendrait à l'esprit d'aucun d'entre vous de considérer leur faiblesse ainsi qu'une infirmité un peu honteuse, à peine avouable. Si les mœurs l'ont ainsi emporté sur la violence, pourquoi ne verrait-on pas céder à son tour l'ignoble prestige de l'argent ? Oui, l'honneur de l'argent serait peu de chose si vous ne lui apportiez votre sournoise complicité.

*

40

« Mais n'en a-t-il pas toujours été de même au cours des siècles ? » Dites plutôt que si les hommes d'argent ont souvent disposé des profits du pouvoir, ce pouvoir n'a jamais paru légitime à personne, il n'y a jamais eu, il n'y aura jamais une légitimité de l'Argent. Dès qu'on l'interroge il se cache, il se terre, il disparaît sous la terre. Même aujourd'hui sa situation auprès de la société qu'il contrôle ne diffère pas beaucoup de celle du valet de ferme qui couche avec sa maîtresse, veuve et mûre. Il encaisse les bénéfices, mais il appelle en public son amante « not' dame », et il lui parle casquette à la main. On fait des triomphes aux reines de beauté, aux stars de cinéma. Vous n'imaginez pas l'un des Rockefeller accueilli à la gare du Nord par les applaudissements des mêmes personnes ardentes qui se pressent autour de M. Tino Rossi. Il est indifférent à ces dernières de donner par leurs indiscrets transports l'impression qu'elles ont envie de ce petit Corse à la voix d'ambre. Mais elles rougiraient de montrer cet empressement à M. Ford, fût-il aussi beau que M. Robert Taylor. L'argent est maître, soit. Cependant, il n'a même pas de représentant attitré, comme une simple puissance de troisième ordre, il ne figure pas dans les cortèges en grand uniforme. Vous y voyez le Juge, en rouge et peau de lapin, le Militaire chamarré comme un Suisse de cathédrale, ce Suisse lui-même, ouvrant la route au Prélat violet, le Gendarme, le Préfet, l'Académicien qui lui ressemble, les Députés en habit noir. Vous n'y voyez pas le Riche – bien qu'il fasse les frais de la fête, et qu'il ait pourtant les moyens de mettre beaucoup de plumes à son chapeau.

M. Ch. Maurras a trouvé un jour une parole ruisselante de grandeur et de dignité humaine. « Ce qui m'étonne, ce n'est pas le désordre, c'est l'ordre. » Ce qui devrait nous remplir aussi d'étonnement, c'est que, même en ce monde qui lui appartient, l'argent semble toujours avoir honte de lui-même. M. Roosevelt rappelait dernièrement qu'un quart de la fortune américaine se trouve entre les mains de soixante familles, qui d'ailleurs, par le jeu des alliances, se réduisent à une vingtaine. Certains de ces hommes, auxquels on ne voit même pas un galon sur la manche, disposent de huit milliards. Oh ! je sais bien… Nos jeunes réalistes de droite vont rigoler : « Les deux cents familles ! Hi ! Hi ! Hi ! » Eh bien, oui, mon gros ! J'ignore s'il existe un Pays Réel, comme les docteurs qui vous ensemencent cherchent à le faire croire. Mais il existe, à coup sûr, une fortune réelle de la France. Cette fortune réelle devrait assurer notre crédit. Or, vous savez parfaitement qu'il n'en est rien. Cinquante milliards divisés en pièces de cent sous et qui reposent au fond des bas de laine sont absolument impuissants à balancer l'influence d'un seul milliard rapidement mobilisable, et qui manœuvre les changes selon les principes de la guerre napoléonienne. « Qu'importe le nombre des régiments que l'ennemi vous oppose, pourvu que vous vous trouviez toujours le plus fort là où il est le plus faible ? » Et si les écus de cinq livres sont d'une mobilisation difficile, que dire des champs, des forêts ?

Il n'est donc pas absurde de prétendre que la richesse réelle d'une nation, si énorme qu'elle paraisse au regard du capital détenu par un petit nombre de particuliers, n'est nullement à l'abri des entreprises de ces derniers. Je crois partager sur ce point l'opinion de M. Ch. Maurras, qui a étudié bien avant moi le mécanisme de la conquête juive. Pourquoi diable voudriez-vous que les ploutocrates français n'aient pas adopté les méthodes de gens auxquels ils ont marié leurs filles ? Jeunes réalistes, je sais que de telles considérations ne troublent nullement vos nuits innocentes. Que vous importent les champs, les vignes ? « Voilà le franc qui dégringole. Veine ! Le ministère va tomber. » Malheureusement, le problème ne se pose pas exactement comme vous le pensez. Ce n'est pas pour le franc que j'ai peur, mes pauvres garçons, c'est pour vous. Le franc finira toujours par récupérer sa valeur, cette valeur correspondra tôt ou tard à la place que la France occupe dans le monde, au besoin que le monde a de mon pays. L'ennemi le sait bien. L'ennemi attend seulement l'heure où ses conseillers financiers cligneront de l'œil, en silence, vers les conseillers militaires. Alors… Alors le franc remontera peu à peu la pente, mes enfants, mais ce ne sera nullement par les mêmes moyens qui servent aujourd'hui à la lui faire descendre. Vous le revaloriserez avec votre sang, imbéciles.

J'avoue que la vie des agents de change deviendrait un drame eschylien si ces messieurs croyaient échanger entre eux, au comptant ou à terme, non des fafiots, mais des hommes. Il ne faut pas que la vie d'un agent de change soit un drame eschylien. Le peuple, lui, n'en a pas moins toujours vaguement pensé que le mince filet de métal précieux prenait sa source dans les cimetières, puis s'enfonçait parfois on ne sait où, pour sourdre de nouveau, un beau jour, dans d'autres cimetières, des cimetières frais. Que voulez-vous ? Le peuple réagit autrement que nous au mystère de l'Argent, la lecture des économistes n'a pas faussé son instinct. Il est naturel qu'il soit surtout sensible à la cruauté du dieu couleur de lune, qui fait supporter aux pauvres diables tout le poids de ses déceptions sentimentales. Nous savons, en effet, que le Prince du Monde cache sous sa cuirasse une blessure inavouable, qu'il se ronge en son cœur étincelant de passer pour un imbécile auprès des vrais maîtres et seigneurs qu'il brûlerait de séduire. Les flatteurs qu'il invite à sa table, bien que grassement rétribués, glissent les couverts dans leurs poches, tandis que les esclaves crachent discrètement dans les plats. Avouez qu'il n'y a pas de quoi donner à ce monarque une grande estime de lui-même.

*

Car si l'Argent ne sollicite pas encore la reconnaissance publique de sa souveraineté, ce n'est pas tant par astuce et prudence que par une insurmontable timidité. Ceux qui échappent à son empire connaissent sa force, à un liard près. Il ignore tout de la leur. Les Saints et les Héros savent ce qu'il pense, et il ne se fait absolument aucune idée de ce que peuvent bien penser de lui, au juste, les Saints et les Héros.

Il est certain que le seul amour de l'argent n'a jamais fait que des maniaques, des obsédés que la société connaît à peine qui geignent et pourrissent dans les régions ténébreuses, ainsi que des champignons de Paris. L'avarice n'est pas une passion, mais un vice. Le monde n'est pas au vicieux, comme se l'imaginent les chastetés torturées. Le monde est au Risque. Il y a là de quoi faire éclater de rire les Sages dont la morale est celle de l'épargne. Mais s'ils ne risquent rien eux-mêmes, ils vivent du risque des autres. Il arrive aussi, grâce à Dieu, qu'ils en meurent. Tel ingénieur obscur décide brusquement, à l'ahurissement de ses proches, qu'il fabriquera désormais un oiseau mécanique, tel coureur cycliste, à l'heure du vermouth, parie de piloter une si curieuse machine, et il ne faut pas plus de trente ans pour que les Épargnants reçoivent sur la tête, tombant du ciel, des bombes de mille kilos. Le Monde est au risque. Le Monde sera demain à qui risquera le plus, prendra plus fermement son risque. Si j'avais le temps, je vous mettrais volontiers en garde contre une illusion chère aux dévots. Les dévots croient volontiers qu'une humanité sans Dieu, comme ils disent, sombrera dans l'excès de la débauche – pour parler toujours leur langage. Ils attendent un nouveau Bas-Empire. On peut croire qu'ils seront déçus. La part pourrissante de l'Empire, c'était cet amas de hauts fonctionnaires pillards, bêtes cyniques à fond de jobarderie, la gueule ouverte à toutes les suppurations de l'Afrique et de l'Asie, les lèvres collées à l'égout collecteur de ces deux continents. Il en est du raffinement de ces brutes comme de la plupart des traditions de collège. Depuis des siècles, les cuistres proposent à l'admiration du jeune Français des Pétrone ou des Lucullus légendaires sortant des bains de vapeur pour se faire étriller par des éphèbes. À y bien réfléchir, si ces gens-là se lavaient tant, c'est qu'ils puaient. Le nard et les baumes ruisselaient en vain sur les plaies honteuses dont parlent Juvénal et Lucien. J'ajoute que, même sains, des malheureux assez goinfres pour s'étendre afin de mieux se remplir et qui une fois remplis se vidaient comme des outres, leurs gros doigts bagués d'or au fond de la gorge, sans seulement prendre la peine de se mettre sur leur séant, devaient avoir à la fin du repas bien besoin de se décrasser... Il est vrai qu'ils habitaient des villas somptueuses. Certes, je n'ai jamais aimé l'homme romain ! Il m'a fallu néanmoins beaucoup d'années pour que commence à m'apparaître non point seulement sa grossièreté trop éclatante, mais une certaine niaiserie profonde. Je ne parle pas des prodigalités colossales, imbéciles, les murènes engraissées d'esclaves, les langues de rossignol, les perles dissoutes dans le falerne et tant d'autres galéjades aussi bêtes, dont la vulgarité rebuterait jusqu'à la Canebière. Je pense à d'autres divertissements prétendus diaboliques, qui l'étaient peut-être, dont les pions blanchis ne s'entretiennent qu'à voix basse, mais qui ont l'air d'avoir été rêvés par des collégiens solitaires. Tous ces empereurs à grosse bedaine manifestaient beaucoup de bonne volonté dans le mal. Il leur manquait, pour être réellement pervers, une certaine qualité humaine. Ne se damne pas qui veut. Ne partage pas qui veut le pain et le vin de la perdition. – Que dire ? – Nul ne peut offenser Dieu cruellement qui ne porte en lui de quoi l'aimer et le servir. Or qu'ont affaire avec Dieu de tels salauds ? Suétone n'a peint, en somme, que des rois nègres. Que nous importe le vieux Tibère pataugeant dans sa baignoire et tendant à la bouche des nouveau-nés le lambeau par quoi, jadis,

il fut un homme ? Des milliers de débauchés septuagé-
naires, éperonnés par les furies de l'impuissance, font
de tels rêves. – Mais Tibère ne les a pas seulement
rêvés. – J'en conviens. Je doute même qu'il les ait
rêvés. Ces étranges pratiques ont dû lui être suggérées
par quelque pourvoyeuse, ou encore par quelque
concubine, brûlant de se venger d'abjectes et haras-
santes servitudes, en se payant la tête du Maître du
Monde. Après tout, ce Maître du Monde ne risquait
rien, pas même la correctionnelle.

*

J'admire les idiots cultivés, enflés de culture, dévorés par les livres comme par des poux, et qui affirment,
le petit doigt en l'air, qu'il ne se passe rien de nouveau,
que tout s'est vu. Qu'en savent-ils ? L'avènement du
Christ a été un fait nouveau. La déchristianisation du
monde en serait un autre. Il est clair que personne n'a
jamais observé ce second phénomène, ne peut se faire
une idée de ses conséquences. Je regarde avec beaucoup plus de stupeur encore les catholiques que la lecture, même distraite, de l'Évangile ne semble pas
inciter à réfléchir sur le caractère chaque jour plus
pathétique d'une lutte qu'annonce pourtant une parole
bien surprenante, qu'on n'avait jamais entendue, qui
fût d'ailleurs restée, jadis, parfaitement inintelligible :
« Vous ne pouvez servir Dieu et l'Argent. » Oh ! je les
connais. Si, par miracle, ma réflexion chagrine l'un
d'entre eux, il courra chez son directeur qui lui répondra paisiblement, au nom d'innombrables casuistes,
que ce conseil ne s'adresse qu'aux parfaits, qu'il ne

saurait par conséquent troubler les propriétaires. J'en tombe volontiers d'accord. Je me permettrai donc d'écrire avec une majuscule le mot « Argent ». Vous ne pouvez servir Dieu et l'Argent. La Puissance de l'Argent s'oppose à la Puissance de Dieu.

C'est, direz-vous, une de ces vues métaphysiques dont les réalistes n'ont nul souci : Pardon. Exprimez-vous donc autrement, dans votre langage, que m'importe ! L'Antiquité a connu les Riches. Beaucoup d'hommes y ont souffert d'une injuste répartition des biens, de l'égoïsme, de la rapacité, de l'orgueil des Riches, bien qu'on ne pense pas assez peut-être à ces milliers de laboureurs, pâtres, bergers, pêcheurs ou chasseurs auxquels la médiocrité des moyens de communication permettait de vivre pauvres et libres dans leurs solitudes inaccessibles. Qu'on réfléchisse à ce fait immense : les écumeurs étaient alors fonctionnaires, ils devaient humblement prendre leur tour derrière le général conquérant, faire leur profit du butin laissé par les militaires – et Dieu sait ce qu'étaient les militaires de Rome, avant que les peuples nobles d'Occident aient fourni à cette tribu de boucs constructeurs et juristes de véritables chefs de guerre, des soldats. Bref, en ces temps lointains les hommes d'argent exploitaient le monde au hasard d'expéditions fructueuses, ils ne l'organisaient pas. Qu'ont de commun entre eux, je vous le demande, les pirates plus ou moins consulaires, acharnés à remplir vivement leurs coffres, puis revenant jouir de ces biens mal acquis, finissant par crever de débauche, et tel milliardaire puritain, mélancolique et dyspeptique, capable de faire osciller d'un clin d'œil, d'une signature tracée avec un stylo de cent vingt francs, l'immense fardeau de la misère universelle ? Que dire ? Un traitant du dix-huitième siècle eût été bien incapable d'imaginer ce dernier type d'homme, il lui eût paru absurde, et il l'est en effet, il est le produit hybride, maintenant fixé, de plusieurs espèces très différentes. Vous allez répétant comme des perroquets qu'il est issu de la civilisation capitaliste. Non pas, c'est lui qui l'a faite. Évidemment, il ne s'agit point de plan concerté. C'est un phénomène d'adaptation, de défense. Le mauvais riche d'autrefois, le riche jouisseur et scandaleux, fanfaron, prodigue, ennemi de l'effort, avait presque à lui seul reçu le choc du christianisme, son irrésistible élan. Sans doute eût-il réussi à subsister dans ce monde chrétien, il n'y eût pas prospéré. Il n'y prospérait pas.

Les hommes du Moyen Âge n'étaient pas assez vertueux pour dédaigner l'argent, mais ils méprisaient les hommes d'argent. Ils épargnaient un temps le juif parce que le juif draine l'or, comme un abcès de fixation draine le pus. Le moment venu, ils vidaient le juif, exactement ainsi que le chirurgien vide l'abcès. Je n'approuve pas cette méthode, je prétends simplement qu'elle n'était pas en contradiction avec la doctrine de l'Église touchant le prêt à intérêt ou l'usure. À défaut d'abolir le système, on le notait d'infamie. Autre chose est de tolérer la prostitution, autre chose de déifier les prostituées comme l'a fait maintes fois jadis la canaille méditerranéenne, chez qui la vente du bétail parfumé a toujours été l'industrie nationale. Il est clair qu'au temps où les enfants pouvaient impunément reconduire à coups de trognons de choux, jusqu'au ghetto, le plus opulent capitaliste porteur de l'insigne jaune, l'Argent manquait du prestige moral nécessaire à ses desseins.

La chrétienté n'a pas éliminé le Riche, ni enrichi le Pauvre, car elle ne s'est jamais proposé pour but l'abolition du péché originel. Elle eût retardé indéfiniment l'asservissement du monde à l'Argent, maintenu la hiérarchie des grandeurs humaines, maintenu l'Honneur. Grâce à la même loi mystérieuse qui pourvoit d'une fourrure protectrice les races animales transplantées des régions tempérées aux régions polaires, le Riche dans un climat si défavorable à son espèce a fini par acquérir une résistance prodigieuse, une prodigieuse vitalité. Il lui a fallu transformer patiemment du dedans, avec les conditions économiques, les lois, les mœurs, la morale même. Il serait exagéré de prétendre qu'il a provoqué la révolution intellectuelle dont est sortie la science expérimentale, mais dès les premiers succès de cette dernière, il lui a prêté son appui, orienté ses recherches. Il a par exemple, sinon créé, du moins exploité cette foudroyante conquête de l'espace et du temps par la mécanique, conquête qui ne sert réellement que ses entreprises, a fait de l'ancien usurier rivé à son comptoir le maître anonyme de l'épargne et du travail humain. Sous ces coups furieux, la chrétienté a péri, l'Église chancelle. Que tenter contre une puissance qui contrôle le Progrès moderne, dont elle a créé le mythe, tient l'humanité sous la menace des guerres, qu'elle est seule capable de financer, de la guerre devenue comme une des formes normales de l'activité économique, soit qu'on la prépare, soit qu'on la fasse ?

De telles vues sont généralement désagréables aux gens de droite. On se demande pourquoi. Le moindre petit commerçant regardera comme un ennemi dangereux de la société l'innocent poivrot qui vient de boire sa paie de la semaine, et murmure : « Mort aux vaches ! » en passant près du sergent de ville, histoire de prouver qu'il est un homme libre. Mais le même patenté s'estimera solidaire de M. de Rothschild ou de M. Rockefeller, et, au fond, l'imbécile en est flatté. On peut donner à ce curieux phénomène un grand nombre d'explications psychologiques. Il est certain que chez la plupart de nos contemporains la distinction du possédant et du non-possédant finit par tenir lieu de toutes les autres. Le possédant se voit lui-même comme un mouton guetté par le loup. Mais aux yeux du pauvre diable, le mouton devient un requin affamé qui s'apprête à gober une ablette. La gueule sanglante qui s'ouvre à l'horizon les mettra d'accord en les dévorant tous ensemble.

Une telle obsession morbide, née de la peur, modifie profondément les rapports sociaux. Et, par exemple, la politesse n'exprime plus un état de l'âme, une conception de la vie. Elle tend à devenir un ensemble de rites, dont le sens originel échappe, la succession, dans un certain ordre, de grimaces, hochements de tête, gloussements variés, sourires standard – réservés à une catégorie de citoyens dressés à la même gymnastique. Les chiens ont entre eux de ces façons – entre eux seulement, car vous verrez rarement cet animal flairer le derrière d'un chat ou d'un mouton. Ainsi mes contemporains ne gesticulent d'une certaine manière qu'en présence des gens de leur classe.

J'habitais, au temps de ma jeunesse, une vieille chère maison dans les arbres, un minuscule hameau du pays d'Artois, plein d'un murmure de feuillage et d'eau vive. La vieille maison ne m'appartient plus, qu'importe ! Pourvu que les propriétaires la traitent bien ! Pourvu qu'ils ne lui fassent pas de mal, qu'elle soit leur amie, non leur chose !... N'importe ! N'importe ! Chaque lundi, les gens venaient à l'aumône, comme on dit là-bas. Ils venaient parfois de loin, d'autres villages, mais je les connaissais presque tous par leur nom. C'était une clientèle très sûre. Ils s'obligeaient même entre eux : « Je suis venu aussi pour un tel, qui a ses rhuma-tisques. » Lorsqu'il s'en était présenté plus de cent, mon père disait : « Sapristi ! les affaires reprennent !... » Oui, oui, je sais bien, ces souvenirs n'ont aucun intérêt pour vous, pardonnez-moi. Je voulais seulement vous faire comprendre qu'on m'a élevé dans le respect des vieilles gens, possédants, ou non-possédants, des vieilles dames surtout, préjugé dont les hideuses follettes septuagé-naires d'aujourd'hui n'ont pu me guérir. Eh bien ! en ce temps-là, je devais parler aux vieux mendiants la cas-quette à la main, et ils trouvaient la chose aussi naturelle que moi, ils n'en étaient nullement émus. C'étaient des gens de l'ancienne France, c'étaient des gens qui savaient vivre, et s'ils sentaient un peu fort la pipe ou la prise, ils ne puaient pas la boutique, ils n'avaient pas ces têtes de boutiquiers, de sacristains, d'huissiers, des têtes qui ont l'air d'avoir poussé dans les caves. Ils ressemblaient beaucoup plus à Vauban, à Turenne, à des Valois, à des Bourbons, qu'à M. Philippe Henriot par exemple – ou à n'importe quel bourgeois bien-pensant… Je ne vous apprends rien ? Vous êtes du même avis que moi ? Tant mieux. Les jeunes gens que je croise chaque jour dans la rue seraient capables de parler spontanément à un vieil ouvrier chapeau bas ? Parfait. Je l'admets, j'admets même que le vieil ouvrier ne croira pas qu'on se paie sa figure. C'est donc que les choses vont moins mal que je ne pensais, le prestige de l'argent s'effondre. Quel bonheur ! Car votre distinction entre le peuple front national et le peuple front populaire ne valait rien. Elle ne valait rien pour une raison très simple, à la portée du plus fanatique lecteur du *Jour* ou de *l'Humanité*, à la portée même d'un concierge opulent du quartier Monceau, affilié au C.S.A.R. par dévotion à la propriété immobilière. On ne classe pas d'après leurs opinions politiques ou sociales des gens que le jeu naturel de conditions économiques absurdes met dans l'impossibilité absolue d'en choisir une. Quoi ! Les compétences ne s'accordent entre elles que pour déclarer gravement que nous tournons dans un cercle vicieux, et ceux qui au lieu d'observer la ronde de loin tournent à toute vitesse, se décideraient posément, calmement, après avoir pesé les raisons des uns et des autres, résolu les contradictions dont vous ne venez pas à bout : « Mais ces gens-là n'ont pas besoin d'opinion politique ! » – Évidemment. Ils ne ressentiraient pas ce besoin, je suppose, en temps de prospérité. Mais les affaires de ce monde vont mal, je ne vous le fais pas dire. Et ce monde-là n'a tout de même pas été organisé par eux, pour eux, non ? Vous déplorez que la Révolution ait été jadis manquée. À qui la faute ? Que le peuple ait suivi de mauvais bergers. Où étaient les bons ? Devait-il se ranger derrière M. Cavaignac ou M. Thiers ?

« Ensemble et quand vous voudrez, disait le comte de Chambord, nous reprendrons le grand mouvement de 89. » J'ai des raisons de croire que cette parole a été entendue d'un jeune prince français. Si elle se réalisait un jour – plaise à Dieu ! – le sol serait-il si ferme sous vos pas ? Vous me dites : « Nous allons sauver la France ! » Bon. Très bien. Le malheur est que vous n'avez pas encore réussi à vous sauver vous-mêmes, fâcheux augure ! « On compte parmi nous beaucoup d'hommes estimables. » Oui. Les gens du peuple pourront les rencontrer au cercle, au bureau, parfois à l'église, ou aux ventes de charité. Il n'est pas facile d'organiser ces rencontres, je me demande si elles seraient d'ailleurs utiles. La main sur le cœur, on ne tire généralement pas grand profit de vos conversations. À la première cuillerée de potage, vous convenez que tout va mal, et au dessert, sauf votre respect, vous vous engueulez comme des charretiers. Il est parfaitement exact que le peuple vous connaît mal. Qu'importe ! Cette connaissance ne saurait mettre fin à ses perplexités, si l'on songe que des Français aussi divers que, par exemple, Drumont, Lyautey ou Clemenceau ont porté le même jugement, resté jusqu'ici sans appel, sur vos partis et sur vos hommes.

*

Je puis parler ainsi tranquillement, sans offenser personne. Je ne dois rien aux partis de droite, et ils ne me doivent rien non plus. Il est vrai que de 1908 à 1914, j'ai appartenu aux Camelots du Roi. En ces temps révolus, M. Maurras écrivait dans son style ce que je viens d'écrire – hélas ! – dans le mien. La situation de M. Maurras à l'égard des organisations bienpensantes de l'époque – qui ne s'appelaient pas encore nationales – était précisément celle où nous voyons aujourd'hui M. le colonel de La Rocque – on ne peut pas se le rappeler sans mélancolie. Nous n'étions pas des gens de droite. Le cercle d'études sociales que nous avions fondé portait le nom de Cercle Proudhon, affichait ce patronage scandaleux. Nous formions des vœux pour le syndicalisme naissant. Nous préférions courir les chances d'une révolution ouvrière que compromettre la monarchie avec une classe demeurée depuis un siècle parfaitement étrangère à la tradition des aïeux, au sens profond de notre histoire, et dont l'égoïsme, la sottise et la cupidité avaient réussi à établir une espèce de servage plus inhumain que celui jadis aboli par nos rois. Lorsque les deux Chambres unanimes approuvaient la répression brutale des grèves par M. Clemenceau, l'idée ne nous serait pas venue de nous allier, au nom de l'ordre, avec ce vieux radical réactionnaire contre les ouvriers français. Nous comprenions très bien qu'un jeune prince moderne traiterait plus aisément avec les chefs du prolétariat, même extrémistes, qu'avec des sociétés anonymes et des banques. Vous me direz que le prolétariat n'a pas de chefs mais seulement des exploiteurs et des meneurs. Le problème était justement de lui donner des chefs, assurés que nous étions par avance qu'il n'irait pas respectueusement les demander à M. Waldeck-Rousseau ou à M. Tardieu, qu'il ne les choisirait pas parmi des renégats du type de M. Hervé ou de M. Doriot. À la Santé, où nous faisions des séjours, nous partagions fraternellement nos provisions avec les terrassiers, nous chantions ensemble tour à tour : *Vive Henri IV* ou *l'Internationale*. Drumont vivait encore à ce moment-là, et il n'y a pas une ligne de ce livre qu'il ne pourrait signer de sa main, de sa noble main, si du moins je méritais cet honneur. J'ai donc le droit de rire au nez des étourdis qui m'accuseraient d'avoir changé. Ce sont eux qui ont changé. Je ne les reconnais plus. Ils peuvent d'ailleurs changer sans risque, les témoins irrécusables sont presque tous sous la terre, et Dieu sait s'ils les font parler, les morts ! Quel bruit de volière !

Il y a une bourgeoisie de gauche et une bourgeoisie de droite. Il n'y a pas de peuple de gauche ou de peuple de droite, il n'y a qu'un peuple. Tous les efforts que vous ferez pour lui imposer du dehors une classification conçue par les doctrinaires politiques n'aboutiront qu'à créer dans sa masse des courants et contre-courants dont profitent les aventuriers. L'idée que je me fais du peuple ne m'est nullement inspirée par un sentiment démocratique. La démocratie est une invention d'intellectuels, au même titre, après tout, que la monarchie de M. Joseph de Maistre. La monarchie ne saurait vivre de thèses ou de synthèses. Non par goût, non par choix, mais par vocation profonde, ou, si vous préférez, par nécessité, elle n'a jamais le temps de définir le peuple, elle doit le prendre tel qu'il est. Elle ne peut rien sans lui. Je crois, j'écrirais presque je crains, qu'il ne puisse rien sans elle. La monarchie négocie avec les autres classes qui, par la complexité des intérêts qu'elles défendent et qui débordent le cadre national, seront toujours, en quelque mesure, des États dans l'État. C'est avec le peuple qu'elle gouverne. Vous me direz qu'elle l'oublie parfois. Alors elle meurt. Elle peut perdre la faveur des autres classes, il lui reste la ressource de les opposer les unes aux autres, de manœuvrer. Les besoins du peuple sont trop simples, d'un caractère trop concret, d'une nécessité trop pressante. Il exige du travail, du pain et un honneur qui lui ressemble, aussi dépouillé que possible de tout raffinement psychologique, un honneur qui ressemble à son travail et à son pain. Les notaires, huissiers, avocats qui ont fait la révolution de 1793 s'imaginaient qu'on pouvait remettre indéfiniment la réalisation d'un programme aussi réduit. Ils croyaient qu'un peuple, un vrai peuple, un peuple formé par mille ans d'histoire peut être mis au frais dans la cave, en attendant mieux. « Occupons-nous des élites, on verra plus tard. » Plus tard, il était trop tard. Dans la nouvelle maison construite selon les plans du législateur romain, aucune place n'avait été prévue pour le peuple de l'ancienne France, il eût fallu tout jeter bas. Ce fait n'a rien de surprenant. L'architecte libéral ne s'était pas plus préoccupé de loger son prolétariat que l'architecte romain, ses esclaves. Seulement les esclaves ne formaient qu'un ramas d'ilotes de toutes langues, de toutes nations, de toutes classes, une part d'humanité sacrifiée, avilie, leur misérable tribu était une œuvre des hommes. Au lieu que la Société moderne laisse se détruire lentement, au fond de sa cave, une admirable création de la nature et de l'histoire. Vous pouvez naturellement avoir une autre opinion que la mienne, je ne crois pas que la monarchie eût laissé se déformer si gravement l'honnête visage de mon pays. Nous avons eu des rois égoïstes, ambitieux, frivoles, quelques-uns méchants, je doute qu'une famille de princes français eût manqué de sens national au point de permettre qu'une poignée de bourgeois ou de petits-bourgeois, d'hommes d'affaires ou d'intellectuels, jacassant et gesticulant à l'avant-scène, prétendissent tenir le rôle de la France, tandis que notre vieux peuple, si fier, si sage, si sensible, devenait peu à peu cette masse anonyme qui s'appelle : un prolétariat.

En parlant ainsi je ne crois pas trahir la classe à laquelle j'appartiens, car je n'appartiens à aucune classe, je me moque des classes, et d'ailleurs il n'y a plus de classes. À quoi reconnaît-on un Français de première classe ? À son compte en banque ? À son diplôme de bachelier ? À sa patente ? À la Légion d'honneur ? Oh ! je ne suis pas anarchiste ! Je trouve parfaitement convenable que l'État recrute ses fonctionnaires parmi les braves potaches du collège ou du lycée. Où les prendrait-il ? La situation de ces messieurs ne me paraît d'ailleurs pas enviable. Croyez que, si j'en avais le moyen, je ne penserais pas faire une grande faveur à un maréchal de village qui chante au feu de sa forge, en le transformant par un coup de baguette magique en percepteur. Néanmoins, j'admets volontiers que ces gens-là soient traités avec plus d'égards que le maréchal ou moi-même, parce que la discipline facilite le travail, épargne le temps de celui qui commande et de celui qui obéit. Lorsque vous vous trouvez devant un guichet, au bureau de poste, j'espère que vous ne discutez jamais avec le préposé, vous attendez modestement qu'il se souvienne de vous, à moins que vous ne vous permettiez d'attirer son attention par une petite toux discrète. Si le préposé interprète cette attitude ainsi qu'un hommage rendu à son intelligence et à ses vertus, que voulez-vous, il a tort. Notre classe moyenne commet un peu la même erreur. Parce qu'elle fournit la plupart des agents de surveillance ou de contrôle, elle se prend volontiers pour une aristocratie nationale, croit compter dans ses rangs plus de chefs. Non pas plus de chefs – plus de fonctionnaires, ce n'est pas la même chose. Lorsque j'écris qu'il n'y a plus de classes, remarquez-le, j'interprète le sentiment commun. Il n'y a plus de classes, parce que le peuple n'est pas une classe, au sens exact du mot, et les classes supérieures se sont peu à peu fondues en une seule à laquelle vous avez donné précisément ce nom de classe moyenne. Une classe dite moyenne n'est pas non plus une classe, encore moins une aristocratie. Elle ne saurait même pas fournir les premiers éléments de cette dernière. Rien n'est plus éloigné que son esprit de l'esprit aristocratique. On pourrait la définir ainsi : l'ensemble des citoyens convenablement instruits, aptes à toute besogne, interchangeables. La même définition convient d'ailleurs parfaitement à ce que vous appelez démocratie. La démocratie est l'état naturel des citoyens aptes à tout. Dès qu'ils sont en nombre, ils s'agglomèrent et forment une démocratie. Le mécanisme du suffrage universel leur convient à merveille, parce qu'il est logique que ces citoyens interchangeables finissent par s'en remettre au vote pour décider ce qu'ils seront chacun. Ils pourraient aussi bien employer le procédé de la courte paille. Il n'y a pas de démocratie populaire, une véritable démocratie du peuple est inconcevable. L'homme du peuple, n'étant pas apte à tout, ne saurait parler que de ce qu'il connaît, il comprend parfaitement que l'élection favorise les bavards. Qui bavarde sur le chantier est un fainéant. Laissé à lui-même, l'homme du peuple aurait la même conception du pouvoir que l'aristocrate – auquel il ressemble d'ailleurs par tant de traits –, le pouvoir est à qui le prend, à qui se sent la force de le prendre. C'est pourquoi il ne donne pas au mot de dictateur exactement le même sens que nous. La classe moyenne appelle de ses vœux un dictateur, c'est-à-dire un protecteur qui gouverne à sa place, qui la dispense de gouverner. L'espèce de dictature dont rêve le peuple, c'est la sienne. Vous me répondrez que les politiciens feront de ce rêve une réalité bien différente. Soit. La nuance n'en est pas moins révélatrice.

Encore une fois, je n'écris pas ces pages à l'intention des gens du peuple, qui d'ailleurs se garderont bien de les lire. Je voudrais faire clairement entendre qu'aucune vie nationale n'est possible ni même concevable dès que le peuple a perdu son caractère propre, son originalité raciale et culturelle, n'est plus qu'un immense réservoir de manœuvres abrutis, complété par une minuscule pépinière de futurs bourgeois. Que les élites soient nationales ou non, la chose a beaucoup moins d'importance que vous ne pensez. Les élites du douzième siècle n'étaient guère nationales, celles du seizième non plus. C'est le peuple qui donne à chaque patrie son type original. Quelques fautes que vous puissiez reprocher à la Monarchie, ce régime avait su, du moins, conserver intact le plus précieux de son héritage, car même en plein dix-huitième siècle, alors que le clergé, la noblesse, la magistrature et les intellectuels présentaient tous les symptômes de la pourriture, l'homme du peuple demeurait peu différent de son ancêtre médiéval. Il est affolant de penser que vous avez réussi à faire du composé humain le plus stable une foule ingouvernable, tenue sous la menace des mitrailleuses.

On ne refera pas la France par les élites, on la refera par la base. Cela coûtera plus cher, tant pis ! Cela coûtera ce qu'il faudra. Cela coûtera moins cher que la guerre civile. Les classes moyennes bien-pensantes paraissent trouver très naturel que les démangeaisons impérialistes de M. Mussolini contraignent la France et l'Angleterre à d'énormes dépenses d'armement. Elles n'en veulent nullement à M. Mussolini. Ce n'est pas lui qu'elles tiennent pour responsable de l'accroissement de nos malheurs, les réformes sociales sont cause de tout. « Mais le peuple est entre les mains de dangereux aventuriers. – Que faites-vous pour l'arracher de leurs mains ? – Cela viendra plus tard. Le temps nous manque, et d'ailleurs puisque les gauches exploitent la terreur que leur clientèle a du fascisme, nous exploitons la terreur que la nôtre a du communisme, c'est naturel. Au reste, le peuple ne croit guère à notre sincérité. En nous rapprochant de lui nous perdrions infiniment plus de voix bourgeoises que nous ne gagnerions de voix prolétariennes. – Bref, vous agissez momentanément vis-à-vis de la classe ouvrière, ensemencée par le virus moscovite, comme les services d'hygiène à l'égard des populations contaminées. En attendant d'avoir réglé la question du Capitalisme, de la Production, de la Vie chère, décidé entre la formule de l'Autarcie et celle de la Liberté Douanière, de l'Étalon-Or ou de l'Étalon-Argent, assuré la Paix Universelle sans parler d'autres problèmes à peine moins importants, vous laisserez le peuple cuire dans son jus ? – C'est vous qui parlez un langage démagogique. On n'entreprend pas des réformes sociales avec des caisses vides. – Il fallait donc commencer lorsqu'elles étaient pleines. – Pardon. Nous ne demeurons pas inactifs. Nous redoublons de propagande. – Oui. Lorsque le peuple pensera exactement comme vous, la question sociale sera bien près d'être résolue, et au moindre prix. »

Même avec des penseurs comme M. Doriot, je doute que vous meniez à bien une Réforme intellectuelle du Prolétariat calquée sur celle que le vieux Renan proposait jadis à la France. Saint Dominique avait rêvé quelque chose de semblable pour la chrétienté, une vaste restauration de la doctrine dont ses Frères prêcheurs eussent été les ouvriers. À l'exemple des communistes d'aujourd'hui, les Hérétiques de l'époque menaçaient les classes dirigeantes dans leur foi et dans leurs biens. Ces dernières ont vite réussi à faire comprendre aux gouvernements que la foi pouvait attendre mais que le salut de la Propriété exigeait des mesures plus énergiques. En sorte que les Prêcheurs ont fini par fournir les cadres d'une vaste entreprise d'épuration analogue à celle que j'ai vue fonctionner en Espagne et qui porte, dans l'Histoire, le nom d'Inquisition. Si les gens de droite prétendent utiliser la formule, ils signeront du même coup leur propre abdication. « Mais s'il n'y a pas d'autre formule ? – Tant pis. Nous commençons à comprendre que la Paix Militaire doit s'acheter tous les vingt ans par le sacrifice de quelques millions d'hommes. Si la Paix Sociale coûte aussi cher, c'est probablement que le système ne vaut rien. Allez-vous-en ! »

II

On me reproche volontiers de me montrer trop injurieux envers les gens de droite. Je pourrais répondre que ces brutalités sont systématiques, que j'attends d'elles un portefeuille dans le futur ministère d'Union nationale, aux côtés – par exemple – de M. Doriot. Je ne connais pas M. Doriot. Je ne l'ai jamais entendu. Je sais seulement qu'il a parlé aux ambassadeurs, avec un grand succès. Je sais aussi qu'au cours d'un bref passage à Paris, ne disposant que de peu d'heures, une très grande dame française dont je préfère taire le nom s'écriait aux applaudissements de ses belles amies : « Allons voir M. Doriot ! M. Doriot d'abord », et revenait enthousiasmée des bretelles légendaires de M. Doriot. « Quelle nature ! Il doit changer de flanelle après chaque discours. Il paraît qu'elle est à tordre, ma chère !… » Certes, je ne crois pas l'ancien chef des Jeunesses communistes capable de grandes émotions poétiques, mais enfin il doit éprouver, peut-être à son insu, quelque sentiment de cette espèce lorsque du haut de l'estrade il voit devant lui les visages béants qu'il a si vigoureusement malaxés jadis de ses fortes poignes. Pas un de ces sots ou de ces sottes qui, au temps d'Abd el-Krim, n'ait tenu ce garçon pour un traître, à la solde de Moscou. Pas un ou pas une qui ne soit aujourd'hui résolu à lui confier les destinées de la Patrie, s'ils le croient assez malin pour rouler ses anciens amis.

Mais je ne ferai pas l'heureuse carrière de M. Doriot ni celle de M. Millerand, ou celle encore du Pèlerin de la Paix. Je ne méprise pas, en effet, les gens de droite, du moins de ce mépris qu'ils aiment et où ils semblent se revigorer. Il y a certainement chez eux un curieux complexe, d'ailleurs très explicable lorsqu'on pense à leur excessif souci du *qu'en-dira-t-on*, de la respectabilité – analogue à la pudeur toute physique des Anglo-Saxons, qui n'est pas pure hypocrisie mais plutôt l'effet d'une timidité héréditaire entretenue par l'éducation, la réserve verbale, la muette complicité de tous. La dignité habituelle aux bien-pensants marquerait, plutôt qu'un éloignement naturel de la canaille, une secrète et anxieuse défense contre un penchant dont on n'ose pas mesurer la force. Si j'avais le temps d'écrire une Physiologie du Bien-Pensant, je crois que j'insisterais beaucoup sur ce point. On parle sans cesse de bourgeoisie. Mais il est vain d'appeler de ce nom des types sociaux très différents. M. Tardieu, par exemple, est un bourgeois – trois cents ans de bourgeoisie, comme il aime à dire lui-même. Pour un bourgeois de cette espèce on trouverait mille braves gens dont les papas ou les grands-papas, les cousins et les cousines sont encore à la queue des vaches. Je n'écris pas ceci par raillerie. Dieu sait que je préférerais la compagnie de ces ruminants à celle du ministre à l'étincelant dentier.

Mais c'est tout de même drôle, avouez-le, de rencontrer à tout instant des gaillards qui parlent de la lutte des classes avec des tortillements d'auriculaire, des soupirs et des airs navrés comme s'ils appartenaient vraiment à on ne sait quelle humanité supérieure alors qu'une hâtive adaptation fait de la plupart d'entre eux des êtres socialement heimatlos. De tels métis appartiennent évidemment aux partis de gauche comme aux partis de droite. Mais les traits de l'espèce me paraissent plus fortement accusés chez le bien-pensant qui se croit, ou feint de se croire, ou travaille à se croire héritier d'une sorte de privilège spirituel, et parle de son paquet de Shell ou de Royal Dutch comme un Montmorency de son apanage. S'ils ne mettaient à l'épreuve que la patience des gens de la haute qui d'ailleurs s'apprêtent à épouser leurs filles dès que la cote se montrera réellement favorable, vous pensez bien que je ne m'en soucierais guère, Dieu merci ! Et d'ailleurs les gens de la haute sont si bêtes qu'ils les ont depuis longtemps adoptés, dans l'illusion de se rapprocher ainsi du peuple, de marcher avec leur temps, précepte commun à tous les sédentaires. Peut-être jugent-ils leurs alliés plus solides, plus résistants. Grave erreur ! Car un citoyen a beau s'habiller de tweed chez le bon tailleur, s'honorer d'un poste administratif, avoir même hérité d'un père épargnant une maison de rapport dans le quartier des Ternes, une promotion trop récente à cette classe si mal définie qu'on appelle Bourgeoisie (qu'a-t-elle en effet de commun avec la bourgeoisie fortement enracinée de l'ancienne France ?) autorise à lui attribuer les tares et la fragilité de l'Âge Ingrat – l'âge ingrat menacé par les maladies de l'enfance et de l'âge mûr. Et le mot ingrat est bien ici celui qu'il faut : à qui ces gens-là témoigneraient-ils de la gratitude ? Ils se sont faits eux-mêmes, disent-ils. On les étonnerait beaucoup en leur représentant qu'ils ont des devoirs envers la classe dont ils sont sortis, où triment encore les leurs. Ne laissent-ils pas à ces maladroits l'exemple et l'encouragement de leur chance ? – « Qu'ils nous imitent ! qu'ils se débrouillent ! » À peine sortis des immenses chantiers de la misère, comment voulez-vous qu'ils ne soient pas secrètement tourmentés par la crainte de s'y voir retomber ? L'homme de grande race ne croit risquer, à une révolution, que sa tête. Le petit-bourgeois s'y perdrait tout entier, il dépend tout entier de l'ordre établi, l'Ordre Établi qu'il aime comme lui-même, car cet établissement est le sien. Vous ne pensez pas qu'il puisse voir sans haine les grosses mains noires qui le tirent en arrière, par les pans de sa belle jaquette ? « Revenez à nous, frères ! – Savez-vous à qui vous parlez, canailles ! Au secours mon cher duc ! Ma femme a tenu un comptoir tout près de celui de votre épouse à la dernière vente des Dames Traditionalistes du faubourg Saint-Honoré, dont la devise est : Dieu et mon Droit ! »

*

Quel anarchiste, ce Bernanos ! direz-vous. Pourquoi veut-il priver ces braves gens d'une innocente satisfaction d'amour-propre puisqu'ils sont fiers de partager avec les élites la défense de l'Ordre et de la Religion ? – Bien sûr. – Mais j'ai peut-être le droit d'avoir mon opinion sur la manière de défendre l'Ordre et la

Religion. Dans le règne animal comme dans le règne humain la lutte entre espèces trop proches prend vite un caractère de férocité. Vous croyez ces braves gens plus capables que vous de comprendre d'autres braves gens qui leur ressemblent ? Ils se ressemblent, en effet, d'où la gravité du malentendu qui les sépare. À l'effort qu'un homme fournit pour sortir de sa classe, on peut mesurer la puissance de sa réaction, parfois inconsciente, contre cette classe, son esprit, ses mœurs, car la seule cupidité ne saurait rendre compte d'un sentiment beaucoup plus profond, à la racine duquel on trouverait sans doute le souvenir encore cuisant de certaines humiliations, de certains dégoûts de l'enfance, blessures que plusieurs générations ne suffisent pas toujours à cicatriser. On peut sourire des protestations de la petite-bourgeoise en lutte contre sa bonne. – « Ces filles-là ne sont pas de la même espèce que nous, ma chère ! » L'adjudant rengagé semble éprouver la même déception devant l'homme de troupe, et si l'opinion du marchand de vin sur sa clientèle n'est pas non plus très favorable, celle de son fils, bachelier, sera nettement pessimiste.

La démission des véritables élites a laissé se dresser peu à peu, en face du prolétariat ouvrier, un prolétariat bourgeois. Il n'a ni la stabilité de l'ancienne bourgeoisie, ni ses traditions familiales, moins encore son honnêteté commerciale. Les hasards de l'anarchie économique le renouvellent sans cesse. Il a ses manœuvres comme l'autre. Quel nom donner en effet à ce ramas de petits commerçants dont l'inflation d'après-guerre a démesurément grossi le nombre et que les faillites déciment en vain chaque jour ? Pourquoi d'ailleurs leur donner le nom de commerçant ? Un commerçant jadis était le plus souvent un producteur. Les difficultés de l'approvisionnement, la rareté des marchandises, leur diversité en un temps où la fabrication en série n'existait pas, les exigences d'une clientèle habituée à se transmettre de génération en génération les plus humbles objets domestiques, le sévère contrôle de l'opinion provinciale, le jeu naturel des alliances et des amitiés, l'obligation d'obéir, au moins en apparence, aux préceptes du Décalogue touchant le respect de la propriété d'autrui, faisaient du négoce un art. Aujourd'hui n'importe quel va-nu-pieds peut se vanter d'appartenir à la corporation pourvu que, locataire d'une boutique, il s'inscrive comme dixième ou vingtième intermédiaire entre l'industriel qui se ruine pour produire à bas prix et le chaland imbécile dont le destin est de se faire voler. On a bien tort de juger sur la mine tel antre sordide, à la devanture vermoulue, à la glace fendue qui, chaque fois que s'entrouvre la porte, jette sur le trottoir, avec le tintement du grelot fêlé, une odeur absurde d'oignons et d'urine de chat. L'observation de certaines toiles d'araignées, paradoxalement tissées dans des endroits en apparence inaccessibles même aux moucherons, démontre que la patience du guetteur a raison de tout. Il est certain que les trop brillants étalages éloignent les pauvres diables, entretenus dans l'illusion – si attendrissante après tout ! – que le petit commerçant pratique le petit bénéfice. La preuve que ces hideuses trappes nourrissent l'insecte qui s'y tapit, c'est, depuis la guerre, l'étonnante multiplication des boutiquiers, phénomène dont vous pour-

69

rez aisément vous convaincre par la lecture du Bottin. Oh ! sans doute, la faillite guette le guetteur, et il ne mange pas chaque jour à sa faim. Mais il tiendra jusqu'au bout, dût-il, faute de crédit, s'approvisionner dans les boîtes à ordures. Je n'exagère nullement. Imaginez par exemple que cesse demain tout contrôle officiel des viandes de boucherie, quelle que soit votre indulgence pour le détaillant, il vous faut bien convenir qu'on verrait bientôt s'épanouir, au fond ténébreux des glacières, toutes les floraisons de la pourriture. Mais que vous en conveniez ou non, qu'importe ! Nous avons vu. Nous avons vu surgir – nous avons vu de nos yeux –, nous avons vu surgir jadis dans les hameaux démantelés, sous les obus, le petit commerçant échappé pour quelques mois à la distraite surveillance des pouvoirs publics, à la jalousie des confrères et même aux reproches de la clientèle, car, entre nous, quels reproches attendre du haillonneux combattant des tranchées ? Nous étions jeunes, et beaucoup de ces gens-là avaient les cheveux gris… Ils avaient aussi des filles.

Nous les avons vus. Ils tenaient, comme on dit, le bon bout. Notre seule revanche était qu'aux coups durs, tout ravitaillement suspendu, la faim les obligeait à manger leurs propres conserves, la soif à boire leur vin pauvre d'alcool, mais riche en champignons et en moisissures. Ils se gonflaient alors d'une mauvaise graisse qui coulait en sueur grise sur leurs fortes joues, tandis qu'ils débitaient la bibine avec un méchant rire sur leurs dents sales. Car ils se cachaient à peine de nous mépriser, abreuvaient les gendarmes à nos frais, déploraient nos mauvaises mœurs et ne manquaient

pas, chaque printemps, d'arborer à leur étalage, en pré-
vision de la prochaine offensive, de hideuses cou-
ronnes mortuaires, fabriquées probablement dans les
prisons. Vous aurez beau me dire que le pourrissoir des
guerres a toujours fait éclore de telles larves. C'est que
vous ne les avez pas connus. Il ne vous est jamais
arrivé de boire avec eux, la devanture close, entre leur
épouse tourmentée par les varices et leur demoiselle au
relent puissant, le petit marc de l'amitié. C'étaient des
gens malheureusement dépourvus d'imagination et par
conséquent peu accessibles à la compassion, mais ils
n'avaient rien des détrousseurs de cadavres qui sui-
vaient jadis les Armées. Dieu ! ils n'auraient pas risqué
la fusillade, ou même six mois de prison. Ils étaient
affamés d'estime publique, impitoyables pour la
canaille, sévères aux jeunes gens qui gâchaient leurs
sous, aux femmes qui « ne se respectaient pas », aux
débiteurs infidèles. Ne me demandez pas ce qu'ils sont
devenus. Il serait tout de même assez vain de prétendre
que ces gens-là sont morts le jour de l'armistice, non !
L'inflation les dégorge, la déflation les ravale, soit.
Vous ne les reconnaissez pas, parce qu'ils ne se distinguent plus du troupeau. Ils n'étaient nullement des
monstres. Les circonstances seules étaient mons-
trueuses, et ils les subissaient ou, plutôt, ils y adap-
taient le petit nombre d'idées générales dont ils
pouvaient disposer. Ils y conformaient leur âme. La
preuve qu'ils n'avaient rien des aventuriers ni des
réfractaires, c'est qu'aussitôt pourvus ils s'établis-
saient, mariaient leurs filles à des notaires. Après quoi,
ils pensaient au passé comme un homme pense au
temps de sa jeunesse, à ses amours. « Tu te souviens, le

stock de conserves de saumon refusé par l'Intendance et racheté en douce, à six sous la boîte, l'un dans l'autre ? Ça nous a rapporté quinze mille balles. » Ils se conformaient, ils étaient conformistes, ils ne demandaient qu'à se conformer, ils n'attendaient que d'avoir les moyens, comme ils disent, d'avoir assez d'argent pour ça. « Nous sortons de la Légalité pour rentrer dans le Droit », affirmait le troisième Bonaparte, fils d'Hortense, qui est bien l'un des types les plus curieux de l'Histoire. Eux aussi sortaient du Code à la faveur des bombardements, pour rentrer dans l'honnêteté, la décence, ce qu'ils appellent la tenue. Hélas ! les statistiques qui promettent tant de merveilles, tombent en défaillance sitôt qu'on les presse un peu, à l'exemple de beaucoup de personnes de leur sexe. Il serait pourtant curieux de savoir combien de ces négociants sont retombés dans le prolétariat dont ils étaient sortis. Je les crois, pour ma part, fortement agrégés désormais aux classes moyennes. Le mépris qu'ils nourrissaient pour leur clientèle militaire, ils le reportent aujourd'hui sur l'ensemble des « feignants » qui pérorent dans les syndicats au lieu de faire comme eux, de travailler chacun pour soi, de se débrouiller. En un sens, d'ailleurs, ils n'ont pas tort. Ils ont moins à craindre la dictature du prolétariat que l'organisation de cette classe, son avènement à la liberté, à l'indépendance, à l'honneur. Ils doivent tout à l'anarchie morale, mentale et sociale du dernier siècle, à la décadence des élites, à l'asservissement des travailleurs. Qu'un régime humain réussisse à incorporer ceux-ci à la nation, et l'absurde prestige du commerce, souvenir des temps révolus, ne sera bientôt plus qu'un mauvais rêve – ou plutôt le véritable commerce reprendra sa place, qui n'est pas petite, aux dépens des intermédiaires qui épuisent la substance du peuple, fourmillent sur toute industrie libératrice, comme des poux. N'importe lequel d'entre nous a eu l'occasion de s'entretenir avec quelques-uns de ces ouvriers spécialisés dont la culture, évidemment empirique, est celle d'un petit ingénieur. Ne trouvez-vous pas inique que le dernier imbécile venu, pourvu qu'il ait les moyens de payer patente, puisse se considérer comme socialement supérieur au premier, parce qu'il prélève encore un bénéfice sur une marchandise, dont le prix initial, trop réduit par rapport à l'énorme surcharge des commissions, finira par ne plus entrer en compte ?

Le prolétariat bourgeois, dont je viens d'esquisser la figure, n'a ni tradition ni principe mais il a son instinct. Cet instinct l'avertit du danger qu'il court, et que son sort est lié à toute réforme sociale profonde qui le restituerait au néant. Les gens de droite, nationaux ou cléricaux, ont cru très malin de l'incorporer en masse aux classes moyennes, où il tiendrait, dans la fameuse guerre pour l'ordre, la place de l'infanterie. J'aime autant leur dire tout de suite qu'ils compromettent ainsi gravement la cause qu'ils prétendent servir, car ils engagent, en faveur d'alliés qui n'ont rien à perdre qu'eux-mêmes, des traditions précieuses, et jusqu'au principe même de l'ordre, alors qu'ils ne peuvent en attendre qu'une résistance aveugle et haineuse à tout changement. S'il est un spectacle capable de faire vomir, c'est bien celui des monarchistes français mendiant les services de la Démocratie sous sa forme la plus basse et d'ailleurs originelle, car ce qui submerge aujourd'hui les associations dites nationales, c'est précisément le public cher aux pionniers de la République radicale, et ces fameuses couches profondes sur lesquelles on l'a vu germer.

*

Je m'efforce de toujours parler sans ironie. Je sais bien que l'ironie n'a jamais touché le cœur de personne. Elle n'est elle-même trop souvent que le gémissement d'un cœur blessé. Voilà que se découvre au monde la tragédie sans commencement ni fin, parce qu'elle n'a ni sens ni but. Du moins aucun but qu'on puisse avouer. La guerre du désespoir, alibi sanglant des partis réduits à l'impuissance, impuissants à créer rien, les uns s'opposant à tout retour en arrière, les autres à toute marche en avant, mais les uns et les autres incapables de définir, ou simplement de concevoir, l'avant et l'arrière. Chacun se contentant de crier, la main sur le cœur : « Mes intentions ! mes intentions ! » Qu'importe que vos intentions soient bonnes ? Il s'agit de savoir qui les exploite. Et où sont donc vos intentions, entre nous, hommes d'ordre ? Voilà qu'elles galopent sur toutes les routes de la terre. Vos bonnes intentions ont pris le mors aux dents. Vos bonnes intentions sont devenues folles. Allez, allez, vous aurez beau les siffler, elles ne reviendront pas… Le nationalisme, par exemple, élevé dans la vieille et indulgente maison lorraine de M. Maurice Barrès, nourri d'encre précieuse, quel chemin il a fait depuis, jusqu'au Japon, jusqu'en Chine ! C'est que les puissants maîtres de l'or et de l'opinion universelle l'ont vite arraché aux mains des philosophes et des poètes. Ma Lorraine ! ma Provence ! ma Terre ! mes Morts ! Ils disaient : mes phosphates, mes pétroles, mon fer. Lorsque j'avais quinze ans, nous luttions contre l'Individualisme. Sacrée déveine ! Il était mort. Chaque nation d'Europe avait déjà au fond des entrailles un petit État totalitaire bien formé. Quiconque eût posé l'oreille à la hauteur de l'ombilic aurait sûrement entendu sauter son cœur... Et le Libéralisme, Seigneur ! De quelles verges nous avons caressé son dos ! Hélas ! il ne se souciait plus de nos coups. Veillé par quelques académiciens en uniforme, il attendait dans le coma l'heure du trépas, qui allait être annoncée par le premier coup de canon de la guerre. Bref, nos intentions étaient pures, trop pures, trop innocentes. Nous aurions dû leur défendre de sortir seules. Elles ont maintenant beaucoup servi.

Je ne dis pas cela pour le plaisir d'embarrasser les Docteurs. À quoi bon ? Il est absurde de croire avec Jean-Jacques que l'homme naît bon. Il naît capable de plus de bien que de plus de mal que n'en sauraient imaginer les Moralistes, car il n'a pas été créé à l'image des Moralistes, il a été créé à l'image de Dieu. Et son suborneur n'est pas seulement la force de désordre qu'il porte en lui : instinct, désir, quel que soit le nom qu'on lui donne. Son suborneur est le plus grand des anges, tombé de la plus haute cime des Cieux. Certes, l'expérience de l'Histoire n'est pas sans profit pour les légistes et les politiques, mais l'homme dépasse toujours, par quelque côté, les définitions par lesquelles on prétend le cerner. Du moins, l'homme dont je parle. Celui-là ne veut pas son bonheur, comme il vous plaît de le dire, il veut sa Joie, et sa Joie n'est pas de ce monde, ou, du moins, elle n'y est pas tout entière. Vous êtes libre, évidemment, de ne croire qu'à l'*homo sapiens* des humanistes, vous auriez tort seulement de prétendre donner au mot le même sens que moi-même, car votre ordre, par exemple, n'est pas le mien, votre désordre n'est pas mon désordre – et ce que vous appelez le mal n'est qu'une absence. La place vide laissée dans l'homme ainsi que l'empreinte du cachet dans la cire. Je ne dis pas que vos définitions soient absurdes, mais elles ne nous seront jamais communes. Car je puis utiliser les vôtres, et vous ne pouvez vous servir des miennes. Elles vous ont permis parfois d'atteindre, un temps, à la grandeur – un temps seulement – car vos civilisations s'effondrent au moment même où vous les croyez immortelles, comme ces enfants éblouissants qui portent en eux le germe fatal et ne dépassent pas l'adolescence. Il vous faut alors laisser la place aux buveurs d'encre qui raisonnent des siècles sur le désastre, prodiguent les pourquoi et les comment. Vous ne ferez rien de durable pour le bonheur des hommes parce que vous n'avez aucune idée de leur malheur. Me suis-je bien fait comprendre ? Notre part de bonheur, en effet, notre misérable bonheur tient de toutes parts à la terre, il y rentre avec nous au dernier jour, mais l'essence de notre malheur est surnaturelle. Ceux qui se font de ce malheur une idée claire et distincte, à la façon cartésienne, n'en supportent pas seuls le poids. Bien au contraire. On peut même dire que la plus grande des infortunes est de subir l'injustice, non de la souffrir. « Vous subissez sans comprendre ! » s'écriait le vieux Drumont. Telle me paraît l'unique forme de la damnation en ce monde.

J'ai vu là-bas, à Majorque, passer sur la Rambla des camions chargés d'hommes. Ils roulaient avec un bruit de tonnerre, au ras des terrasses multicolores, lavées de frais, toutes ruisselantes, avec leur gai murmure de fête foraine. Les camions étaient gris de la poussière des routes, gris aussi les hommes assis quatre par quatre, les casquettes grises posées de travers et leurs mains allongées sur les pantalons de coutil, bien sagement. On les raflait chaque soir dans les hameaux perdus, à l'heure où ils reviennent des champs ; ils partaient pour le dernier voyage, la chemise collée aux épaules par la sueur, les bras encore pleins du travail de la journée, laissant la soupe servie sur la table et une femme qui arrive trop tard au seuil du jardin, tout essoufflée, avec le petit baluchon serré dans la serviette neuve : *À Dios ! recuerdos !*

Vous faites du sentiment, me dit-on. Dieu m'en garde ! Je répète simplement, je ne me lasserai pas de répéter que ces gens n'avaient tué ni blessé personne. C'étaient des paysans semblables à ceux que vous connaissez, ou plutôt à ceux que connaissaient vos pères, et auxquels vos pères ont serré la main, car ils ressemblaient beaucoup à ces fortes têtes de nos villages français, formés par la propagande gambettiste, à ces vignerons du Var auxquels le vieux cynique Georges Clemenceau allait porter jadis le message de la Science et du Progrès Humain. Pensez qu'ils venaient de l'avoir, leur république – *Viva la Republica !* –, qu'elle était encore, le 18 juillet 1936 au soir, le régime légal reconnu de tous, acclamé par les militaires, approuvé par les pharmaciens, médecins, maîtres d'école, enfin par tous les intellectuels. « Nous ne doutions pas qu'ils étaient d'assez braves gens, en effet, vont sans doute répliquer les évêques espagnols, car la plupart de ces malheureux se sont convertis *in extremis*. Au témoignage de notre Vénérable Frère de Majorque, dix pour cent seulement de ces chers enfants ont refusé les sacrements, avant d'être expédiés par nos bons militaires. » C'est un fort pourcentage, je l'avoue, et qui fait grand honneur au zèle de Votre Seigneurie. Que Dieu vous le rende ! Je ne juge pas, pour l'instant du moins, cette forme de l'apostolat. Mais à supposer qu'on l'adopte prochainement de ce côté-ci de la frontière, avouez que j'ai bien le droit de me demander ce que nous pourrions en attendre, nous autres catholiques français ? J'écris ces dernières pages à Toulon. Supposons, par exemple, qu'à son retour de Salamanque, où M. Charles Maurras ne peut manquer d'aller saluer, un de ces jours, le généralissime Franco, l'auteur d'*Anthinéa* entreprenne l'épuration préventive de sa ville natale, je doute que le curé des Martigues puisse espérer des résultats aussi consolants. Il conviendra donc probablement d'être plus rigoureux.

Vous pensez bien que je ne crois pas du tout M. Maurras capable d'exterminer la population martiguaise. Il continuera de partager ses laborieuses journées entre la rue de Verneuil, l'imprimerie du Croissant et – je l'espère – l'Académie dont ses prisons retentissantes viennent de lui ouvrir l'accès. Entre deux portes du palais Mazarin on l'entendra confier à M. le duc de La Force, malheureusement distrait par le courant d'air, quelque nouvel aspect du Pays réel, d'une France non moins imaginaire et poétique que la Provence de Mistral et dont le destin est de finir comme l'autre, dans un musée, dans un musée maurrassien. Il fallait à cette pensée, plus tourmentée que violente – sans cesse obsédée par l'objection et dans sa rage anxieuse de l'atteindre, de la briser, trop souvent manœuvrée par elle –, la stimulation de la solitude où se fût retrempée à mesure une volonté pathétique que toute action réelle menace de détendre, que déconcerte tout contact humain, cette espèce d'entêtement mystérieux dont le principe devrait être cherché au plus profond de l'âme, dans cette part réservée de l'âme où le seul regard de Dieu trouve accès. Nul de ceux qui jadis l'honorèrent ne saurait le voir aujourd'hui sans tristesse reprendre les thèmes les plus usés de l'Ordre Moral, parler la langue des hommes du Seize Mai. La faiblesse des grands raisonneurs a toujours été de croire à l'opinion moyenne et d'espérer la séduire. Mais c'est elle qui finalement les dévore. Je crains d'ailleurs que M. Maurras ne soit encore, au seuil de la vieillesse, dupe de prétendues supériorités sociales dont la pire imposture est de se prétendre solidaire de l'ancienne France, alors qu'elles n'en sont que les déchets, déchets que le vigoureux organisme eût jadis, sans doute, éliminés à mesure. Puisse l'Académie ouvrir au vétéran de la controverse une retraite décente, pleine d'ombre et de silence, ornée des pâles fleurs de rhétorique, bien que nous eussions sincèrement préféré pour lui quelque humble jardin de presbytère provençal. L'admiration des imbéciles n'aura rien valu pour sa gloire. Il s'y est dissous comme une perle dans le vinaigre.

Le fait ne me semble nullement étrange. Après tout, n'importe lequel d'entre nous doit trouver, tôt ou tard, les ferments qui épuiseront sa résistance, et ces ferments ne sont pas les mêmes pour tout le monde. L'auteur d'*Anthinéa* doit compter plus de soixante-dix ans, et à cet âge Dieu sait ce qui restera de moi, même si je tiens encore debout, car une extrême médiocrité permet seule de durer aussi longtemps que nos viscères, de mourir avec notre dernier souffle. J'ai souvent pensé que le destin d'un homme public peut être tenu pour clos dès que semblent arrêtées par avance les formalités de ses obsèques. Or, j'en demande pardon à M. Maurras, nous savons désormais que les siennes seront une grande manifestation d'union nationale avec les habituels coryphées – M. Jean Renaud, M. Doriot, M. Taittinger, M. Bailby, M. Chiappe, M. Tardieu, d'autres encore. On y verra aussi des ombres : M. Jacques Piou, M. Déroulède, M. Clemenceau, que sais-je ? Pourquoi pas M. Ribot, M. Jonnart ! Mais on n'y verra pas Drumont ni Péguy – ni moi.

… Ni moi parce que, vivant, ma place sera plutôt ce jour-là dans quelqu'une des églises de Paris, dont le vieil homme inflexible, son travail achevé, son journal tout frais tiré dans la poche de son pardessus légendaire, remâchant ensemble les plus hautes leçons de l'Histoire et ses rancunes littéraires ou domestiques, a vu tant de fois surgir la grande ombre douce, à la pointe de l'aube, avec le bruit des voitures de laitiers. Mort, j'espère aller l'attendre à la porte que j'ignore, bien que nous n'aurions sans doute qu'à étendre la main pour en effleurer des doigts le seuil si proche, le seuil sacré. La dépouille de l'illustre écrivain, désormais glacée, recevra plus bas les services de M. de Borniol, et les hommages de vingt mille autres Borniol politiques et patriotes, vingt mille Borniol mâles ou femelles, avec leurs insignes, leurs oriflammes, leurs chants guerriers, vingt mille Borniol qui de génération en génération, depuis un siècle, portent gravement en terre, aux accents de leurs *Marseillaise*, les espérances de la Patrie.

… Mais quelle Paix dans les hauteurs…

III

Je n'entreprendrai pas de justifier par des raisons les pages qui vont suivre et moins encore le sentiment qui me pousse à les écrire. Une fois de plus, mais cette fois plus que jamais, je parlerai mon langage, assuré qu'il ne sera entendu que de ceux qui le parlent avec moi, qui le parlaient bien avant qu'ils ne m'eussent lu, qui le parleront lorsque je ne serai plus, lorsque la fragile mémoire de moi-même et de mes livres sera depuis longtemps tombée dans l'oubli. Ceux-là seuls m'importent. Je ne dédaigne pas les autres. Bien loin de les dédaigner, je souhaiterais mieux les comprendre, car comprendre c'est déjà aimer. Ce qui sépare entre eux les êtres, ce qui les fait ennemis, n'a peut-être aucune réalité profonde. Les différences sur lesquelles travaillent à vide notre expérience et notre jugement se dissiperaient comme des songes si nous pouvions lever sur elles un regard assez libre, car la pire de nos infortunes c'est de ne pouvoir donner à autrui qu'une image de nous-mêmes aussi pauvre, où l'oreille exercée découvre les zones d'un affreux silence. J'écris ces nouveaux chapitres de la « Grand-Peur » non par plaisir, ni même par goût, mais parce que le temps est sans doute venu de l'écrire, car je ne prétends pas gouverner ma vie. Nul, hormis les saints, n'a jamais gouverné sa vie. Toute vie est sous le signe du désir et de la crainte, à moins qu'elle ne soit sous le signe de l'amour. Mais l'amour n'est-il pas à la fois crainte et désir ? Qu'importe ma vie ! Je veux seulement qu'elle reste jusqu'au bout fidèle à l'enfant que je fus. Oui, ce que j'ai d'honneur et ce peu de courage, je le tiens de l'être aujourd'hui pour moi mystérieux qui trottait sous la pluie de septembre, à travers les pâturages ruisselants d'eau, le cœur plein de la rentrée prochaine, des préaux funèbres où l'accueillerait bientôt le noir hiver, des classes puantes, des réfectoires à la grasse haleine, des interminables grand-messes à fanfares où une petite âme harassée ne saurait rien partager avec Dieu que l'ennui – de l'enfant que je fus et qui est à présent pour moi comme un aïeul. Pourquoi néanmoins aurais-je changé ? Pourquoi changerais-je ? Les heures me sont mesurées, les vacances vont toujours finir, et le porche noir qui m'attend est plus noir encore que l'autre. Pourquoi irais-je perdre mon temps avec les hommes graves, qu'on appelle ici, en Espagne : *hombres dignos, honrados* ? Aujourd'hui non moins qu'hier, leur frivolité me dégoûte. Seulement, j'éprouvais jadis ce dégoût sans comprendre. De plus je craignais de devenir un jour l'un d'eux. « Quand vous aurez mon âge… » disaient-ils. Eh bien, je l'ai ! Je puis les regarder en face, sûr de leur échapper désormais. Je me moque de leur sagesse, leur sagesse qui ressemble à leur visage, généralement empreinte d'une ruse austère, toujours déçue, toujours vaine. Certes, je n'espérerais pas d'être infaillible dans mes jugements, si je formulais des jugements, à l'exemple de M. Henri Massis. Je pourrais, certes, comme tant d'autres, mettre au net, ainsi qu'un vieux greffier expert, les goûts et les dégoûts, les incompréhensions, les rancunes, et, tout grelottant de haine, bégayer au nom de la Raison des arrêts prétendus sans appel. Je n'essaierai pas non plus de séduire. Je ne veux pas davantage scandaliser. Je n'ai d'ailleurs rien à dire de neuf. Les malheurs que j'annonce ne seront guère différents sans doute de ceux qui déçurent déjà notre attente. Je ne vous empêche pas de leur tourner le dos. Lorsque, dans ma treizième année, je lisais pour la première fois *la France juive*, le livre de mon maître – si sage et si jeune à la fois, d'une jeunesse éternelle, d'une jeunesse religieuse, la seule capable de retentir au cœur des enfants – m'a découvert l'injustice, au sens exact du mot, non pas l'Injustice abstraite des moralistes et des philosophes, mais l'injustice elle-même toute vivante, avec son regard glacé. Si j'avais soutenu seul ce regard, sans doute mon destin eût-il été celui de tant d'autres qui, à travers les siècles, sont venus se briser tour à tour sur la poitrine d'airain. J'ai compris depuis que les solitaires étaient d'avance la proie de ce Satan femelle, dont le mâle s'appelle Mensonge. Pour les autres qu'importe ? Qu'importent à la Bête aussi vieille que le temps les faibles qu'elle avale, ainsi que la baleine fait d'un banc de jeunes saumons ? Ou l'Injustice n'est seulement que l'autre nom de la Bêtise – et je n'ose y croire – car elle n'arrête pas de tendre ses pièges, mesure ses coups, tantôt se dresse et tantôt rampe, prend tous les visages, même celui de la charité. Ou elle est ce que j'imagine, elle a quelque part dans la Création sa volonté, sa conscience, sa monstrueuse mémoire. Si vous voulez bien réfléchir, vous conviendrez qu'il n'en peut être autrement, que j'exprime en mon langage une vérité d'expérience. Qui oserait nier que le mal ne soit organisé, un univers plus réel que celui que nous livrent nos sens, avec ses paysages sinistres, son ciel pâle, son froid soleil, ses cruels astres ? Un royaume tout à la fois spirituel et charnel, d'une densité prodigieuse, d'un poids presque infini, auprès duquel les royaumes de la terre ressemblent à des figures ou des symboles. Un royaume à quoi ne s'oppose réellement que le mystérieux royaume de Dieu, que nous nommons hélas ! sans le connaître ni même le concevoir et dont nous attendons pourtant l'avènement. Ainsi l'Injustice appartient à notre monde familier, mais elle ne lui appartient pas tout entière. La face livide dont le rictus ressemble à celui de la luxure, figée dans le hideux recueillement d'une convoitise impensable, est parmi nous, mais le cœur du monstre bat quelque part, hors de notre monde, avec une lenteur solennelle, et il ne sera jamais donné à aucun homme d'en pénétrer les desseins. Elle ne désire les faibles que pour provoquer sournoisement sa véritable proie. La véritable proie de l'Injustice sont précisément ceux-là qui répondent à son défi, l'affrontent, croient naïvement pouvoir aller à elle comme David à Goliath. Hélas ! elle ne jette à terre, elle n'écrase d'un coup sous son poids que les misérables qu'elle dédaigne. Contre les autres, nés pour la haïr, et qui sont seuls l'objet de sa monstrueuse convoitise, elle n'est que jalousie et ruse. Elle glisse entre leurs mains, fait la morte à leurs pieds, puis se redressant les pique au talon. Dès lors ils lui appartiennent à leur insu, ils ont dans les veines ce venin glacé. Pauvres diables qui croient que le royaume de l'Injustice peut être divisé contre lui-même, opposent l'injustice à l'injustice ! Je remercie le bon Dieu qui m'a choisi des maîtres à l'âge où l'on aime encore ces maîtres. Sans eux, il me semble parfois que l'évidence de la bêtise et de la cruauté m'eussent réduit en poussière, à l'exemple de beaucoup d'autres qui, ayant subi prématurément le choc de la vie, n'ont plus que l'apparence d'hommes, ressemblent à des hommes comme la pierre agglomérée ressemble à la pierre. J'ai trop passionnément aimé les maîtres de ma jeunesse pour n'être pas allé un peu au-delà de leurs livres, au-delà de leur pensée. Je crois avoir profondément ressenti leur destin. On n'a pas raison de l'Injustice, on ne lui fait pas plier les reins. Tous ceux qui l'ont essayé sont tombés dans une injustice plus grande, ou sont morts désespérés : Luther et Lamennais sont morts, Proudhon est mort. L'agonie de Drumont, plus résignée, n'a peut-être pas été moins amère. Celle de M. Charles Maurras risque d'être plus difficile encore, si la Providence ne ménage au vieil écrivain, entre la vieillesse et la mort, une zone de sérénité, impénétrable aux imbéciles. Je sais cela. Si vous le savez aussi, je ne vous blâmerai pas de tourner le dos à des malheurs que vous estimez inévitables. Je voudrais cependant vous persuader de leur faire face un moment, non pour en retarder le cours, peut-être irrésistible, mais pour les voir, les voir au moins une fois, tels quels, les voir de vos yeux. Ils ne sont pas du tout ce que vous pensez. Ils ne répondent pas à l'idée que vous vous en faites. Ils sont à votre mesure, quoi que vous pensiez. Ils sont à la mesure de votre peur. Ils sont probablement cette peur même, je ne crois pas parler à la légère, je viens de voir un malheureux pays tout entier livré à cette espèce de démon. Vous auriez d'ailleurs parfaitement tort de vous représenter ce démon sous les espèces d'un diablotin blafard, vidé par la colique. C'est que votre imagination prend les premiers symptômes du mal pour le mal lui-même. La peur, la vraie peur est un délire furieux. De toutes les folies dont nous sommes capables, elle est assurément la plus cruelle. Rien n'égale son élan, rien ne peut soutenir son choc. La colère qui lui ressemble n'est qu'un état passager, une brusque dissipation des forces de l'âme. De plus, elle est aveugle. La peur, au contraire, pourvu que vous en surmontiez la première angoisse, forme, avec la haine, un des composés psychologiques les plus stables qui soient. Je me demande même si la haine et la peur, espèces si proches l'une de l'autre, ne sont pas parvenues au dernier stade de leur évolution réciproque, si elles ne se confondront pas demain dans un sentiment nouveau, encore inconnu, dont on croit surprendre parfois quelque chose dans une voix, un regard. Pourquoi sourire ? L'instinct religieux demeuré intact au cœur de l'homme et la Science, qui l'exploite follement, font lentement surgir d'immenses images, dont les peuples s'emparent aussitôt avec une avidité furieuse, et qui sont parmi les plus effrayantes que le génie de l'homme ait jamais proposées à ses sens, à ses nerfs si terriblement accordés aux grands harmoniques de l'angoisse.

*

Les mêmes gens qui prétendent résoudre tous les problèmes de la vie politique ou sociale grâce aux exemples tirés de l'histoire romaine me répondront sûrement que la peur est depuis longtemps connue des psychologues et qu'il n'y a plus rien à dire sur un sujet si rebattu. Je suis d'un avis différent, probablement parce que je ne me fais pas de l'humanité la même idée que ces Docteurs. Ayant défini l'homme, ils raisonnent de l'humanité comme un naturaliste raisonnerait d'une espèce animale quelconque. J'ignore d'ailleurs si ce dernier raisonnerait juste, car après tout les espèces animales paraissent bien capables d'évoluer. Rien ne prouve que le système nerveux de l'homme, par exemple, n'ait pas subi certaines modifications profondes bien qu'encore difficilement décelables. La peur de la Mort est un sentiment universel qui doit revêtir beaucoup de formes, dont quelques-unes sont assurément hors de la portée du langage humain. Il n'y a qu'un homme qui les ait connues toutes, c'est le Christ en son agonie. Êtes-vous certains qu'il ne nous reste pas encore à connaître les plus exquises ? Mais ce n'est pas à ce point de vue que je me place. Une espèce animale, aussi longtemps que les siècles n'en ont pas modifié les caractères, naît, vit et meurt selon sa loi propre, et la part qui lui est attribuée dans l'immense drame de la Création ne comporte qu'un seul rôle, indéfiniment répété. Notre espèce, certes, n'échappe pas à cette monotone gravitation. Elle tourne autour d'un immuable destin comme une planète autour du soleil. Mais comme la planète aussi, elle est emportée avec son soleil vers un autre astre invisible. Ce n'est pas par son destin qu'elle est mystérieuse, c'est par sa vocation.

Ainsi les historiens ne savent pas grand-chose de sa véritable histoire. Ils sont en sa présence ainsi que le critique dramatique devant l'acteur dont il ignore absolument la vie intime. À vingt ans d'intervalle la même femme joue Rosine, et c'est bien toujours la vraie Rosine. Mais l'adolescente est devenue femme.

Je crois que ce monde finira un jour. Je crois que notre espèce, approchant de sa fin, garde au fond de sa conscience de quoi déconcerter les psychologues, les moralistes et autres bêtes à encre. Il semble bien que le pressentiment de la mort commande notre vie affective. Que sera celle-ci, lorsque le pressentiment de la mort aura fait place à celui de la catastrophe qui doit engloutir l'espèce tout entière ? Évidemment l'ancien vocabulaire pourra servir. N'appelons-nous pas du même mot d'amour le désir qui rapproche les mains tremblantes de deux jeunes amants et ce gouffre noir où Phèdre tombe, les bras en croix, avec un cri de louve ?

*

Au cours de ces deux dernières années, je ne me flatte pas d'avoir découvert des formes nouvelles de la haine ou de la peur. Je me flatte seulement de m'être précisément trouvé au point du monde le plus favorable à certaines observations précieuses, déjà confirmées par l'expérience. Si naïfs qu'ont toujours été les gens de droite, ou si puissant l'instinct qui les porte à choisir infailliblement les causes ou les hommes voués par avance à l'impopularité, peut-être m'accorderont-ils, aujourd'hui, que la guerre d'Espagne a perdu le caractère d'une explosion du sentiment national ou chrétien. Lorsque, au printemps dernier, je tentais de les préparer à certaines déceptions, ils me riaient au nez. Il ne s'agit plus maintenant d'explosion, mais d'incendie. Et un incendie qui se prolonge plus de dix-huit mois commence à mériter le nom de sinistre, vous ne trouvez pas ? J'ai vu, j'ai vécu en Espagne la période prérévolutionnaire. Je l'ai vécue avec une poignée de jeunes phalangistes, pleins d'honneur et de courage, dont je n'approuvais pas tout le programme mais qu'animait, ainsi que leur noble chef, un violent sentiment de justice sociale. J'affirme que le mépris qu'ils professaient envers l'armée républicaine et ses états-majors, traîtres à leur roi et à leur serment, égalait leur juste méfiance envers un clergé expert en marchandages et maquignonnages électoraux effectués sous le couvert de l'*Acción popular* et par personne interposée, l'incomparable Gil Robles. Que sont devenus ces garçons ? demanderez-vous. Mon Dieu, je vais vous le dire. On n'en comptait pas cinq cents à Majorque, la veille du pronunciamiento. Deux mois après, ils étaient quinze mille, grâce à un recrutement éhonté, organisé par les militaires intéressés à détruire le Parti et sa discipline. Sous la direction d'un aventurier italien, du nom de Rossi, la *Falanje* était devenue la police auxiliaire de l'Armée, systématiquement chargée des basses besognes, en attendant que ses chefs fussent exécutés ou emprisonnés par la dictature, et ses meilleurs éléments dépouillés de leurs uniformes, et versés dans la troupe. – Mais, comme dit Kipling, cela est une autre histoire. Où que le général de l'épiscopat espagnol mette maintenant le pied, la mâchoire d'une tête de mort se referme sur son talon, et il est obligé de secouer sa botte pour la décrocher. Bonne chance à Leurs Seigneuries !

*

Vous pouvez d'ailleurs penser ce que vous voudrez du général Franco. Il est absolument certain qu'il n'aurait pas trouvé vingt-cinq Espagnols pour le suivre s'il avait commis l'imprudence de laisser entendre que le pronunciamiento, présenté par lui comme une simple opération de police, durerait plus de trois semaines. Napoléon III était assurément un autre monsieur que le général épiscopal. Si néanmoins le soir du 1er décembre, il avait pu prévoir que deux ans plus tard il se trouverait encore, avec une armée d'Italiens, d'Allemands, d'Arabes pouilleux sur les hauteurs de Montmartre, en train de bombarder Notre-Dame, la part de sang royal qu'il avait dans les veines lui fût remontée à la gorge, et il aurait fait reconduire à coups de pied dans le derrière, par le futur maréchal Saint-Arnaud, l'évêque assez dégoûtant pour l'assurer par avance de ses bonnes prières – à supposer que l'épiscopat français ait jamais compté dans ses rangs un tel salaud. Imaginez que nos catholiques aient pris au sérieux, en 1936, les phrases sur l'explosion du sentiment catholique dans la catholique Espagne, nous ne serions encore qu'au début de notre Sainte Guerre. Moins riches en effectifs étrangers que nos voisins, nous devrions envisager, derrière le généralissime Moreau de la Meuse, une nouvelle guerre de Cent Ans.

Qu'on ne me fasse pas l'injure de me croire plus sensible qu'un autre. J'avoue à ces dames que la vue du sang ne m'excite pas, soit d'horreur, soit de plaisir, ou même de simple curiosité, mais c'est probablement que je ne dispose pas, comme elles, de l'organe capable de transmettre à l'écorce cérébrale ces sortes de déman-geaisons. La discrète réserve physiologique qu'on vient de lire ne doit pas s'interpréter ainsi qu'un aveu de faiblesse, ou c'est une faiblesse commune à tous les individus de mon sexe. J'ai vu beaucoup mourir. Peut-être ma place était-elle marquée dans les modestes fosses de la dernière guerre, aux côtés de mes compa-gnons. Je n'en regarde pas moins s'ouvrir, sans aucun vertige, les immenses charniers de demain. Voilà bien longtemps que les révolutionnaires, vrais ou faux, abusent de la mystique terroriste. Le terrorisme ne leur appartient nullement. Ils se vantent. À la vérité, l'His-toire nous démontre que le système sert à tout le monde, et la Terreur des Rois Catholiques dans les Flandres était une sacrée terreur.

*

Vous jugerez sans doute, avec moi, que si j'avais été sujet aux attaques de nerfs, j'aurais, dès les premiers coups de fusil, quitté Majorque avec ma femme et mes gosses. Je revois... Je revois cet éclatant matin de dimanche. Depuis des semaines, nous attendions, sans y croire, le coup de force annoncé par Primo de Rivera. Qu'eussions-nous espéré des militaires ? L'armée espagnole, principal auteur et bénéficiaire unique de l'effroyable gabegie marocaine, rigoureusement expurgée de ses éléments réactionnaires, gouvernée par les loges maçonniques d'officiers contre lesquelles s'était déjà brisée la volonté du premier Primo, était en outre violemment anticléricale. – (Elle l'est toujours ainsi que la presque totalité de la population mâle de l'Espagne, comme le démontrera, sans doute, un proche avenir.) – Je pense encore aujourd'hui, non sans amertume, qu'avec un peu moins de souci des vies humaines, des vies espagnoles – souci traditionnel chez les Bourbons –, Alphonse XIII eût épargné à son pays un atroce calvaire, ne fût-ce qu'en collant au mur le général Sanjurjo qui, contre toute attente, lui refusa l'appui de la garde civile, poignardant ainsi la Monarchie dans le dos. Rien ne m'empêchera non plus de regretter qu'une pareille mesure n'ait pas été prise alors contre l'aviateur communiste Franco, dont la propagande avait démoralisé un corps jusque-là réputé fidèle, et qui, déguisé en fasciste, commandait, hier encore, la base aérienne de Palma.

*

Nous n'espérions rien des militaires, et des cléricaux pas davantage. Jusqu'au dernier jour l'*Acción popular*, qui groupait les neuf dixièmes des anciens partis modérés, s'est montrée farouchement démocrate, passionnément parlementaire. Sa haine pour la Monarchie égalait celle qu'elle portait à la Phalange, qui d'ailleurs lui refusait ses votes. On se fera une idée de sa doctrine en imaginant qu'elle eût pu être le fruit des veilles laborieuses de M. Louis Marin et de M. Marc Sangnier travaillant ensemble sous le contrôle des Révérends Pères des *Études*. Au moindre soupçon d'illégalité, ces messieurs disparaissaient par une trappe, d'où on les retirait trempés de larmes. Les dictatures, alors, n'en menaient pas large. M. Hitler était, par eux, communément qualifié d'Antéchrist, et les bonnes sœurs du Sacré-Cœur, à Palma, faisaient prier chaque soir leurs élèves pour le Négus. Le *par tous les moyens* de M. Charles Maurras, formule dont trente-deux ans d'expérience ont assez prouvé le caractère inoffensif, était cité avec horreur. Le célèbre jésuite Laburu faisait le procès des royalistes et des aristocrates devant d'immenses auditoires où les ouvriers de la C.N.T. n'étaient pas les derniers à applaudir. Vous conviendrez, entre parenthèses, que ce dernier trait n'est pas trop rassurant pour les jeunes communistes français que les garçons de la J.O.C. entraînent avec eux au sermon. Quel délai les états-majors démocrates-chrétiens ont-ils fixé en secret à ces malheureux pour se convertir, sous peine d'être exécutés d'une balle dans la tête par les pieux militaires de la prochaine Croisade ?

*

Je pose la question sans rire. Il n'y a pas là de quoi rire. Je voudrais tenir devant moi l'un de ces innocents Machiavels en soutane qui ont l'air de croire qu'on manœuvre un grand peuple ainsi qu'une classe de sixième et prennent, en face de la catastrophe, l'air de dignité offensée du maître d'étude chahuté par ses élèves. Oh ! je ne me mettrais pas en frais d'éloquence ! Je lui dirais simplement : « Est-il vrai qu'un grand parti démocrate, social et parlementaire, groupait l'immense majorité, la presque unanimité des électeurs et des électrices catholiques d'Espagne, oui ou non ? – Sans doute. – L'Action catholique l'approuvait, lui fournissait ses cadres ? – Nous ne pouvons le nier. – Aucun des orateurs ou des militants de cette croisade pacifique avait-il jamais, au cours de ces dernières années, fait publiquement allusion à la douloureuse nécessité d'employer la violence, en cas d'échec électoral ? – Nous ne le croyons pas. – N'allaient-ils pas jusqu'à condamner solennellement la violence au nom de la politique, de la morale ou de la religion ? – Évidemment. – Un des théologiens qui justifient aujourd'hui la guerre civile par des arguments empruntés à saint Thomas d'Aquin eût-il été approuvé de les produire à ce moment-là, fût-ce à titre de simple hypothèse ? – Nous n'oserions pas le soutenir. – L'eussiez-vous approuvé de déclarer, huit jours avant la dernière consultation électorale, qu'en cas d'échec les dévots et les dévotes de l'Action catholique devraient recourir à ces méthodes avec la bénédiction de l'épiscopat ? – Vous nous prenez pour des imbéciles. – Non, pas même pour des malins. Car, après tout, ne disposiez-vous pas des pouvoirs dans les années qui précédèrent ces événements regrettables ? Le président de la République était l'un des vôtres. Mêmement, le président du Conseil, M. Lerroux, qui venait d'oublier dans le scandale des Jeux la modeste provision d'honneur dont il disposait encore ainsi que sa famille, avait offert à M. Gil Robles les restes, passablement gangrenés, de l'ancien parti radical. Oh ! vous ne refusez jamais d'accueillir l'enfant prodigue, à condition qu'il fournisse lui-même le veau, c'est une justice à vous rendre ! Bref, vous étiez les maîtres, jusqu'au mois de mars 1936 vous étiez les maîtres si j'ose dire. Eh quoi ! quelques semaines après qu'eut pris fin votre gouvernement tutélaire, les choses allaient déjà si mal qu'il ne restait plus d'autre ressource que la chirurgie. Vous ne trouvez pas le fait étrange ? Gouverniez-vous, ou ne gouverniez-vous pas ? – Nous temporisions. – Vous ne pouviez rien de mieux, innocents Machiavels. Après avoir prêté votre concours à la chute de la première dictature, puis de la Monarchie, vous tentiez une fois de plus le coup du Ralliement, vous étiez en chaleur, en pleine chaleur démocratique, toute l'eau de ce malheureux pays, qui d'ailleurs en manque, n'aurait pas suffi à vous éteindre. Qui en doute n'a nul besoin d'apprendre l'espagnol. Il lui suffirait de relire en français le numéro des *Études* par exemple, où les judicieux jésuites de la rue Monsieur saluaient l'avènement de la nouvelle République. Vous étiez prisonniers de cette surenchère. Hélas ! votre conception de la politique a toujours été laborieusement sentimentale. Vous aimez le pouvoir, vous n'en prenez pas les risques. Voyons ! voyons ! Aviez-vous prévu la guerre civile, oui ou non ? Ne la prévoyant pas, vous étiez des imbéciles. L'ayant prévue, que n'avez-vous, selon la parole fameuse, montré votre force, afin de n'avoir pas à vous en servir. Je répète que M. Gil Robles était ministre de la Guerre. Si je l'avais alors questionné, nul doute qu'après avoir pris conseil du pieux cardinal Goma, il n'eût répondu, la main sur le cœur : "Pour qui me prenez-vous ? Je ne sortirai pas de la légalité." À quoi le pieux cardinal eût ajouté sans doute : "Quand la légalité sera devenue militaire, nous bénirons la légalité militaire." »

*

Vous bénissez, soit. Il faudra donc choisir entre gouverner et bénir. Les démocraties ne vous portent pas bonheur. Et cependant nul d'entre vous n'ignore que le jeu naturel de la démocratie met tour à tour au pouvoir le plus fort ou le plus malin. Si vous aviez le sens de l'ironie – c'est-à-dire un peu moins d'orgueil – vous vous éclateriez de rire au nez en vous voyant présider, avec des mines confites et bénissantes, un jeu aussi brutal que le poker d'as. Si brutal que votre onction n'en saurait suivre le rythme féroce. Tandis qu'avec un sourire engageant vous marmottez les textes qui consacrent l'indiscutable légitimité du plus fort, le plus malin est déjà au pouvoir, et vous jette un regard si singulier que vous devez déguerpir au plus vite et courir à votre bibliothèque, afin de faire suer aux mêmes textes une apologie de la ruse que vous viendrez solennellement remettre entre les mains du plus fort, redevenu légitime pendant votre absence. Pourquoi diable – ah ! oui, pourquoi diable ! – s'entêter à faire régulariser par le maire et le curé des collages à la nuit, ou même à l'heure ? Je crois être depuis peu l'inventeur d'une véritable Constitution démocratique, propre à ménager les forces et le temps des casuistes. Grâce au développement de la machinerie, et à la semaine de six heures, les citoyens changeraient d'autocrate tous les samedis soir. Les théologiens rédigeraient leurs conclusions dans la nuit en sorte que les militaires et les fonctionnaires pourraient, au cours de la grand-messe paroissiale, jurer sur les Saints

97

Évangiles, en toute sécurité de conscience, fidélité éternelle au souverain hebdomadaire. Reste, il est vrai, la question du drapeau. Afin d'économiser les frais, et de remplacer facilement ces emblèmes sacrés, je proposerais d'employer tout simplement le papier de riz avec lequel les Chinois font des mouchoirs.

Pour les mêmes raisons, il me semble préférable de ne pas exiger des mêmes experts une définition de la Guerre Sainte – l'Université de Paris avait déjà discuté la chose avec Jeanne d'Arc, et ces docteurs, pourtant miséricordieux par état, ont tout de suite employé les grands moyens. Faute de pouvoir condamner au feu les écrits de la bergerette – qui d'ailleurs ne savait pas écrire –, ils ont fini par la brûler elle-même exactement, après tout, comme les extrémistes espagnols brûlent les églises. Pitié pour les incendiaires !

Je revois cet éclatant matin de dimanche. La mer, la douce mer palmesane, n'avait pas une ride. Le chemin qui, partant du village de Porto Pi, vient déboucher sur la route était encore plein d'ombres bleues. Comme à l'avant-dernier chapitre du *Journal d'un curé de campagne*, la haute moto rouge, tout étincelante, ronflait sous moi comme un petit avion. Je l'arrêtai deux kilomètres plus loin, devant une pompe à essence. Le rideau de fer du garage n'était relevé qu'à demi : « Vous n'allez tout de même pas en ville, ce matin ? me demanda le garagiste. – Ma foi si. Jusqu'à Sant' Eulalia, pour la messe de sept heures. – Retournez chez vous, fit-il, on se bat là-bas. » Je m'aperçus seulement alors que la route était vide. Vide aussi la rue du

Quatorze-Avril. Au bas de Terreno, cette rue tourne brusquement, et l'on se trouve à l'entrée de l'interminable quai réservé aux bateaux de pêche, le long des vieux murs du rempart qui ont vu flotter les bannières sarrasines : « Halte ! » J'entends toujours le déchirant crescendo de mes freins dans le solennel silence. Il y avait cinq ou six hommes autour de moi, ruisselants de sueur, le fusil à la main. « Pas de bêtises, leur dis-je dans mon impayable espagnol, je suis le papa d'Ifi. – Rangez-vous, monsieur, ne restez pas dans le champ de tir ! » criait de loin un lieutenant de la Phalange. Ses hommes occupaient le bas-côté de la route, défilés derrière les arbres... Le champ de tir ? quel champ de tir ?... Au bout, tout au bout de l'immense quai démesurément vide, à une distance qui ne m'avait jamais paru si énorme (elle ne m'a plus jamais paru telle depuis), je voyais béer comme une gueule le porche du quartier de cavalerie. « Mon pauvre vieux, dis-je au lieutenant, vous ne tiendrez pas contre la troupe avec ce que vous avez là. » (L'armée républicaine ne m'inspirait, je l'avoue, aucune confiance. Je craignais qu'elle ne fît l'économie d'un nouveau parjure.) « Les soldats sont avec nous », dit le lieutenant.

*

Si j'ai tiré quelque profit de mes expériences d'Espagne, c'est que je crois les avoir abordées sans parti pris d'aucune sorte. Bien que d'une nature peu fine, au sens que donnent à ce mot les chanoines diplomates, je ne suis pas naïf. Je n'ai jamais été tenté, par exemple, de traiter de « Loyaux » les républicains d'Espagne. Leur loyauté, à l'égal de celle de leurs adversaires, étant assurément conditionnelle. Question loyauté, comme dirait M. Céline, je puis renvoyer tous ces gens-là dos à dos. Leurs combinaisons politiques ne m'intéressent nullement. Le Monde a besoin d'honneur. C'est d'honneur que manque le Monde. Le Monde a perdu l'estime de soi. Or, aucun homme sensé n'aura jamais l'idée saugrenue d'apprendre les lois de l'honneur chez Nicolas Machiavel ou Lénine. Il me paraîtrait aussi bête d'aller les demander aux Casuistes. L'honneur est un absolu. Qu'a-t-il de commun avec les docteurs du Relatif ?

Les républicains espagnols n'ont montré aucun scrupule à se servir jadis, contre la Monarchie, des généraux félons. Que ces félons les félonnent à leur tour, je ne trouve pas le fait d'un mauvais exemple. Je n'avais donc aucune objection de principe à formuler contre un coup d'État phalangiste ou requeté. Je croyais, je crois encore savoir la part légitime, la part exemplaire des révolutions fasciste, hitlérienne ou même stalinienne. Hitler, Staline ou Mussolini ont parfaitement compris que la seule dictature viendrait à bout de l'avarice des classes bourgeoises, avarice devenue d'ailleurs sans objet, car les malheureuses se cramponnent à des privilèges vidés de toute moelle nourrissante, elles risquent de crever de faim sur un os aussi substantiel qu'une bille d'ivoire. Ce n'est pas l'usage de la force qui me paraît condamnable, mais sa mystique ; la religion de la Force mise au service de l'État totalitaire, de la dictature du Salut Public, considérée, non comme un moyen, mais comme une fin.

Certes mes illusions sur l'entreprise du général Franco n'ont pas duré longtemps – quelques semaines. Aussi longtemps qu'elles ont duré je me suis honnêtement efforcé de vaincre le dégoût que m'inspiraient certains hommes et certaines formules. S'il faut tout dire, j'ai accueilli les premiers avions italiens sans déplaisir. Lorsque, prévenu par un fidèle ami romain du danger que courait ma famille, et particulièrement mon fils, au cas d'une brusque avance des miliciens catalans débarqués à Porto Cristo, le consul d'Italie est venu m'informer courtoisement de la sollicitude de son gouvernement, je l'ai chaleureusement remercié, bien qu'il arrivât déjà trop tard, que je fusse dès lors décidé à ne demander ni recevoir aucun service. Bref, j'étais préparé à toute violence. Je sais ce que sont les violences exercées par des violents. Elles peuvent révolter qui les observe de sang-froid, elles ne soulèvent pas le cœur. Je n'ignorais pas ce dont eussent été capables les jeunes gens dont j'avais l'amitié s'ils s'étaient trouvés en face d'adversaires résolus. Ils n'ont trouvé devant eux qu'une population terrorisée. Cette population majorquine s'est toujours signalée par une grande indifférence à la politique. Au temps des *carlistes* et des *christinos*, George Sand nous apprend qu'on y accueillait, avec le même flegme, les fuyards de l'un et de l'autre parti. C'est d'ailleurs à cette circonstance que le couple vagabond dut de ne pas trouver asile à Palma. Le soulèvement de la Catalogne, pourtant si proche, en 1934, n'y éveilla aucun écho. Au témoignage du chef de la Phalange, on n'aurait pas trouvé dans l'île cent communistes réellement dangereux. Où le parti les aurait-il recrutés ? C'est un pays de petits maraîchers, un pays d'olives, d'amandes et d'oranges, sans industrie, sans usines. Mon fils a pu toute une année courir les réunions de propagande sans que lui ou ses camarades échangeassent avec leurs adversaires rien de plus grave que des coups de poing. J'affirme, j'affirme sur l'honneur qu'au cours des mois qui précédèrent la guerre sainte, il ne s'est commis dans l'île aucun attentat contre les personnes ou contre les biens. « On tuait en Espagne », direz-vous. Cent trente-cinq assassinats politiques du mois de mars au mois de juillet 1936. Soit. La terreur de droite a donc pu y garder le caractère d'une revanche, même féroce, même aveugle, même étendue aux innocents, des criminels et de leurs complices. En l'absence d'actes criminels, il n'a pu s'agir, à Majorque, que d'une épuration préventive, une systématique extermination des suspects. La plupart des condamnations légales portées par les tribunaux militaires majorquins – je parlerai ailleurs des exécutions sommaires bien plus nombreuses – n'ont sanctionné que le crime de *desafección al movimiento salvador* – désaffection au mouvement sauveur –, se traduisant par des paroles ou même par des gestes. Une famille de quatre personnes, d'excellente bourgeoisie, le père, la mère et les deux fils, âgés respectivement de seize ans et de dix-neuf ans, a été condamnée à mort sur la foi d'un certain nombre de témoins qui affirmaient les avoir vus applaudir, dans leur jardin, au passage d'avions catalans. L'intervention du consul américain sauva d'ailleurs la vie à la femme, originaire de Porto Rico. Vous me direz peut-être que les dossiers de Fouquier-Tinville présentent maint exemple d'une telle conception de la justice révolutionnaire. C'est précisément pourquoi le nom de Fouquier-Tinville reste un des plus hideux de l'histoire.

*

Il est possible que cette dernière remarque chagrine un grand nombre de braves gens qui ne se découvrent dans la glace aucune ressemblance avec Fouquier-Tinville. Je leur conseille de se méfier. On ne se méfie jamais assez de soi-même. Vingt jours de noce innocente à Montmartre ne suffisent-ils pas à ressusciter parfois, dans tel respectable quinquagénaire vivant paisiblement de ses rentes à Quimper où à Landerneau, l'adolescent vicieux auquel il ne pensait plus depuis tant d'années, qu'il croyait mort ? Quoi ! vous jugez vraisemblable l'humanité bourgeoise des romans de M. François Mauriac et vous doutez que l'odeur du sang puisse monter un jour à la tête de ces gens-là ? J'ai vu pourtant des choses étranges. Une fille de trente-cinq ans, appartenant à l'espèce inoffensive qu'on appelle là-bas *beata*, vivant paisiblement dans sa famille après un noviciat interrompu, consacrant aux pauvres le temps qu'elle ne passe pas à l'église, témoigne brusquement d'une terreur nerveuse incompréhensible, parle de représailles possibles, refuse de sortir seule. Une amie très chère, que je ne puis nommer, la prend en compassion et, dans le dessein de la rassurer, l'accueille chez elle. Quelque temps après, la dévote décide de retrouver sa famille. Le matin du jour fixé pour le départ, sa charitable hôtesse l'interroge affectueusement. « Voyons, mon enfant, que pouvez-vous craindre ? Vous êtes une véritable petite brebis du bon

Dieu, qui serait assez bête pour vouloir la mort d'une personne aussi parfaitement inoffensive que vous ?
– Inoffensive ? Votre Grâce ne sait pas. Votre Grâce me croit incapable de rendre service à la Religion. Tout le monde pense comme Votre Grâce, on ne se méfie pas de moi. Eh bien, Votre Grâce peut s'informer. J'ai fait fusiller huit hommes, madame… » Oui, certes, il m'a été donné de voir des choses curieuses, étranges. Je connais à Palma un garçon de bonne race, le plus simplement affable, le plus cordial, jadis aimé de tous. Sa petite main d'aristocrate, gentiment potelée, tient dans sa paume le secret de la mort de cent hommes peut-être… Une visiteuse entre un jour dans le salon de ce gentilhomme, aperçoit sur la table une rose magnifique.

« Vous admirez cette rose, chère amie ?
– Sans doute.
– Vous l'admireriez encore plus si vous saviez d'où elle vient.
– Comment voulez-vous que je le sache ?
– Je l'ai prise dans la cellule de Mme M… que nous avons exécutée ce matin. »

*

Oh ! bien sûr, M. Paul Claudel, par exemple, jugera que ces vérités ne sont pas bonnes à dire, qu'elles risquent de faire du tort aux honnêtes gens. Je crois que le suprême service que je puisse rendre à ces derniers serait précisément de les mettre en garde contre les imbéciles ou les canailles qui exploitent aujourd'hui, avec cynisme, leur grande peur, la Grande Peur des Bien-Pensants. Des petits misérables que nous voyons pousser comme des champignons sur le désespoir des classes dirigeantes démissionnaires, et dont l'abjecte et ridicule affaire du C.S.A.R. vient de dénoncer la grandissante moisissure, chuchotent entre eux le mot d'ordre du prochain charnier : « Zut pour les scrupules. Sauvons nos peaux ! » Les classes dirigeantes ont déjà commis beaucoup d'injustices. J'aimerais qu'elles le reconnussent avant de se jeter derrière un état-major d'aventuriers, dans une bagarre où elles n'ont qu'une très petite chance de sauver leurs peaux et leurs biens, mais sont, en revanche, assurées de perdre l'honneur. Ma franchise les compromet ? Soit. Elle ne les compromettra jamais autant qu'elles se sont compromises elles-mêmes en se déclarant aveuglément solidaires d'une répression suspecte, dont le moins qu'on puisse dire est que nous ignorons encore qui en sera le bénéficiaire, de l'Espagne ou de l'étranger.

Car enfin, je veux qu'elles aient raison, qu'incapables de courir la grande aventure derrière un Mussolini ou un Hitler, ne disposant d'ailleurs que de politiciens obscurs ou d'affronteurs sans cervelle, elles aient décidé de se débrouiller elles-mêmes au moindre prix, de constituer une cagnotte destinée à l'achat de quelques généraux besogneux chargés de l'épuration de mon pays, probablement déjà trop riche en hommes ; la première précaution de ces Machiavels ne devrait-elle pas être de tenir leur dessein secret ? « Mais elles n'ont jamais eu ce dessein ! » – Je le pense. Alors elles ont parfaitement réussi à faire croire le contraire. Elles ont même dépensé beaucoup d'argent pour ça. J'imagine très bien le dialogue entre quelque solennel imbécile représentant les classes dirigeantes démissionnaires et les directeurs de journaux de droite qu'il a rassemblés dans son bureau : « Messieurs, on nous méconnaît ! La presse de gauche mène contre nous une campagne de calomnies. Alors que nous nous sommes toujours affirmés partisans de l'union des classes dans le respect indéfectible de la Loi, on nous dit prêts à défendre nos modestes privilèges par la violence. Élevés dans la religion du suffrage universel, les gens de Moscou nous accusent de pactiser avec la dictature. Fanatiques de la liberté de conscience, on prétend nous convaincre de réhabiliter l'Inquisition. Fidèles lecteurs d'Eugène Sue, nous entretiendrions des empoisonneurs à gages, comme les jésuites dénoncés par ce grand écrivain. Anciens combattants et patriotes, nous serions capables de rompre la fraternité sacrée des tranchées. Que dis-je, messieurs ! Nationalistes, ou mieux encore nationaux, nationaux comme le palais de Versailles ou la Légion d'honneur, nous pactiserions avec l'étranger, nous nous armerions à ses frais, nous accepterions de lutter à ses côtés contre nos frères ! Des misérables répandent même le bruit que nous ferions volontiers fusiller les ouvriers français par les salopards d'Abd el-Krim ? Messieurs, il est temps de réagir. Commencez immédiatement, au nom des classes dirigeantes démissionnaires que j'ai l'honneur de représenter, une campagne retentissante en faveur du général Franco, qui fait exactement ce qu'on nous accuse de vouloir faire. Une épée d'honneur à ce militaire ne serait pas de trop. Les royalistes ont promis de nous refiler celle d'Henri IV, mais ce monarque, Pacificateur des Français, risquerait de ne pas nous compromettre assez. Nous savons, d'autre part, que les polices espagnole et italienne montent une gentille petite entreprise de provocation appelée C.S.A.R. Lorsque ces polices brûleront leurs agents, ce qui naturellement ne saurait tarder, attention ! Ne faites pas la gaffe de tirer notre épingle du jeu ! Affirmez d'abord chaque matin que les cagoulards n'existent pas, personne ne doutera plus qu'ils soient des nôtres. Nos classes dirigeantes démissionnaires ne peuvent perdre une si belle occasion de battre le record de l'impopularité. J'ajoute qu'une lettre collective de l'épiscopat français en faveur du C.S.A.R., calquée sur celle des évêques espagnols, ne ferait pas mal non plus. Bref, messieurs, bon courage, allez-y carrément, et, une fois n'est pas coutume, nous ne regarderons pas au prix. »

*

Les droites espagnoles n'ont pas été si bêtes, c'est une justice à leur rendre. Vous me direz qu'elles n'ont pas eu le temps de la réflexion. Est-ce que vous me prenez pour un imbécile ? Des élections de mars au pronunciamiento du 19 juillet, je compte trois mois et demi. Un enfant comprendrait que douze malheureuses semaines n'auraient certainement pas suffi à l'organisation d'une révolte de la garde civile et de l'armée. À moins que vous ne pensiez que le général Franco se soit contenté de prévenir ses complices par télégramme : « Me révolte demain. Que décidez-vous ? » Un télégramme en clair, bien entendu, avec réponse payée. Quant à M. Mussolini ou M. Hitler, sans doute ont-ils été simplement avisés des Canaries, par téléphone, le jour de l'assassinat de Calvo Sotelo ! Je veux bien que l'épiscopat ait été tenu jusqu'à la dernière minute dans l'ignorance de ce que préparaient tant de personnages à eux familiers, et qui semblent n'avoir pas eu décidément grande confiance dans la discrétion de Leurs Seigneuries. Pourquoi d'ailleurs se défendraient-elles d'avoir assisté par avance de leurs vœux et de leurs prières une entreprise de guerre sainte – *nuestra santa guerra* ? Où serait le mal ?

Non, les droites espagnoles n'ont pas été aussi bêtes. Jusqu'à la dernière minute, elles se sont affirmées ennemies de toute violence. Convaincue de purger ses adversaires à l'huile de ricin, la Phalange passait encore le 19 juillet 1936 pour si damnable qu'un jeune phalangiste de dix-sept ans, nommé Barbara, ayant été tué presque sous mes yeux, le matin même du coup d'État, le personnage que les convenances m'obligent à nommer Son Excellence l'évêque de Majorque, après avoir longuement hésité à accorder les obsèques religieuses à ce violent – qui frappe de l'épée périra par l'épée –, se contenta d'interdire à ses prêtres de se présenter à l'office en surplis. Six semaines après, allant reconduire, en motocyclette, mon fils aux avant-postes, je devais trouver le frère du mort étendu sur la route de Porto Cristo, déjà froid, sous un linceul de mouches. L'avant-veille deux cents habitants de la petite ville voisine de Manacor, jugés suspects par les Italiens, avaient été tirés de leurs lits, en pleine nuit, conduits par fournées au cimetière, abattus d'une balle dans la tête et brûlés en tas un peu plus loin. Le personnage que les convenances m'obligent à qualifier d'évêque-archevêque avait délégué là-bas un de ses prêtres qui, les souliers dans le sang, distribuait les absolutions entre deux décharges. Je n'insiste pas plus longtemps sur les détails de cette manifestation religieuse et militaire, afin de ménager, autant que possible, la susceptibilité des héroïques contre-révolutionnaires français, évidemment frères de ceux que nous avons vus, ma femme et moi, fuir de l'île à la première menace d'une invasion hypothétique, comme des lâches. J'observe simplement que ce massacre de misérables sans défense ne tira pas un mot de blâme, ni même la plus inoffensive réserve des autorités ecclésiastiques qui se contentèrent d'organiser des processions d'actions de grâces. Vous pensez bien que la moindre allusion à l'huile de ricin eût été jugée, désormais, inopportune. On fit des obsèques solennelles au second des Barbara, et la ville ayant décidé de donner à une rue le nom des deux frères, la nouvelle plaque en fut inaugurée et bénite par le personnage que les convenances m'obligent toujours à nommer Son Excellence l'évêque-archevêque de Palma.

*

Il est certain que ces vérités scandaliseront un petit nombre d'âmes sincères. Mais les malheurs que j'annonce les scandaliseront cent fois plus. La Croisade dure depuis près de deux ans, je pense qu'on ne m'accusera pas d'avoir montré trop de hâte à tenter de dessiner son vrai visage, celui que j'ai vu, non un autre. Ne seraient-ce pas les apologistes qui se sont un peu pressés ? Le seul fait qu'elle se prolonge ne prouve-t-il pas qu'ils en ont méconnu le véritable caractère ? Il y a quinze mois, à entendre le pauvre tâcheron du journalisme qu'est, par exemple, M. Héricourt, les avions de M. Pierre Cot arrêtaient seuls l'extermination foudroyante d'une poignée de pillards d'églises, qui d'ailleurs, au premier coup de mitrailleuse, filaient comme des lapins – *conejos*. D'où vient que les efforts conjugués de l'Allemagne et de l'Italie n'aient pas encore obtenu ce succès décisif que le général Queipo annonçait chaque soir dans sa charla ? « C'est donc que l'Espagne était plus gangrenée que nous ne pensions. – Soit. N'est-ce point la même Espagne qui, en 1934, donnait à votre Ceda catholique une majorité aux Cortes ? Vous reculez donc au lieu d'avancer ? – Nous le craignons. – Donc vos méthodes ne valent pas grand-chose. » S'il était vrai qu'une opération si sanglante n'a pas donné à ce malheureux pays un chrétien de plus, n'aurais-je pas raison de vous mettre en garde contre les écrivains italiens de langue française qui nous somment d'aller, nous aussi, en croisade, derrière des chefs qui ressemblent, comme des frères, aux initiateurs du Movimiento ? Mais il ne s'agit pas d'un chrétien de plus ou de moins. Je redoute bien pis pour l'Église. L'épiscopat espagnol, évidemment, a cru tenir le bon bout après la prise de Bilbao. S'est-il trompé, oui ou non ? Si Leurs Seigneuries m'avaient interrogé à ce moment-là, je leur aurais répondu : « Méfiez-vous. Il sera toujours temps. Il sera toujours temps de vous rallier. Jadis les gens d'Église craignaient de se compromettre avec les monarchies vis-à-vis des puissantes républiques. Aujourd'hui ce sont les démocraties qui risquent de les compromettre vis-à-vis des dictatures. Les Rois n'ont pas montré, en somme, trop de rancune.

Je me demande si les démocraties seront aussi bonnes filles. Les peuples ne comprennent pas l'ironie. »

*

La Terreur révolutionnaire en Espagne ne pose aucun problème nouveau. Il est clair qu'en Catalogne, par exemple, le soulèvement de la police et de l'armée a laissé la place aux égorgeurs. Imaginez que le gouverneur militaire de Paris prenne la tête d'un mouvement insurrectionnel. Si M. Chautemps, pour se défendre, commettait l'imprudence d'armer les hommes de la rue, de quelles forces régulières disposerait-il, la sédition réprimée, contre ses dangereux collaborateurs ? La canaille est ce qu'elle est. Nous la connaissons depuis longtemps. – « Il s'agit de la vaincre. » – Sans nul doute. Mais vous n'êtes pas libre de la réprimer comme il vous plaît. Car vous représentez l'Ordre et l'État. Eh bien ! oui, que voulez-vous ? Ni l'Ordre ni l'État ne vous appartiennent. Ils sont le legs de ceux qui ne sont plus, le patrimoine de ceux qui ne sont pas encore. Ce n'est pas votre maison que vous habitez, c'est la maison commune, bénie par le Christ. Si vous la démolissez sous prétexte d'ensevelir sous les décombres ceux qui la pillent, où coucheront donc vos enfants ? Ces considérations vous paraîtront inspirées, je le crains, par un idéalisme insensé. Tant pis pour vous. Elles devraient être familières aux royalistes français, s'ils n'étaient devenus des intellectuels moyens, d'insupportables raisonneurs. Tant pis pour eux ! Ce respect de nos Princes à l'égard du vieux domaine des aïeux, leur timidité à le défendre contre leur peuple, ce regard du jour de

111

l'abdication, ce regard amoureux et calculateur, ce regard du propriétaire légitime jeté au dernier moment sur tant de choses précieuses, fragiles, qu'on préfère abandonner plutôt que risquer de les voir détruire, c'est à Majorque que j'en ai tout à coup compris le sens. « Pas si bêtes, nous autres ! » penseront les petits mufles réalistes de la nouvelle génération maurrassienne.

*

À qui me reproche de mettre en cause les gens d'Église qui ont payé déjà de tant de sang leurs erreurs ou leurs fautes, je pourrais répondre qu'il est difficile de les mettre autrement en garde contre ces erreurs et ces fautes. Il est aisé de dire aujourd'hui que la Sainte Inquisition n'était qu'une organisation politique au service des rois d'Espagne, mais le plus effronté bien-pensant m'accordera que les contemporains ne s'en sont jamais doutés. Si j'avais, au seizième siècle, soutenu cette thèse à l'illustre université de Salamanque, par exemple, on m'eût traité d'esprit dangereux, et peut-être brûlé. Supposez que la Croisade tourne mal. Vous lirez dans une future histoire de l'Église que la lettre collective de l'Épiscopat espagnol n'a été qu'un emportement du zèle de Leurs Seigneuries, une maladresse regrettable, qui n'engage nullement les principes. Pour écrire la même chose à présent, je vais m'attirer la désapprobation de M. Paul Claudel. Eh bien, quoi ! j'en ai assez de ces niaiseries. Qui sait ? Peut-être l'auteur de la future histoire de l'Église utilisera-t-il un jour ces modestes pages pour appuyer son argumentation, prouver que l'opinion catholique unanime n'était pas avec ces gens-là.

*

Voulez-vous que je vous dise ? La Terreur me paraît inséparable des révolutions de désordre, parce que entre les forces de destruction, c'est la Terreur qui va le plus loin, qui pénètre le plus avant, atteint la racine de l'âme. Quand je vous vois arroser de cet acide un membre, même gangrené, de la chrétienté, j'ai le droit de vous dire que vous la brûlerez tout entière, vous la brûlerez jusqu'à la dernière fibre, jusqu'au germe. Oh ! je ne suis pas plus que vous au-dessus des passions ! Je les défie le moins possible, de peur qu'elles ne me mangent. Seulement je les appelle par leur nom, je les nomme. Je comprends très bien que l'esprit de Peur et l'esprit de Vengeance – mais ce dernier est-il autre chose que l'ultime manifestation de la Peur – inspirent la Contre-Révolution espagnole. Qu'un tel esprit l'ait inspirée, je ne m'en étonne nullement. Qu'il la nourrisse aussi longtemps, voilà le problème. J'écris donc, en langage clair, que la Terreur aurait depuis longtemps épuisé sa force si la complicité plus ou moins avouée, ou même consciente, des prêtres et des fidèles n'avait finalement réussi à lui donner un caractère religieux.

*

J'écris ces lignes, je le répète, sans le moindre souci d'éblouir ou de convaincre. Je ne me flatte nullement de donner à autrui une leçon de sagesse, n'ayant pas su moi-même conduire irréprochablement ma pauvre vie. Je ne vous apporte pas un plan de réorganisation médité entre ma pipe et mon pot. Il est vrai que le spectacle de l'injustice m'accable, mais c'est probablement parce qu'il éveille en moi la conscience de la part d'injustice dont je suis capable. Autrement, je tâcherais d'attendre en paix, à l'exemple des saints, nos pères, l'avènement du Royaume de Dieu. Oui, j'accepterais l'injustice, toute l'injustice, il suffirait que j'en eusse la force. Tel que je suis, je ne saurais l'accepter que par lâcheté, quitte à décorer ma lâcheté d'un nom avantageux, celui de scepticisme, par exemple, car je ne me crois pas capable d'oser profaner le nom divin de Charité. S'il m'arrive de mettre en cause l'Église, ce n'est pas dans le ridicule dessein de contribuer à la réformer. Je ne crois pas l'Église capable de se réformer humainement, du moins dans le sens où l'entendaient Luther et Lamennais. Je ne la souhaite pas parfaite, elle est vivante. Pareille au plus humble, au plus dénué de ses fils, elle va clopin-clopant de ce monde à l'autre monde ; elle commet des fautes, elle les expie, et qui veut bien détourner un moment les yeux de ses pompes l'entend prier et sangloter avec nous dans les ténèbres. Dès lors, pourquoi la mettre en cause, dira-t-on ? Mais, parce qu'elle est toujours en cause. C'est d'elle que je tiens tout, rien ne peut m'atteindre que par elle. Le scandale qui me vient d'elle m'a blessé au vif de l'âme, à la racine même de l'espérance. Ou plutôt, il n'est d'autre scandale que celui qu'elle donne au monde. Je me défends contre ce scandale par le seul moyen dont je dispose en m'efforçant de comprendre. Vous me conseillez de tourner le dos ? Peut-être le pourrais-je, en effet, mais je ne parle pas au nom des saints, je parle au nom de braves gens qui me ressemblent comme des frères. Avez-vous la garde des pécheurs ? Eh bien ! le monde est plein de misérables que vous avez déçus. Personne ne songerait à vous jeter une telle vérité à la face, si vous consentiez à le reconnaître humblement. Ils ne vous reprochent pas vos fautes. Ce n'est pas sur vos fautes qu'ils se brisent, mais sur votre orgueil. Vous répondrez, sans doute, qu'orgueilleux ou non vous disposez des sacrements par quoi l'on accède à la vie éternelle, et que vous ne les refusez pas à qui se trouve en état de les recevoir. Le reste ne regarde que Dieu. Que demandez-vous de plus, direz-vous ? Hélas ! nous voudrions aimer.

IV

Oui, si j'étais revenu d'Espagne dans les dispositions du pamphlétaire, je me serais hâté de mettre sous les yeux du public une image de la guerre civile capable de révolter sa sensibilité, ou peut-être sa conscience. Malheureusement le public aime les horreurs, et lorsqu'on veut parler à son âme, il est préférable de ne pas donner le jardin des Supplices pour cadre à cet entretien, sous peine de voir naître peu à peu, dans les yeux rêveurs, tout autre chose qu'un sentiment d'indignation, ou même qu'un sentiment tout court... Retirez les mains de vos poches, mes enfants !

Je dois dire aussi qu'après trois années passées à l'étranger, je retrouvais mon pays si profondément divisé contre lui-même qu'à la lettre je ne le reconnaissais plus. Le printemps de 1937 a sans doute été l'un des plus tragiques des printemps français, un printemps de guerre civile. Les rivalités politiques cédaient aux haines sociales, dans une atmosphère intolérable d'épouvante réciproque. La Peur ! La Peur ! La Peur ! Ce fut le printemps de la Peur. Il faut que les forces de la vie soient bien puissantes pour que les marronniers aient fleuri quand même, dans cet air gluant. Je ne reconnaissais même plus les visages. «En finir, et tout de suite!» balbutiaient des gens paisibles. J'aurais pu traduire cette maxime familière en espagnol. «Eux ou nous!» Ainsi se défiaient, par-dessus les vieilles tours de Notre-Dame, le bourgeois d'Auteuil ou de Passy, le prolétaire de Ménilmuche, qui d'ailleurs se coudoyaient chaque jour dans les chantiers de l'Exposition, ruisselants de pluie.

Je n'avais rien à dire aux gens de gauche. C'est aux gens de droite que je désirais parler. Je crus d'abord la chose facile. Et d'abord, je les pensais mal informés. Or, ils l'étaient aussi bien que moi.

«Les Italiens en Espagne? Tant mieux! Jamais trop! – Les Allemands aussi? Parfait. – Les exécutions sommaires? Excellent. Pas de sensiblerie! – Mais vos journaux qui... – Nos journaux disent ce qu'il faut dire. J'espère bien que vous n'allez pas parler de ça, tout de même? Vous n'allez pas faire le jeu de M. Jouhaux, non? Imaginez qu'un charpentier en fer de l'Exposition est payé plus de cent francs par jour! Oui, monsieur.»

Qu'aurais-je dit? Je n'avais pas d'ailleurs beaucoup à dire. J'aurais voulu dire simplement: «Vous détestiez jadis jusqu'au mot de violence. Vous voilà prêts à la Révolution. Méfiez-vous. Le fascisme et l'hitlérisme vous proposent des modèles de révolutions. Je doute que vous puissiez tirer parti de celles-ci, car elles ne paraissent pas servir beaucoup les intérêts de votre classe, non plus que ses habitudes ou ses préjugés. M. Mussolini et M. Hitler sont ce qu'ils sont.

117

Mais ils ne sont pas des vôtres. Entre nous, ils ne vous aiment guère. De plus, ils ont de l'honneur. Je doute que certaines de vos attitudes sociales leur soient très sympathiques, qu'ils permettraient, par exemple, aux petits commerçants d'élever sans cesse le prix de leur marchandise, tout en prétendant, au nom de l'intérêt national, condamner le principe de l'augmentation proportionnelle des salaires, jugée désastreuse pour nos finances. Je doute qu'ils vous laisseraient jouer contre votre propre monnaie, tandis que vous sommez M. Jouhaux d'entretenir chez ses troupes l'esprit de désintéressement patriotique. Bref, je doute que les Épiciers détaillants, dont M. Gignoux présidait l'autre jour le banquet corporatif, affirmant que l'abnégation de ces messieurs était en train de sauver l'Europe, se trouveraient très bien d'une révolution hitlérienne ou fasciste. (Qu'ils aillent y voir eux-mêmes ! Qu'ils se rendent compte !) – Mais enfin, eussé-je poursuivi, j'ignore sur quel modèle de révolution vous fixerez votre choix. J'ai vu précisément l'espèce de révolution la plus dangereuse pour vous, celle que vous ne devez pas faire. Vous aimez volontiers dire, d'un ton que je sais, devant certaines faiblesses des gens de votre classe : "Il y a des choses qui *ne se font pas*." Eh bien ! la révolution que je viens de voir est une de ces choses-là. Le monde n'acceptera pas une Terreur cléricale, bourgeoise ou militaire. Serait-elle cent fois justifiée, à vos yeux, par la menace de l'autre Terreur, nous ne sommes plus ici dans la Morale, que voulez-vous que je vous dise, nous sommes dans l'Histoire. Je vois là d'abord une fatalité historique contre laquelle vous vous allez briser. »

*

Mes raisons valent ce qu'elles valent. Je voudrais qu'elles puissent se suffire à elles-mêmes. Quiconque, ayant réfléchi un moment à la situation actuelle des partis bien-pensants, telle que les incidents du procès La Rocque l'ont fait paraître, à l'esprit des troupes, à la qualité des chefs, et refuse de comprendre qu'il leur manque encore les premiers éléments nécessaires à une véritable restauration nationale, qu'un coup de force fait dans de telles conditions ne saurait aboutir à la création d'un nouvel ordre, mais à la consolidation de l'ordre actuel avec toutes ses tares, grâce à la mise au mur ou à la mise en tôle des « Mécontents », des « Mauvais esprits » – quiconque se refuse à convenir que si les bons Français ne manquent pas, ils n'ont ni cadres ni doctrine, que leur premier devoir est de se retrouver, de se reconnaître, de rompre toute solidarité avec des intérêts et des politiques dont la presse devrait suffire à assurer le service, et qui les compromettent si gravement envers des adversaires de bonne foi qu'il faut atteindre, qu'il faut toucher, qu'il faut rallier quoi qu'il en coûte – à tout prix –, coûte que coûte, car sinon il en coûterait la France, quiconque souffre que des misérables avortons de lettres donnent à nos luttes sociales le caractère d'une guerre religieuse, d'une guerre de la civilisation contre la barbarie, rangent dans la seconde les prolétaires qui s'empoisonnent chez le bistrot, et dans la première le bistrot opulent qui les empoisonne, celui-là, dis-je, n'a que faire des lignes qui vont suivre. Je ne fais appel à la pitié de personne. Je sais parfaitement qu'en ce seizième siècle, qui ressemble au nôtre, j'aurais en vain attiré l'attention des ligueurs guisards sur leurs propres injustices, assuré d'avance qu'ils m'eussent opposé aussitôt les injustices huguenotes, leurs tractations avec l'Espagne, qu'ils auraient crues justifiées par celle des gens de la Réforme avec l'Angleterre – et pourtant, quelques années plus tard, huguenots et ligueurs tombaient dans les bras les uns des autres, et sans Marie de Médicis et l'assassin Concini tous les Français, derrière Henri IV, allaient arracher les Pays-Bas aux renards de l'Escorial, faisaient notre pays maître de l'Europe. Oui, je me suis dit cela. Je me dis encore tout cela. Je crois même que si les circonstances m'avaient conduit sur la Péninsule, un tel élargissement du champ visuel m'aurait peut-être découragé de tirer parti de mes expériences. Mais l'espèce de Terreur dont je parlais tout à l'heure, je l'ai observée dans une petite île, facile à parcourir tout entière en un jour, d'une seule étape de motocyclette. C'est un peu comme si l'Espagne nationaliste, qu'explorent en hâte des reporters, réduite à l'échelle convenable, s'était trouvée rassemblée à portée de la main. Vous me direz que la Terreur a pu y revêtir un caractère plus cruel. Je ne le crois pas. Je répète une fois de plus que la Terreur n'y subissait pas la provocation d'une autre Terreur, et le Majorquin n'a jamais passé pour cruel, comme l'Andalou, par exemple, ou l'Asturien. Sur cette scène restreinte il m'a été possible d'approcher tous les personnages. Du même coup d'œil, je voyais le geste qui commande et celui qui exécute, les chefs et les comparses. J'ai parlé aux uns et aux autres. J'ai entendu leurs justifications, partagé parfois leurs remords. L'idée que je me fais d'eux, après tant de mois écoulés, reste humaine, je le crois.

*

Si le mot de Terreur vous semble trop gros, cherchez-en un autre, que m'importe ! Il est possible que vous lui donniez le sens de séisme, qu'il évoque pour vous des incendies, les maisons croulantes, les cadavres lacérés par la populace. Or la Terreur dont je parle ne saurait fournir aucune de ces images, précisément parce que ceux qui l'organisent sont des gens pour qui l'ordre dans la rue est une nécessité absolue. Il est puéril de se représenter un tueur sous les aspects d'un brigand de mélodrame. Maximilien Robespierre était un bourgeois très comme il faut, déiste et moraliste. Soyez sûr qu'il aurait préféré la collaboration de bourgeois tels que lui à celle des sinistres carmagnoles déchaînées par Danton. S'il avait disposé d'une armée disciplinée, d'une police intacte, d'une magistrature régulière, d'un clergé docile, d'une administration laborieuse, il eût tué autant de monde, il eût tué même beaucoup plus de monde, sans que le service des diligences, des postes ou de la voirie en ait souffert. Il est absolument inique de juger des rigueurs de la guerre civile, dans l'un et l'autre camp, par les mêmes signes extérieurs. La Terreur des Rois Catholiques en Flandre a versé plus de sang qu'aucune jacquerie. Le pillage d'une ville par la canaille, n'en coûtât-il pas un seul cadavre, sera toujours un spectacle atroce. Lorsque les officiers de marine me rendaient visite à Palma, ils se récriaient sur la propreté des rues, l'ordonnance des tramways, que sais-je ? « Quoi ! le commerce marche, les gens se promènent, et vous dites qu'on tue ? Allons donc ! » Ils ignoraient qu'un commerçant n'eût pas fermé sa boutique sans risquer sa tête. Ils ignoraient aussi qu'une administration jalouse du moral interdisait de porter le deuil aux parents des exécutés. En quoi diable voulez-vous que l'aspect extérieur d'une ville soit modifié parce que l'effectif des prisons a doublé, triplé, décuplé, centuplé, je vous le demande ? Et si l'on tue discrètement quinze ou vingt malheureux par jour, les tramways cesseront-ils pour autant de rouler, les cafés de s'emplir, et les églises de retentir du chant du *Te Deum* ?

Pour moi, j'appelle Terreur tout régime où les citoyens, soustraits à la protection de la loi, n'attendent plus la vie ou la mort que du bon plaisir de la police d'État. J'appelle le régime de la Terreur le régime des Suspects. C'est ce Régime que j'ai vu fonctionner huit mois. Ou, plus exactement, il m'a fallu dix mois pour en découvrir, rouage après rouage, le fonctionnement. Je le dis, je l'affirme. Je n'exige nullement qu'on me croie sur parole. Je sais que tout se saura un jour – demain, après-demain, qu'importe ? Mgr l'évêque de Palma par exemple en sait autant que moi, plus que moi. J'ai toujours pensé que Notre Saint-Père le pape, torturé, dit-on, par le problème de la guerre civile espagnole, aurait grand intérêt à questionner ce dignitaire, sous la foi du serment.

Qu'est-ce que le régime des Suspects ? Un régime où le pouvoir juge licite et normal non seulement d'aggraver démesurément le caractère de certains délits, dans le but de faire tomber les délinquants sous le coup de la loi martiale (le geste du poing fermé puni de mort), mais encore d'exterminer préventivement les individus dangereux, c'est-à-dire suspects de le devenir. Pour repérer ces éléments indésirables, il convient de s'assurer le service des délateurs. Le régime des Suspects est donc aussi le régime de la délation.

Tout cela s'écrit en noir sur blanc. Il faut voir. Il faut comprendre. Voilà une petite île bien calme, bien coite dans ses amandiers, ses orangers, ses vignes. La capitale n'a guère plus d'importance qu'une vieille ville quelconque de nos provinces françaises. La seconde capitale, Soller, n'est qu'un bourg. Les villages isolés les uns des autres, perchés à flanc de montagne ou disséminés dans la plaine ne communiquent entre eux que par de mauvaises routes, ou de rares pataches, au moteur essoufflé. Chacun de ces villages est un monde fermé, avec ses deux partis, celui des « Prêtres », et celui des « Intellectuels », auquel s'agrège timidement celui des ouvriers. Il y a encore le châtelain, qu'on ne voit d'ailleurs qu'aux beaux jours, mais qui connaît ses têtes, a noté depuis longtemps les mauvaises, en compagnie du curé son compère. N'importe ! La gentillesse des mœurs espagnoles fait que ce monde-là vit d'accord, danse ensemble les soirs de fête. Du jour au lendemain, ou presque, chacun de ces villages a eu son comité d'épuration, un tribunal secret, bénévole, généralement ainsi composé : le bourgeois propriétaire, ou son régisseur, le sacristain, la bonne du curé, quelques paysans bien-pensants et leurs épouses, et enfin les

jeunes gens hâtivement recrutés par la nouvelle phalange, trop souvent convertis d'hier, impatients de
donner des gages, ivres de l'épouvante qu'inspirent
tout à coup, à de pauvres diables, la chemise bleue et
le bonnet à pompon rouge.

Je l'ai déjà écrit, je l'écrirai encore. Cinq cents phalangistes le 17 juillet. Quinze mille quelques semaines
plus tard, puis vingt-deux mille. Bien loin de contrôler
ce recrutement vertigineux, l'autorité militaire le favorise de tout son pouvoir, car elle a son plan. Le jour
venu, la besogne faite, rien ne sera plus facile que de
désarmer une multitude dont la poussée a rompu les
anciens cadres et à laquelle on en a fourni de nouveaux,
faits à sa mesure, des cadres policiers. Puis on la ver-
sera, par fournées, dans la troupe. L'épuration sera terminée.

Car l'épuration est le dernier mot de cette guerre,
tout le monde le sait, ou commence à le savoir, ou le
saura. Le « *Il faut en finir* » que d'abjects imposteurs
traduisent à peu près ainsi : « *Délivrons le tombeau du
Christ !* » n'a jamais signifié que l'extermination systématique des éléments suspects. Il n'y a pas là de quoi
surprendre. Tel était en 1871, exactement, le vœu unanime des gens de Versailles. Deux siècles avant la Terreur, les mêmes formules ont servi pour justifier le
massacre des prisons après la Saint-Barthélemy, que
dans une lettre au pape Catherine de Médicis compare
à la victoire de Lépante (la nuit même Rome s'était
illuminée de feux de joie). Toutes les Terreurs se ressemblent, toutes se valent, vous ne me ferez pas distin-

guer entre elles, j'ai vu trop de choses maintenant, je connais trop bien les hommes, je suis trop vieux. La Peur me dégoûte chez tout le monde, et derrière les belles paroles des massacreurs il n'y a qu'elle. On ne massacre jamais que par peur, la haine n'est qu'un alibi. Je ne crois pas M. Hitler ou M. Mussolini des demi-dieux. Mais je rends simplement hommage à la vérité en disant que ce sont des hommes sans peur. Ils n'auraient jamais souffert chez eux d'organiser les massacres, ils n'auraient jamais présidé, en uniforme de soldat, ces grandes Assises de la Peur.

L'épuration à Majorque a connu trois phases, assez différentes, plus une période préparatoire. Au cours de cette dernière, on nota sans doute des exécutions sommaires, opérées à domicile, mais qui gardaient, ou semblaient garder, le caractère de vengeances personnelles plus ou moins réprouvées par tous, et dont on se confiait les détails à voix basse. C'est alors qu'apparut le général comte Rossi.

Le nouveau venu n'était, naturellement, ni général, ni comte, ni Rossi, mais un fonctionnaire italien, appartenant aux Chemises noires. Nous le vîmes, un beau matin, débarquer d'un trimoteur écarlate. Sa première visite fut pour le gouverneur militaire, nommé par le général Goded. Le gouverneur et ses officiers l'accueillirent poliment. Ponctuant son discours de coups de poing sur la table, il déclara qu'il apportait l'esprit du Faisceau. Quelques jours plus tard, le général entrait avec son état-major dans la prison de San-Carlos, et le comte Rossi prenait le commandement effectif de la Phalange. Vêtu d'une combinaison noire, ornée sur la poitrine d'une énorme croix blanche, il parcourut les villages, pilotant lui-même sa voiture de course, que s'efforçaient de rejoindre, dans un nuage de poussière, d'autres voitures remplies d'hommes, armés jusqu'aux dents. Chaque matin les journaux rendaient compte de ces randonnées oratoires, où flanqué de l'alcade et du curé, dans un étrange sabir mêlé de majorquin, d'italien et d'espagnol, il annonçait la Croisade. Certes le gouvernement italien disposait à Palma de collaborateurs moins voyants que cette brute géante qui affirmait un jour, à la table d'une grande dame palmesane, en essuyant ses doigts à la nappe, qu'il lui fallait au moins « une femme par jour ». Mais la mission particulière qui lui avait été confiée s'accordait parfaitement à son génie. C'était l'organisation de la Terreur.

Dès lors, chaque nuit, des équipes recrutées par lui opérèrent dans les hameaux et jusque dans les faubourgs de Palma. Où que ces messieurs exerçassent leur zèle, la scène ne changeait guère. C'était le même coup discret frappé à la porte de l'appartement confortable, ou à celle de la chaumière, le même piétinement dans le jardin plein d'ombre, ou sur le palier le même chuchotement funèbre, qu'un misérable écoute de l'autre côté de la muraille, l'oreille collée à la serrure, le cœur crispé d'angoisse. – « Suivez-nous ! » – … Les mêmes paroles à la femme affolée, les mains qui rassemblent en tremblant les hardes familières, jetées quelques heures plus tôt, et le bruit du moteur qui continue à ronfler, là-bas, dans la rue. « Ne réveillez pas les gosses, à quoi bon ? Vous me menez en prison, n'est-ce pas, señor ? – *Perfectamente* », répond le tueur, qui parfois n'a pas vingt ans. Puis c'est l'escalade du camion, où l'on retrouve deux ou trois camarades, aussi sombres, aussi résignés, le regard vague… *Hombre !* La camionnette grince, s'ébranle. Encore un moment d'espoir, aussi longtemps qu'elle n'a pas quitté la grand-route. Mais voilà déjà qu'elle ralentit, s'engage en cahotant au creux d'un chemin de terre. « Descendez ! » Ils descendent, s'alignent, baisent une médaille, ou seulement l'ongle du pouce. Pan ! Pan ! Pan ! – Les cadavres sont rangés au bord du talus, où le fossoyeur les trouvera le lendemain, la tête éclatée, la nuque reposant sur un hideux coussin de sang noir coagulé. Je dis fossoyeur, parce qu'on a pris soin de faire ce qu'il fallait non loin d'un cimetière. L'alcade écrira sur son registre : « Un tel, un tel, un tel, morts de congestion cérébrale. »

*

Je crois entendre une fois de plus la protestation des lecteurs bien-pensants. « Alors quoi ? toujours nous ? Il n'y a que les nôtres qui tuent ? » Je ne dis pas que ce soient les vôtres. Je vous mets en garde, de toutes mes forces, contre les politiciens et les journalistes qui, après avoir vécu si longtemps de votre sottise, de votre timidité, de votre impuissance, chatouillent le bourgeois français entre les cuisses et lui soufflent à l'oreille qu'il est un mâle, qu'il peut faire sa terreur tout comme un autre alors qu'ils savent parfaitement que cette Terreur, loin de libérer les bien-pensants, ne peut que lier le sort de ces malheureux à l'écume de la nation, seule capable de réaliser vraiment la Terreur, qu'elle soit de gauche ou qu'elle soit de droite. Si je croyais les gens de droite capables de conquérir le pouvoir par la force, je ne prétends pas que je les encouragerais à la guerre civile, mais les politiciens de gauche me dégoûtent depuis si longtemps que je dirais sans doute : « Eh bien ! quoi, mes enfants, à condition que vous ne vous conduisiez pas réciproquement comme des cochons, allez-y ! » Mais ni les gens de gauche ni les gens de droite ne sont en mesure de s'affronter réellement. Ils ne réussiront qu'à crever le grand collecteur, et l'égout commencera de vomir sa fange jusqu'à ce que l'étranger, jugeant le niveau atteint, envoie ses égoutiers, chemises brunes ou chemises noires. Avez-vous compris, nigauds ! Depuis cinquante ans, sous les noms de progressistes, d'opportunistes, de libéraux, de démocrates, de patriotes ou de nationaux, derrière les chefs les plus divers, on vous a vus perdre sur tous les tableaux, rater misérablement toutes vos entreprises – qu'avez-vous tiré du 6 février ? du scandale Stavisky ? de la Maffia ? – et nous vous verrions sans rien dire vous engager dans une voie si dangereuse ! Vous ne savez même pas poser des ventouses, et on vous chargerait d'une opération chirurgicale qui ne donne pas à notre pays plus d'une chance sur vingt de s'en tirer !

*

La première phase d'épuration dura quatre mois. Au cours de ces quatre mois, l'étranger, premier responsable de ces tueries, ne manqua pas de figurer à la place d'honneur, dans toutes les manifestations religieuses. Il était généralement assisté d'un aumônier recruté sur place, tout culotté, tout botté, la croix blanche sur la poitrine, les pistolets à la ceinture. (Ce prêtre fut d'ailleurs fusillé depuis par les militaires.) Nul n'aurait osé mettre en doute les pouvoirs discrétionnaires du général italien. Je sais un pauvre religieux qui le supplia humblement d'épargner la vie de trois jeunes femmes prisonnières d'origine mexicaine, qu'après les avoir confessées il jugeait sans malice. « C'est bien, répondit le comte qui s'apprêtait à se mettre au lit, j'en parlerai à mon oreiller. » Le lendemain matin, il les fit abattre par ses hommes.

Ainsi, jusqu'en décembre, les chemins creux de l'île, aux alentours des cimetières, reçurent régulièrement leur funèbre moisson de mal-pensants. Ouvriers, paysans, mais aussi bourgeois, pharmaciens, notaires. Comme je demandais à un médecin ami le cliché fait quelque temps auparavant par un de ses confrères radiologues – le seul radiologue de Palma –, il me répondit en souriant : « Je me demande si on retrouvera l'objet… Ce pauvre X… a été emmené en promenade l'autre jour. » Ces faits sont connus de tous.

Une fois presque terminée l'épuration sur place, il fallut penser aux prisons. Elles étaient pleines, vous pensez ! Pleins aussi les camps de concentration. Pleins encore les bateaux désarmés, les sinistres pontons gardés nuit et jour, sur lesquels, par excès de précaution, dès la nuit close, passait et repassait le lugubre pinceau d'un phare, que je voyais de mon lit, hélas !

Alors commença la seconde phase, celle de l'épuration des prisons.

Car un grand nombre de ces suspects, hommes ou femmes, échappaient à la loi martiale faute du moindre délit matériel susceptible d'être retenu par un conseil de guerre. On commença donc à les relâcher par groupes, selon leur lieu d'origine. À mi-chemin, on vidait la cargaison dans le fossé.

Je sais… Vous ne me laissez pas continuer. Combien de morts ? Cinquante ? Cent ? Cinq cents ? Le chiffre que je vais donner a été fourni par un des chefs de la répression palmesane. L'évaluation populaire est bien différente. N'importe. Au début de mars 1937, après sept mois de guerre civile, on comptait trois mille de ces assassinats. Sept mois font deux cent dix jours, soit quinze exécutions par jour en moyenne. Je me permets de rappeler que la petite île peut être facilement traversée en deux heures de bout en bout. Un automobiliste curieux, au prix d'un peu de fatigue, eût donc tenu facilement la gageure de voir éclater quinze têtes malpensantes par jour. Ces chiffres ne sont pas ignorés de Mgr l'évêque de Palma.

Évidemment, cela vous coûte à lire. Il m'en coûte aussi de l'écrire. Il m'en a plus coûté encore de voir, d'entendre. Moins que vous ne pensez, peut-être ?… Nous avons tenu bon, ma femme et moi, non par bravade, ni même dans l'espoir d'être très utiles – nous pouvions si peu de chose, en somme –, mais plutôt par un sentiment de solidarité profonde envers de braves gens dont le nombre grandissait chaque jour, qui avaient connu nos espoirs, nos illusions, s'étaient défendus pied à pied contre l'évidence, partageaient enfin nos angoisses. Ils n'étaient pas libres, et nous l'étions. Je pense à ces jeunes phalangistes ou requetés, à ces vieux prêtres – l'un d'eux ayant prononcé des paroles imprudentes dut avaler un litre d'huile de ricin, sous la menace du revolver. Si j'avais vécu là-bas dans l'intimité d'hommes de gauche, il est probable que leur manière de protester eût déclenché en moi certains réflexes de partisan dont je ne suis pas toujours maître. Mais la déception, la tristesse, la pitié, la honte lient bien plus étroitement que la révolte ou la haine. On s'éveille le matin harassé, on va partir, et voilà qu'on rencontre dans la rue, à la table de café, sur le seuil de l'église, tel ou tel qu'on a cru jusqu'alors du côté des massacreurs, et qui vous dit tout à coup, les yeux pleins de larmes : « C'est trop ! Je n'en puis plus ! Voilà ce qu'ils viennent de faire ! » Je pense à ce maire d'une petite ville auquel sa femme avait aménagé une cachette dans la citerne. Le misérable à chaque alerte s'y pelotonnait au fond d'une sorte de niche, à quelques centimètres de l'eau dormante. Ils l'ont tiré de là en plein décembre, grelottant de fièvre. Ils l'ont conduit au cimetière, abattu d'une balle dans le ventre. Et comme il ne se hâtait pas de mourir, les bourreaux, qui buvaient non loin de là, sont revenus avec la bouteille d'eau-de-vie, un peu saouls. Ils ont enfoncé le goulot dans la bouche de l'agonisant, puis lui ont cassé sur la tête le litre vide. Je répète que ces faits sont publics. Je ne crains aucun démenti. Ah ! l'atmosphère de la Terreur n'est pas ce que vous pensez ! L'impression est d'abord

131

d'un énorme malentendu, qui confond toutes choses, mêle inextricablement le bien et le mal, les coupables et les innocents, l'enthousiasme et la cruauté. Ai-je bien vu ?… Ai-je bien compris ?… On vous affirme que cela va finir, que c'est fini. On respire. On respire jusqu'au prochain massacre, qui vous prend de court. Le temps passe… passe… Et puis quoi ? Que voulez-vous que je vous dise ? Des prêtres, des soldats, ce drapeau rouge et or – ni or pour l'acheter, ni sang pour le vendre… Il est dur de regarder s'avilir sous ses yeux ce qu'on est né pour aimer.

J'avoue, d'ailleurs, qu'en de telles conjonctures, certains journaux français nous réconfortaient grandement. Lorsqu'on voit se multiplier, de semaine en semaine, les avions fascistes, bénis par l'archevêque de Palma, les côtes, jadis désarmées, se hérisser de batteries, lorsqu'on entend les officiers de marine italiens se vanter publiquement, dans les cafés, du bombardement de Malaga, il est excitant de déchiffrer dans sa propre langue les monotones dénonciations d'une presse accroupie à chaque gare de la frontière pyrénéenne, l'œil à la serrure des water-closets, prenant convulsivement des notes sur le papier de ces édicules. Pendant sept mois, jamais – jamais pendant sept mois, la moindre allusion aux manquements italiens ou allemands, jamais, jamais, jamais. Tout de même ! Voilà des gens qui ne sont pas souvent d'accord entre eux – P.P.F., P.S.F., A.F., S.F., J.P., L.P.F., et depuis la campagne d'Abyssinie, tous unis, tous solidaires, solidaires du nouvel Empire ! Les citations de ces patriotes s'emboîtaient si exactement dans les articles des publicistes italiens ou espagnols qu'on les eût crus faits sur mesure, c'est drôle… Voyons ! il n'est pas un seul Français ayant séjourné plus de six mois au-delà des Pyrénées qui puisse ignorer la haine séculaire des Droites espagnoles, particulièrement de l'armée et du clergé, pour notre pays. Cette haine s'est maintes fois affirmée pendant la guerre. « Il n'y a que la canaille et moi qui aimions la France », disait Alphonse XIII. Je ne sais ce que vaut, à l'intérieur de nos propres frontières, le défaitisme national des nationaux. Je crois que le plus aigri de ces messieurs eût rougi des commentaires méprisants dont la propagande assaisonnait sa prose… J'entends encore ce commandant qui un soir, à Manacor, sous le feu du croiseur républicain *Libertad*, croyant naïvement me faire plaisir, m'affirmait dans un français mal assuré, mais avec l'accent d'une mâle et fraternelle condoléance : « Que voulez-vous, monsieur, nos pays, c'est deux fameuses crapules ! » (Il était, lui, catalan.)

Je suis resté à Majorque aussi longtemps que j'ai pu, parce que j'y regardais en face les ennemis de mon pays. Cet humble témoignage avait son prix, puisque n'ayant nulle attache avec les Rouges de là-bas ou d'ailleurs, connu par tous comme catholique et royaliste, j'affirmais, si peu que je vaille, une France éternelle, qui a survécu aux Armagnacs et aux Bourguignons, comme aux Ligueurs et aux Huguenots, comme à tous les « Fronts » diversement cornus, parce qu'elle est d'instinct juste et libre, et qu'elle n'a qu'un foyer, sa maison, la Maison de France où, passé le seuil, nous sommes tous égaux, enfants de la même mère. N'en déplaise aux imbéciles, la France ne sera méprisée dans le monde que lorsqu'elle aura finalement perdu l'estime d'elle-même. Quiconque parle non en politicien, mais en Français, est toujours sûr d'être compris. Nul n'ignorait à Palma que mon fils fût lieutenant de Phalange, on me voyait souvent à la messe. J'étais lié d'amitié depuis longtemps avec des chefs insurgés, redoutés des suspects. D'où vient que des gens à peine connus de moi me parlaient librement, alors que la moindre indiscrétion de ma part eût pu leur coûter la liberté, ou la vie ? Eh bien ! je le dis comme je le pense. On sait encore dans le monde qu'un Français ne se fait pas l'auxiliaire de la police, voilà tout, qu'un Français est un homme libre. Les thuriféraires du général Franco n'ont probablement jamais pensé à ça.

*

Il ne faudrait pas croire que l'épuration des prisons mît brusquement fin à l'activité des équipes d'épuration à domicile, elle la ralentit seulement. Les villages isolés respirèrent, le plus gros du service se faisant désormais aux alentours immédiats de Palma. Mais le but poursuivi par l'autorité militaire, qui était de limiter le scandale, ne fut pas atteint pour autant. Les parents des exécutés n'avaient jadis que quelques pas à faire pour reconnaître leurs morts. Il y fallait maintenant un voyage coûteux et des formalités rendues écœurantes par le grand nombre des solliciteurs et des solliciteuses, les registres des prisons se trouvant rarement d'accord avec le carnet du fossoyeur, cause de dégoûtants quiproquos. En désespoir de cause, les fosses communes ne livrant pas leurs secrets, il ne resta plus aux familles qu'une ressource. Le fonctionnaire bénévole les invitait à fouiller dans le tas de hardes, pour tâcher d'y découvrir la chemise ou le caleçon du mort.

Je m'efforce d'écrire cela sans phrases. Je n'ajouterai rien à l'intention de ceux qui me croiraient capable d'avancer les faits sans preuves, ou sur de simples racontars. Je ne dénonce pas, moi, une Maffia plus ou moins hypothétique. Ces faits sont publics. Approuvés du plus grand nombre, désapprouvés par quelques-uns, ils n'étaient mis en doute par personne. Hélas ! il faudrait bien des pages pour faire comprendre qu'à la longue ils ne révoltaient plus. La raison, l'honneur les désavouaient ; la sensibilité restait engourdie, frappée de stupeur. Un égal fatalisme réconciliait dans le même hébétement les victimes et les bourreaux. Oui, la guerre civile ne m'a fait vraiment peur que le jour où je me suis aperçu que j'en respirais, presque à mon insu, sans haut-le-cœur, l'air fade et sanglant. Que Dieu ait pitié des hommes !

D'une telle apathie – au sens exact du mot – je pourrais donner bien des exemples. Je retiendrai seulement une interview prise à des religieuses de Porto Cristo, et qui parut *in extenso* dans tous les journaux de Palma – *El Dia*, *el Almudaina* (*Diario católico*, dit la manchette), *Ultima Hora*. La minuscule ville de Porto Cristo fut le point de débarquement des forces catalanes en août 1936. Elles n'en purent d'ailleurs jamais déboucher, se rembarquèrent six semaines plus tard. Ces religieuses dirigeaient un pensionnat, désert alors, en ce temps de vacances. La supérieure contait donc au journaliste avec verve l'entrée des Rouges, le premier contact de ses filles épouvantées avec les miliciens de Barcelone, qui leur donnèrent brutalement l'ordre de préparer des lits pour les blessés. Au milieu du désordre, paraît tout à coup un Sud-Américain, une sorte de géant, revolver à la main, qui se présente ainsi : « Mes sœurs, je suis catholique et communiste. Je brûle la cervelle au premier qui vous manquera de respect. » Pendant deux jours il se multiplie, ravitaille les infirmières, panse avec elles les blessés dont le nombre s'accroît sans cesse, et dans les rares moments de loisir poursuit avec la supérieure une controverse cocasse qu'elle rapporte au journaliste sur un ton d'humour assez touchant. Enfin l'aube du troisième jour commence à poindre, et la religieuse terminait ainsi son récit : « Nous entendons une vive fusillade, les blessés s'inquiètent, les miliciens partent en courant, nous nous jetons toutes à genoux, suppliant le ciel en faveur de nos libérateurs. Les cris de *Viva España! Arriba España!* commencent de retentir à nos oreilles, les portes cèdent. Que vous dire de plus ? *Les braves soldats entrent de toutes parts, règlent leur compte aux blessés. Notre Sud-Américain est tué le dernier.* »

Comme j'exprimais quelques jours plus tard mon étonnement au journaliste madrilène, auteur de l'article, il publia le lendemain une espèce de justification laborieuse, dont je retiens ceci : « Certaines âmes généreuses croient devoir se révolter contre les nécessités de la guerre sainte. Mais qui fait la guerre doit se conformer à ses lois. Et la première loi de la guerre ne s'énonce-t-elle pas ainsi : Malheur aux vaincus ! »

Mise en méfiance par le grandissant dégoût qu'elle sentait monter autour d'elle, et que risquait de rendre dangereux le mécontentement de la Phalange, à laquelle on venait de retirer brusquement ses armes et ses chefs, l'autorité militaire adopta une troisième méthode d'épuration, plus discrète encore. La voici, dans sa simplicité. Les prisonniers jugés indésirables recevaient un matin la nouvelle de leur libération, consécutive à un non-lieu. Ils signaient le registre d'écrou, donnaient reçu des objets jadis confisqués, ficelaient leur baluchon, accomplissaient enfin une à une les formalités indispensables en vue de dégager l'administration pénitentiaire de toute responsabilité future. À deux heures du matin, on les libérait deux par deux. C'est-à-dire qu'au seuil de la porte ils se trouvaient dans une ruelle déserte, en face d'un camion parmi des hommes revolver au poing. « Silence ! nous vous ramenons chez vous ! » On les emmenait au cimetière.

*

La personne que les convenances m'invitent à nommer Mgr l'évêque de Majorque a signé la lettre collective de l'épiscopat espagnol. J'espère que la plume a dû trembler dans ses vieilles mains. Il n'a rien pu ignorer de ces meurtres. Je le lui dirai en face, où et quand l'on voudra. Je lui rapporterai encore ce témoignage. Un des chanoines de sa cathédrale qu'il connaît bien, prédicateur en renom, licencié en théologie, avait toujours paru approuver sans restriction l'autorité militaire. Ce parti pris inquiétait l'une de ses pénitentes qui n'avait jamais osé cependant l'interroger. Ayant eu connaissance des faits rapportés plus haut, elle crut l'occasion bonne de rompre le silence. Le malheureux l'écouta sans marquer la moindre surprise. « Mais enfin, vous n'approuvez pas que... – Je n'approuve ni ne désapprouve, répondit ce prêtre sinistre. Votre Grâce ne se fait malheureusement aucune idée des difficultés de notre ministère, dans cette île. À la dernière réunion générale des curés, sous la présidence de Monseigneur, nous avons eu la preuve que l'année dernière, 14 pour 100 seulement des Majorquins avaient fait leurs Pâques. Une situation aussi grave justifie des mesures exceptionnelles. »

Elle les justifiait en effet... Quelques semaines avant Pâques, l'autorité religieuse, d'accord avec l'autorité militaire, procéda au recensement des fidèles. On fit distribuer, à cet effet, à chaque personne en âge d'accomplir le devoir pascal une feuille imprimée. Cette feuille portait au recto :

1937

M., Mme ou Mlle...

Domicilié à......, rue......, nº ......, étage......, a fait ses Pâques à l'église de......

Au verso :

Il est recommandé d'accomplir le devoir pascal dans sa paroisse. Quiconque l'aurait accompli dans une autre église devra en apporter la justification à son Recteur.

Une souche, facilement détachable grâce à un pointillé, portait l'indication suivante :

Pour la bonne administration, il est prescrit de détacher cette souche et de la faire parvenir dûment remplie au curé de la paroisse. On pourra également la déposer dans la boîte destinée à cet usage.

Est-il besoin d'ajouter que les confessionnaux ne désemplirent plus ? L'affluence des pénitents sans expérience fut même telle que le curé de Terreno crut devoir procéder à la distribution d'une nouvelle feuille. Après avoir fait cette remarque singulière, mais parfaitement opportune, que la principale difficulté dans l'acte de la confession n'était pas tant d'avouer ses péchés que de savoir quoi dire – *en no saber qué confesar o como expresarse* – il donnait en quinze lignes la formule d'un examen de conscience extrêmement réduit. La feuille portait encore ce *post-scriptum* :

N. B. – *No olvides colocar tu billete del cumplimiento en el cajón del cancel para poder formar el censo.*

« N'oublie pas de déposer le certificat dans la boîte pour POUVOIR ÉTABLIR LE CENS. »

Il n'est pas un prêtre majorquin qui oserait nier qu'une telle mesure, prise en pleine Terreur, ne pouvait que multiplier les sacrilèges. Que dire de plus ? Dieu sait les noms des irréductibles, en petit nombre, qui se croyant sans doute ses ennemis, gardaient toutefois, à leur insu, dans les veines, assez de sang chrétien pour ressentir l'injure faite à leur conscience, répondre non ! à ces sommations insolentes. Puissent-ils retrouver le Christ ! Puissent-ils, le jour venu, juger leurs juges !

Ce caractère de vengeance exercée au nom du Très-Haut a de quoi flatter évidemment des races trop riches en sang juif ou maure. Mais s'il est capable d'exalter un certain nombre de fanatiques, je crois qu'il rend plutôt à l'immense majorité des Espagnols un service en vérité plus humble : il est pour les uns une excuse sournoise, il les dispense de remords en leur permettant de se décharger de toute responsabilité dans l'autre monde, sur les robustes épaules de leurs confesseurs. Les autres acceptent la formule comme ils ont accepté le vocabulaire fasciste, ou le matériel de guerre livré à crédit par les usines italiennes. *Hombre !*

*

On aurait tort de croire, par exemple, que les militaires se montrent plus féroces que les boutiquiers, dont ils ne sont d'ailleurs désormais que les instruments, à l'exemple des soldats du général de Galliffet. J'avoue avoir été surpris un moment de l'aisance avec laquelle tel capitaine majorquin, sorti du rang, parvenu à l'âge de la retraite et déjà si fatigué qu'on ne le voyait plus guère au café sans sa « dame » et sa « demoiselle », appliquait chaque après-midi, à de pauvres diables qui lui ressemblaient pourtant comme des frères, une loi qui n'avait plus de loi que le nom. Je citerai notamment le cas de l'ancien maire de Palma, vieux médecin notoire, en faveur duquel étaient venus spontanément témoigner des supérieurs de maisons religieuses, et d'ailleurs époux d'une femme connue pour sa piété. On ne put relever contre lui que son inscription au parti radical. Il n'en fut pas moins condamné à mort et fusillé, un matin du dernier printemps, lié sur une chaise, passant d'un lit d'hôpital au lieu de son sacrifice après que les infirmières se furent employées toute une nuit, sa dernière nuit, à entretenir par des piqûres son cœur défaillant. Comme je m'étonnais qu'on lui ait fait attendre plus de six mois une mort inévitable on me fit cette réponse : « Ce n'est pas notre faute, nous l'avons gardé en vie aussi longtemps qu'ont duré les formalités de la confiscation. » Car le malheureux était riche.

Encore une fois je ne dresse pas de réquisitoire. Je n'attends pas d'être cru sur parole, je répéterai sans me lasser que Majorque est à vingt-quatre heures de Marseille. À quoi bon multiplier les témoignages puisqu'un jour prochain les sceptiques n'auront qu'à aller les ramasser encore chauds sur place. Le vieux Lenotre, dans un livre pourtant digne de louanges, n'évoque guère, du tribunal révolutionnaire, qu'un fantôme. La salle bouillonnante pleine de cris, de sanglots, d'éclats de rire, n'est plus qu'une crypte silencieuse peuplée d'ombres. Mais le vieux Lenotre écrivait plus d'un siècle après les événements. Le Paris de 1793 était d'ailleurs une sorte de carrefour. Au lieu que cette petite île majorquine est un vase clos. Le sang n'y séchera pas vite.

Si j'interrogeais, sur de tels faits, les militaires, ils me répondraient qu'ils exécutaient une consigne, et qu'ils l'exécutaient publiquement, comme pourront d'ailleurs s'en convaincre tous les curieux, en se procurant la collection d'un journal quelconque de Palma, où paraissaient les comptes rendus. J'aurais beau dire qu'un jugement n'est pas une consigne, les officiers juges me riraient au nez.

« De quoi vous mêlez-vous ! diraient-ils, nous avons à Barcelone ou à Valence des camarades de promotion qui font exactement la même chose que nous bien qu'aux dépens d'une autre catégorie de citoyens. À la sortie de l'École militaire on nous désigne pour l'Artillerie, la Cavalerie ou l'Infanterie suivant le numéro de notre classement. On nous fourre maintenant dans la Justice. C'est évidemment une drôle d'arme, mais tant que nous y restons entre nous, le mal n'est pas grand. Mille pékins rouges à Valence, mille pékins blancs à Séville. C'est ce qu'on appelle aux dames : éclaircir le jeu. D'ailleurs à quel titre vous inquiétez-vous de nos consciences ? En bons Espagnols nous ne nous posons pas sur le bien et le mal, comme vous autres Français, des questions superflues. À supposer qu'il existe, n'y eût-il qu'une chance pour qu'il existât, risquons-nous l'Enfer oui ou non ? C'est à nos prêtres de répondre. Qu'ils aient tort ou raison, que voulez-vous que cela nous fasse ? Il nous suffit bien d'être hors de jeu. S'ils ont mal interprété la loi, tant pis pour les Révérends ! après tout peut-être Dieu nous les donnera-t-il à juger dans l'autre monde. Soyez

sûr que nous leur appliquerons le règlement sans faiblesse. Et, en attendant, chacun pour soi. Imaginez que
le vent tourne, nous comprendrons alors parfaitement
que ces ecclésiastiques se proclament une fois de plus
des hommes de miséricorde qui n'ont jamais souhaité,
pour les plus grands pécheurs, une autre pénitence que
celle d'usage dans nos confessionnaux, six *Pater* et six
Ave. Nous trouverons très naturel qu'ils nous abandonnent ici-bas au bras séculier, s'ils ne trouvent
aucun autre moyen de prouver leur bienveillance à
l'égard des vainqueurs. Notre sort une fois réglé, nous
recevrons volontiers les secours de leur saint ministère
exactement dans le même esprit que l'accueillaient,
hier encore, au dire du cardinal Goma, les républicains
que nous envoyions au mur. Nous nous garderons bien
d'aborder un sujet de conversation embarrassant alors
pour eux, et pour nous désormais sans intérêt, car
l'expression de leurs regrets viendrait trop tard et il ne
nous serait permis que d'en emporter le secret dans la
tombe. – Belle avance ! – Au lieu que faute de mieux
leur absolution pourra toujours servir. Qui a raison ou
tort dans cette affaire nous n'en avons nul souci. Vous
autres, Français, vous ne séparez guère l'idée de pouvoir et celle de justice. Nous avons dans les veines trop
de sang juif, nous jugeons au contraire qu'un des plus
grands avantages de la puissance est de permettre
d'être juste ou injuste à son gré. Peut-être ne nous
faisons-nous pas de Dieu la même image que vous ?
Depuis des siècles nous pensons qu'il vaut mieux être
en règle avec sa foi qu'avec sa conscience. Nous voulons qu'une parfaite orthodoxie nous assure les bons
offices de l'Église qui s'arrangera toujours des œuvres,

pourvu que nous y mettions un peu de bonne volonté, fût-ce au dernier moment. L'idée que la foi est un don de Dieu, si précieux qu'il engage terriblement celui qui l'a reçu, fait de lui surnaturellement le débiteur d'autant de misérables auxquels il a été refusé par une mystérieuse prédestination dont la seule pensée devrait nous remplir d'épouvante, ne nous vient même pas, nous l'avouons. Nous aimons mieux nous servir bonnement du passeport dont nous sommes munis. S'il ne nous garantit pas absolument l'entrée des célestes parvis, il nous donne du moins en ce monde accès à l'immense basilique où c'est bien le diable si nous ne rencontrons pas un jour, parmi tant de saints miraculeux ayant chacun sa recette, une dévotion appropriée à notre cas. Un tel système nous épargne d'entrer jamais dans le débat où vous voulez nous entraîner. Nous n'envisageons nullement par exemple la question de bonne foi. La bonne foi n'est pas, à nos yeux, une circonstance plus atténuante que l'ivrognerie. Pendant des siècles nous avons vu pendre ou brûler des criminels assurément de bonne foi puisqu'ils offraient leur vie en témoignage. Et croyez bien que la mauvaise foi ne nous soucie pas davantage. Beaucoup d'entre nous par exemple étaient démocrates. Nous détestions les fils de nobles, les neveux d'archevêques. C'est dur à présent d'envoyer au poteau un copain de promotion avec lequel on a jadis joyeusement porté la santé de l'Armée républicaine et du nouveau drapeau tricolore, blagué les aristocrates et les calotins. Mais nos camarades réactionnaires se gardent bien de compliquer la situation. Ils savent ménager notre amour-propre. Au fond ils trouvent la chose très naturelle. Vous autres,

Français, finiriez par nous montrer du mépris. Vous préféreriez les réfractaires aux renégats, du moins dans le secret du cœur. Avec ces scrupules-là, notre Sainte Inquisition n'eût pas fonctionné huit jours. Les secrets de son long pouvoir, d'un prestige que la seule Terreur n'explique pas, c'est d'avoir, au nom de Dieu, béni ensemble, ensemble honoré le lâche qui sauve sa vie et l'homme sincère qui proclame librement la vérité qu'il a méconnue. Il a fallu qu'elle réhabilitât l'acte qui répugne entre tous à votre chevalerie occidentale, la rétractation sous la menace. Et pareillement elle a réhabilité et honoré la délation. Honoré et béni le délateur. La grandiose équivoque ainsi entretenue a mis pour toujours l'Espagne hors de vos voies. Une Jeanne d'Arc espagnole ne saurait se concevoir. Aussitôt que les circonstances nous le permettent, nous obéissons à une habitude séculaire en remettant au pouvoir, avec le soin de nos intérêts terrestres, notre conscience tout entière contre un reçu. »

DEUXIÈME PARTIE

I

La Tragédie espagnole est un charnier. Toutes les erreurs dont l'Europe achève de mourir et qu'elle essaie de dégorger dans d'effroyables convulsions viennent y pourrir ensemble. Impossible d'y mettre la main sans risquer une septicémie. On voit monter tour à tour à la surface du pus bouillonnant des visages jadis, hélas ! familiers, à présent méconnaissables et qui dès qu'on essaie de les fixer du regard s'effacent et coulent comme des cires. Sincèrement, je ne crois pas utile de tirer de là aucun de ces cadavres. Pour désinfecter un tel cloaque – image de ce que sera demain le monde, il faudrait d'abord agir sur les causes de fermentation.

Je regrette d'appeler charnier ou cloaque une vieille terre non pas chargée, mais accablée d'histoire, et où des hommes vivants souffrent, luttent et meurent. Les mêmes débiles qui font semblant de s'indigner auraient pu en 1915 me convaincre de sacrilège, car j'avais déjà, comme beaucoup de mes camarades, jugé la guerre, la fameuse guerre du Droit, la guerre contre la guerre. Les tueries qui se préparent ne sont pas d'une autre espèce, mais comme elles engagent un plus grand nombre ou plutôt la totalité des valeurs spirituelles indispensables, le chaos qui en résultera sera plus dégoûtant encore, leurs pourrissoirs plus puants.

*

Il y a les hommes ? Qu'importent les hommes si leur sacrifice est vain. Il y a les intentions. Qu'importent si les mauvaises annulent les bonnes, et si les bonnes, partagées entre les deux camps ennemis, s'opposent entre elles, et finalement se dévorent ? La patrie est une idée sainte. Mais quand vous aurez assez longtemps, au nom de la patrie, semé la morve et le typhus, que restera-t-il de la patrie et du patriotisme, imbéciles !...

La guerre d'Espagne est un charnier. C'est le charnier des principes vrais et faux, des bonnes intentions et des mauvaises. Lorsqu'elles auront cuit ensemble dans le sang et la boue, vous verrez ce qu'elles seront devenues, vous verrez quelle soupe vous avez trempée. S'il est un spectacle digne de compassion c'est bien celui de ces malheureux accroupis depuis des mois autour de la marmite à sorcière et piquant de la fourchette, chacun vantant son morceau – républicains, démocrates, fascistes ou antifascistes, cléricaux et anti-cléricaux, pauvres gens, pauvres diables. À votre santé !

*

Dans ma jeunesse, les prélats ou les académiciens libéraux ripostaient à toute objection : « La Démocratie coule à pleins bords. » C'est maintenant qu'elle coule.

Et vous coulez avec. Nous vous regardons couler. Il n'y a peut-être plus de légitimité dans le monde à laquelle, selon la magnanime expression des aïeux, je puisse espérer «faire son Droit». Mais on ne me fera tout de même pas témoigner pour une exploitation cynique, goguenarde, des Principes ou des princes que je ne sais plus comment servir. La chrétienté a fait l'Europe. La chrétienté est morte. L'Europe va crever, quoi de plus simple ? La Démocratie sociale a exploité l'idée de justice, et n'a tenu aucune de ses promesses, sinon celle du service militaire obligatoire et de la nation armée. La démocratie parlementaire, l'idée de droit. La démocratie impérialiste dissipe aujourd'hui à pleines mains l'idée de grandeur. La démocratie guerrière mobilise les enfants de sept ans, prostitue l'héroïsme et l'honneur. Les démocraties autoritaires entraîneront demain avec elles jusqu'au souvenir de ce qui fut la libre Monarchie chrétienne. Que voulez-vous ? Les gens d'Église diront là-dessus ce qu'ils pourront. Leurs prédécesseurs du seizième siècle ne s'étaient pas moins laissé duper qu'eux-mêmes par les politiques réalistes de la Renaissance, et je dis, j'affirme, je proclame qu'ils ont alors vendu la Chrétienté, payé du sang chrétien leurs peintres, leurs sculpteurs, leurs orfèvres, leurs gitons et leurs catins. Ce qui me navre chez les successeurs, c'est qu'ils sont honnêtes et donnent tout pour rien. Il est vrai qu'il n'y a plus grand-chose à vendre. On ne peut maintenant que ridiculiser jusqu'au grotesque nos déceptions et nos malheurs.

Je veux bien que M. B. Mussolini dépasse Alexandre ou César. Mais, par respect pour sa personne et son génie, je refuse de me ranger parmi ceux qu'il méprise en secret avec son maître Sorel, que Proudhon, son autre maître, appelait justement « les Femmelins ». Ce grand homme, dans l'intérêt de son nouvel Empire, peut bien tirer le parti qu'il veut d'une tradition dont il n'entend nullement le sens ; car ce sens est surnaturel. Je n'ai jamais douté que M. Charles Maurras ne fût plus que moi expert en théologie. Il est possible, après tout, que M. Mussolini ne lui cède en rien sur ce point. Mais ils ont tort de parler de chrétienté. Le christianisme réside essentiellement dans le Christ. Ni M. Maurras ni M. Mussolini ne sont chrétiens. Sans doute n'ai-je aucun titre pour approuver ou condamner les gens d'Église qui croient pouvoir escamoter la muscade de l'État totalitaire comme ils se vantaient jadis de subtiliser celle de la République démocratique. L'avant-dernier ralliement ne nous a pas eus. Le prochain ne nous aura pas davantage. D'ailleurs je sais par avance le sort de ces combinaisons utiles au temps des chancelleries. On ne joue pas les Robert Houdin lorsque l'opinion publique braque sur vous de toutes parts les milliers d'appareils photographiques de la presse universelle. Vous aurez beau me dire ce que vous voudrez des mensonges de la Presse. Sa lecture n'en excite pas moins, non sans péril il est vrai, la faculté de jugement des pauvres diables. À quoi bon, d'autre part, caresser les politiques réalistes ? Attendez-vous d'eux des scrupules d'ordre sentimental ? Ils se vantent de leur ingratitude comme d'une vertu. Les cabotins de droite avaient déjà considéré comme un triomphe personnel la farce de l'Empire éthiopien. Après quoi ils ont dégluti la farce de la Croisade espagnole. L'Occident, dont

M. H. Massis était jusqu'à présent le champion le plus en vue, vient de se découvrir un autre protecteur qui pour prix de ses services demandera, j'en réponds, autre chose qu'un siège à l'Académie. C'est le Japon, la chrétienté japonaise, le chevaleresque Japon qui a gagné en Chine ses éperons d'or. Demain vous compterez un chrétien totalitaire de plus : M. Staline. M. Hitler, M. Mussolini, le Mikado, cela fera cinq sauveurs totalitaires, pourvu que l'on n'oublie pas l'autocrate portugais dont le nom m'échappe.

Je ne suis nullement ennemi de la force ni des méthodes de force. De quoi aurais-je l'air ! Je suis parti pour la guerre librement, non pas comme un chien qu'on fouette. Après avoir combattu quatre ans, pourquoi irais-je faire la grimace devant quelques milliers de morts de plus ou de moins ? Au nom de quels scrupules ? Il a plu jadis au Saint-Siège d'autoriser les prêtres à taquiner les mitrailleuses, et je serais bien imprudent d'y trouver à redire bien que les défilés de la Drac, à ne vous rien cacher, me laissent parfois un peu rêveur. D'ailleurs personne ne me demande là-dessus mon avis, et peut-être arriverait-il trop tard. Puisque le R.P. Janvier se trouve d'accord avec M. Paul Claudel pour donner en exemple aux petits garçons de notre pays la Croisade du général Franco – après avoir prêté nos prêtres à la Guerre Laïque de la Justice et du Droit, vous n'aurez tout de même pas le cœur de les refuser à l'Autre, non ? Nous retrouverons donc sans doute prochainement l'occasion de reparler de cela entre nous, entre Français.

Je pense que la Croisade espagnole est une farce, qu'elle dresse l'une contre l'autre deux mêlées partisanes qui s'étaient déjà vainement affrontées sur le plan électoral, et qui s'affronteront toujours en vain parce qu'elles ne savent pas ce qu'elles veulent, qu'elles exploitent la force faute de savoir s'en servir. Derrière le général Franco on retrouve les mêmes gens qui se sont montrés également incapables de servir une Monarchie qu'ils ont finalement trahie, ou d'organiser une République qu'ils avaient largement contribué à faire, les mêmes gens – c'est-à-dire les mêmes intérêts ennemis, un instant fédérés par l'or et les baïonnettes de l'étranger. C'est ça que vous appelez une révolution nationale ?

*

Vous me direz naturellement que les Rouges ne valent pas cher et que tous les slogans sont bons. Mille excuses ! Vous pouvez raconter que le Mikado est bon catholique, que l'Italie a toujours été le soldat de l'Idéal – *gesta Dei* – ou même que le général Queipo de Llano est un type dans le genre de Bayard ou de Godefroy de Bouillon, cela vous regarde. Mais ne parlez pas de Croisade. Il est possible que le temps vienne où les derniers hommes libres seront, en effet, contraints de défendre par la force les restes de la Cité chrétienne, car mieux vaut mille fois crever que vivre dans le monde que vous êtes en train d'aménager. Or, nous connaissons trop la grossièreté de vos moyens de propagande. Il est déjà devenu impossible d'évoquer la Guerre du Droit sans faire rigoler jusqu'aux dyspeptiques. Nous ne voulons pas que vous compromettiez aussi salement l'idée de Croisade ! Pourquoi, diable, les politiques réalistes prétendent-ils nous emprunter notre vocabulaire ? Est-ce que le leur ne suffit pas ? Et, sauf respect, qu'est-ce que les évêques espagnols viennent faire là-dedans ? Lorsque les croisés fascistes, s'étant assuré de solides bases navales et aériennes sur les côtes du Levant, mettront le feu à l'Afrique française dans l'espoir de tirer quelque profit des pillages qui succèdent toujours aux sinistres, ces Excellences se rangeront-elles aux côtés de M. Mussolini, comme Évêques Protecteurs de l'Islam ? « Raisonnons donc humainement, me feront sans doute répondre mes éminents contradicteurs. Nos Seigneuries eussent volontiers arbitré avec plaisir et profit le conflit espagnol. Malheureusement l'entreprise nous est rendue difficile, car les circonstances nous ont menés trop vite et trop rudement de la Monarchie à la République, de la démocratie à la dictature. Bref, nous manquons du recul nécessaire pour parler un langage conciliateur, avec quelque chance de succès. La prudence nous impose de nous rallier au plus fort, et puisque ce plus fort n'est encore que présumé tel, nous ne devons pas lui ménager nos services. Les réserves viendront plus tard. Après tout, M. le général Franco nous protège et venge nos morts. Il est parfaitement vrai que nous voyons comme vous, derrière ces étendards et ces chamarrures, nos anciennes majorités – bien composites, hélas ! et qui nous ont valu des déceptions cuisantes. Comment tous ces gens-là réussiront-ils à s'entendre lorsqu'ils auront déposé les armes ? L'avenir le dira. Mais c'est précisément alors que nous pourrons rentrer peu à peu, à pas de velours, dans un rôle qui, nous l'avouons, convient évidemment mieux à notre état. En agissant autrement et dans l'hypothèse, hélas ! défavorable d'une restauration de la Monarchie, nous risquerions de nous trouver isolés, car c'est encore avec le général Franco que le nouveau roi devra traiter, non pas avec ces forces électorales que nous contrôlions jadis et que la tourmente a momentanément désorganisées. Tant pis pour M. Gil Robles ! Une fois les esprits calmés, nous ne demanderons d'ailleurs pas mieux que d'examiner sérieusement les chances de cet excellent jeune homme et de sa Ceda reconstituée. Si M. Georges Bernanos n'était pas, en qualité de royaliste et de Français, un de ces énergumènes impossibles à inscrire dans aucun Pays Réel – Jérusalem terrestre dont les Révérends Pères jésuites gardent les clefs – il accorderait que, compromis pour compromis, M. le général Franco est, de tous, celui qui nous compromet le moins, parce qu'il ne nous compromettra pas longtemps. Nos instructions doctrinales sur le respect du pouvoir établi, les condamnations que nous avons portées jadis contre l'emploi de la force, nos marques de respect envers le suffrage universel reprendront tôt ou tard leur sens. Si vous ne le croyez pas, c'est que vous ignorez le trait le plus caractéristique de l'homme moderne, son mépris des évidences morales, son immense capacité d'oubli. D'ailleurs, république modérée ou monarchie, le prochain régime devra faire l'apaisement, et il ne saurait se passer de nous pour y réussir, car nous comptons des fidèles de droite et de gauche, nous disposons du fléau de la balance, nous pouvons faire pencher à notre gré les plateaux. Les laïques étourdis et qui gâtent les meilleurs jeux par d'imprévisibles réactions d'amour-propre déplorent nos apparentes compromissions. Les compromis, rassurez-vous, ne sont pas du tout ceux qu'on pense. Lorsqu'on aura démobilisé les classes, dissous les ligues, renvoyé chez eux les Italiens, les Allemands et les Marocains, les généraux commenceront à trembler dans leurs grandes bottes, car l'Espagne comptera ses morts. Après une guerre civile, la vraie pacification commence toujours par les cimetières, il faut toujours commencer par pacifier les cimetières. Ce soin nous regarde. On ne fait pas bénir les cimetières par des troupiers. Alors vous verrez les généraux solliciter de nous, humblement, leur part d'oubli. En ce moment, le mot de croisade est à la mode, et M. Mussolini prend plaisir à l'entendre. Qui se soucie longtemps de tels mots, après qu'ils ont cessé de servir ? Et qui se soucie encore des Croisés ? Nos prédécesseurs ont tiré jadis de nos douces vieilles terres des millions d'hommes pour les jeter au gouffre enflammé de l'Asie. Entre tous les jours de l'année, en est-il un – est-il une heure de l'année – consacré à leur mémoire ? Évidemment, le fait est ancien. Il a aussi le défaut de mettre en cause des personnages légendaires trop illustres pour n'être pas au-dessus de l'ingratitude. Nous choisirons donc un exemple beaucoup plus familier, presque trivial, emprunté à l'histoire contemporaine. Lorsque le gouvernement français décida en 1886 l'expulsion des congréganistes, un grand nombre de magistrats refusèrent de s'associer à une mesure qu'ils tenaient pour illégale, et donnèrent leur démission, aux applaudissements de la Presse religieuse.

Quelques années plus tard, les pauvres diables eurent la surprise de voir l'Épiscopat se jeter dans les bras de la République. N'auraient-ils pas été, selon vos sots principes, autorisés à solliciter des heureux négociateurs du rapprochement leur réintégration dans les cadres ? Ils s'en gardèrent bien, par délicatesse native. C'étaient des gens qui savaient vivre, et si la bonne éducation pouvait se manger, ils n'eussent jamais souffert de la faim. On tuait le veau gras, soit ! Ils se sont même abstenus de venir tremper leur dernier croûton de pain dans la sauce de cet animal. Nos vénérés collègues, d'ailleurs, ne le leur auraient pas permis, car le succès de la combinaison exigeait qu'on mît la responsabilité des anciens malentendus au compte des opposants irréductibles, dans leur genre. Encore ces messieurs n'avaient-ils sacrifié qu'eux-mêmes. S'ils avaient été assez sots pour se laisser prendre à la rhétorique flamboyante des paladins de l'écritoire, et joué, en leur temps, les Judas Macchabée, la situation de nos Vénérés Frères eût été bien embarrassante. Vous ne voyez tout de même pas Notre Saint-Père le pape célébrant au grand autel de Saint-Pierre une messe solennelle à la mémoire des zouaves pontificaux le jour de la signature du traité de Latran ? Si M. Bernanos n'était aveuglé par la passion, il jugerait avec nous que nos encouragements à M. le général Franco viennent si tard que ce militaire n'en saurait tirer qu'un parti dérisoire. D'ailleurs, ils ne s'adressent pas à lui ni aux siens : nous espérons que cette marque inoffensive de bienveillance attendrira le cœur farouche de l'énigmatique M. Hitler, dont nous nous demandons parfois avec épouvante s'il n'est pas

d'abord un homme sentimental et peut-être, hélas !
sincère. Avec ces Allemands du type wagnérien, on ne
sait jamais s'ils mentent ou non. Au lieu qu'avec les
hommes d'État de sang latin on est fixé. Leur parole
n'a absolument aucune valeur, et les deux parties se
trouvent spontanément d'accord pour ne traiter qu'au
comptant. Bref, M. le général Franco a aujourd'hui
entre les mains une valeur difficilement négociable. Il
est vrai que les mauvais esprits blâment ou raillent
notre prudence. "Quoi ! nous étions revenus au temps
des Croisades, et vous ne le saviez pas ! Vous avez
mis douze mois à vous en apercevoir." Ces gens-là
auraient-ils souhaité que nous rédigions notre lettre la
veille du coup d'État ? Nous répondrons à ces écerve-
lés que les avions italiens eux-mêmes ne sont apparus
en Espagne qu'une semaine ou deux plus tard. Il me
semble que l'argument est péremptoire ? »

*

Il est péremptoire, en effet. Je l'écris sans sourire.
Je n'ai nullement l'intention de convaincre d'imposture les évêques espagnols, parce que je m'amuse à
leur faire parler un langage qui me plaît, qui me
semble exprimer avec assez de vraisemblance leurs
hésitations et leurs scrupules. Mais je ne voudrais pas
non plus qu'on me prît pour un imbécile. En politique, les approbations épiscopales valent ce qu'elles
valent, elles n'engagent jamais individuellement leurs
auteurs. L'Église se sert de tout, et n'est au service de
personne. Soit. Le principe ne manque pas de grandeur, mais on m'accordera bien qu'il vaut ce que

valent les hommes dont il inspire l'action. Grand avec les grands, médiocre avec les médiocres. Il est clair que si j'étais, pour mon malheur en ce monde et mon grave risque en l'autre, chef d'un simple parti politique, je ne pourrais tenir au général Franco un langage aussi net sans m'entendre poser la question : « De combien de baïonnettes disposez-vous ? » Si je protestais que mon appui restera purement moral, on me rirait au nez. J'ajoute que je ne pourrais reprendre ma parole sans me déshonorer. Au lieu que personne ne me contredira si j'affirme qu'au cas, d'ailleurs improbable, d'une victoire des gouvernementaux, l'épiscopat espagnol peut être assuré qu'en traitant avec Azaña il n'étonnerait personne. Ce formidable privilège doit accabler certaines épaules. Je sais qu'il accablerait les miennes. S'élever au-dessus de l'honneur humain, quel silence et quelle solitude ! Ne rester fidèle à ses alliés que dans le succès, ne les délaisser que dans le malheur, est-il une forme plus rigoureuse, plus surnaturelle du devoir ? Vous aurez beau dire que j'attache beaucoup trop d'importance à un acte dont les auteurs n'attendaient rien d'autre que de rompre un silence chaque jour plus difficile à garder. « Vous blâmez les évêques de parler, vous les eussiez blâmés de se taire : d'ailleurs, il est vrai que les faveurs politiques de l'Église sont décevantes, elles n'auront cette fois déçu personne, à moins de soutenir que les Rouges étaient en droit d'y prétendre, ce qui, entre nous, serait assez paradoxal. » Mon Dieu, il y a rouges et rouges. Supposez que les gens de Valence l'aient emporté au bout de dix mois. Le rôle d'otage et d'intermédiaire auprès du gouvernement de demain, tenu aujourd'hui par le général Franco, l'eût été par les catholiques basques. J'entends cela d'ici :

« *Admirable petit peuple qui, au milieu de la tourmente, a su rester fidèle à la parole donnée au pouvoir légitime (légitime en dépit de ses fautes car les chrétiens n'admettent pas la rébellion), et n'en a pas moins maintenu haut et ferme le drapeau de la foi, imposant à ses puissants alliés, avec le respect de sa tradition et de sa langue, la liberté absolue du culte, la protection de ses prêtres. À nous, catholique Euskadie ! Vous étiez avant la guerre civile, de toutes les provinces d'Espagne, la plus sociale et la plus chrétienne. Les révérends pères jésuites y avaient prodigué les marques de leur zèle, investi d'énormes capitaux. Il vous appartient aujourd'hui de faire cesser le malentendu qui a éloigné de Nous, pour un temps, les masses ouvrières de gauche. Vous venez de faire la preuve qu'on peut être tout ensemble fidèle à l'Église et à la Démocratie. Nous connaissons votre cœur, catholiques euskadiens, et la République a reçu de vous le témoignage de votre fidélité. À vous d'affirmer une fois de plus que si nous déplorons des excès trop souvent explicables, sinon, hélas ! justifiés par l'égoïsme des mauvais riches, nous ne partageons nullement les préjugés des partis rétrogrades, qui ont d'ailleurs toujours fait payer cher à l'Église leurs égards et leurs aumônes. Ceux qui veulent associer le destin de l'épiscopat d'Espagne à celui d'une rébellion militaire aujourd'hui vaincue oublient que nous avons sacrifié jadis joyeusement la Monarchie catholique à la Démocratie. Certes, nos prêtres ont péri* cette fois par centaines, mais les martyrs appartiennent à l'Église et n'appartiennent qu'à Elle. Ils ont payé pour les fautes de tous, et si tous peuvent être participants aux mérites de leur sacrifice, quel homme, quel parti aurait le front d'en prétendre assumer l'honneur ? Catholiques basques, dites aux frères égarés, près desquels vous avez combattu, que si Notre Paternité embrasse l'ensemble des fidèles, sa sollicitude va d'abord aux classes laborieuses, et tout spécialement à la classe ouvrière. N'avons-nous pas protesté jadis contre la répression des Asturies ? Et pourtant l'homme d'État responsable de cette répression était l'un des nôtres, M. Gil Robles. Comment nous a-t-on jamais crus capables d'approuver et de bénir une terreur militaire qui, à l'exemple de l'autre, confondait dans le même châtiment les chefs et la troupe, les méchants et les égarés, les coupables et les suspects ? Certes l'armée rebelle comptait un certain nombre de bienpensants, mais n'était-elle pas commandée par des généraux francs-maçons ? Il faut la mauvaise foi de certains écrivains catholiques pour oser soutenir que si le général Franco avait forcé les frontières de la libre Euskadie, nous aurions béni ensemble les Navarrais chrétiens, les Maures, et les hitlériens païens du Dr Rosenberg. Sans doute de telles calomnies sont difficilement réfutables, puisque la défaite du général rebelle ne nous a pas permis de prouver, par des actes, notre attachement et notre admiration pour votre peuple. Mais nous sommes prêts à nous associer solennellement aux réjouissances légitimes par lesquelles tous les Basques rassemblés dans la cité sainte de Guernica, mira-

culeusement préservée des bombes, derrière les prêtres qui ont héroïquement partagé leurs épreuves, fêteront leur délivrance par les cris mille fois répétés de : Vive l'Euskadie !... Vive la Démocratie chrétienne !... Vive l'université de Santander !... »

Encore un coup, je ne trouve pas ça drôle. J'essaie de comprendre. Évidemment, pour les évêques espagnols comme pour moi, je suppose que les événements humains ont un sens surnaturel, mais il n'est permis qu'à des saints ou des inspirés d'en interpréter le chaos. Faute de mieux il est légitime de suivre son chemin parmi ces animaux sauvages, ainsi qu'un homme prudent traverse une prairie où des taureaux ruminent tranquillement au soleil, pleins d'impénétrables desseins. D'ailleurs, en face d'une situation dangereuse, on peut toujours jouer les aveugles ou les imbéciles. Je ne perdrais certes pas mon temps à qualifier l'attitude des prélats italiens au cours de la guerre d'Éthiopie. Leur conception personnelle du respect du traité, des lois de la guerre, ne saurait m'engager moi-même, soit comme chrétien, soit comme soldat. Cela suffit. Grâce aux diffuseurs d'huile ypéritée employés en Australie pour la destruction des rongeurs, l'aviation fasciste a pu priver de leur peau des populations entières de pauvres nègres qui bourgeonnaient et pourrissaient en tas devant leurs cases, pêle-mêle avec leurs bestiaux ; si les prélats italiens déclarent qu'une telle guerre leur paraît chevaleresque, que diable voulez-vous que ça me fasse ? Je crois savoir ce qui est chevaleresque ou non, mais, en cas de doute, je n'aurais certainement jamais l'idée de prendre pour arbitre un ecclésiastique italien. Jusqu'à présent du moins, l'épiscopat de ce pays n'a pas présenté la conquête du fameux Empire ainsi qu'une guerre sainte, la lutte du Bien contre le Mal. Rien n'est perdu. Car je dois vous dire le fond de ma pensée. Je crois à la guerre sainte, je la crois inévitable, je crois inévitable, dans un monde saturé de mensonge, la révolte des derniers hommes libres. Le mot de guerre sainte ne me convient d'ailleurs qu'à demi : les vrais saints font rarement la guerre, et quant aux autres – je veux dire ceux qui se flattent de l'être – Dieu me préserve d'affronter ma dernière chance au milieu de tels compagnons. Je crois à la guerre des hommes libres, à la guerre des hommes de bonne volonté. « Qu'est-ce que c'est que ça, direz-vous ; qu'est-ce que c'est que ces bêtes-là ? » J'appellerais volontiers hommes libres les gens qui ne demanderaient pas mieux que de vivre et mourir tranquilles, mais qui reprochent à votre civilisation colossale de bluffer la vie et la mort, d'en faire un objet de risée. Si vous ne comprenez pas, qu'importe ! Vous pouvez également ne pas prendre au sérieux des adversaires dispersés çà et là, au hasard de la volonté du bon Dieu, et qui n'ont même pas l'air, à première vue, de se ressembler, car ils n'appartiennent assurément pas tous à la même classe, aux mêmes partis, et ils ne font pas tous leurs Pâques. Des hommes de bonne volonté ! Pourquoi pas des Doux, des Pacifiques ? Eh bien ! oui, je le crains. Je crains pour vous que ce ne soient justement des Doux, des Pacifiques, auxquels votre sacré monde ne vaut rien. Que voulez-vous ! Les pauvres diables sont nés dans l'atmosphère des Béatitudes et ils ne respirent pas bien dans la vôtre. Ils feront ce qu'ils pourront pour s'adapter parce qu'ils sentent leur solitude, ne se l'expliquent guère et sont toujours prêts à se donner tort, à entrer, faute de mieux, d'un autre asile, dans les mots que vous avez volés, les mots magiques – justice, honneur, patrie –, comme les toros de corrida dans la cellule ténébreuse, figuration dérisoire de l'étable sombre et fraîche, mais qui ne s'ouvrira plus pour eux que sur l'arène sanglante. Les mots que vous avez volés débouchent maintenant eux aussi sur la guerre. Eh bien ! mourir pour mourir, je ne crois sûrement pas que nous mourions dans vos rangs. Nous mourrons revêtus de notre peau, de notre vraie peau, et non pas de vos défroques sinistres. Nous pourrirons tranquillement dans notre peau, la nôtre, sous la terre – notre terre –, la terre que vos saletés de chimistes n'ont pas encore eu le temps de sophistiquer – pourvu, il est vrai, que les services d'hygiène ne nous aient pas préalablement arrosés d'essence et transformés en noir animal ou en goudron.

II

Sans doute, les évêques espagnols, s'ils perdent leur temps à me lire, vont me prendre pour un mécontent. Ils croient, bien à tort, jouer le rôle du spectateur qui de sa fenêtre contemple une rixe et donne, en toute sincérité, avec bienveillance et courtoisie, son opinion sur les adversaires, au sergent de ville qui est arrivé naturellement en retard et n'a rien vu. Généralement, le sergent de ville n'ajoute pas beaucoup d'importance au discours modéré de ce témoin imposant, il se contente d'emmener les délinquants au poste. Il n'y a malheureusement pas de commissaire de police capable de décider cette fois entre les belligérants et encore moins de juge de paix. L'intervention de l'épiscopat prend ainsi une importance à laquelle il n'avait pas songé. L'Europe, je le répète, est pleine de guerres. Leurs Seigneuries, soit d'Espagne, soit d'ailleurs, ne manquent jamais l'occasion de le déplorer. Ils savent donc la chose comme vous et moi. L'Europe est pleine de guerres, mais le plus nigaud commence à se rendre compte que ces guerres sont le prétexte et l'alibi d'une guerre, qui sera la Guerre, la Guerre absolue, ni politique, ni sociale, ni religieuse au sens strict du mot, la

Guerre qui n'ose pas dire son nom peut-être parce qu'elle n'en a aucun, qu'elle est simplement l'état naturel d'une société humaine dont l'extraordinaire complexité est absolument sans proportion avec les sentiments élémentaires qui l'animent, et qui expriment les plus basses formes de la vie collective : vanité, cupidité, envie. Heureusement ces nègres blancs vivent encore dans la maison des aïeux. Ils y ont même, sous prétexte de l'améliorer, mais en réalité par méfiance les uns des autres, tellement multiplié les cloisons étanches et les portes blindées qu'ils ne savent littéralement plus comment faire pour se ruer les uns sur les autres, à la manière des sauvages. Et par exemple, personne ne croit plus aux nationalismes, du moins nul n'ignore qu'ils ne sont que la décomposition du sentiment de la Patrie. Il n'en est pas moins vrai que les sociétés rivales ne savent comment se débarrasser de ces encombrants cadavres, ni le moyen de les enjamber sans crever dessus, avant d'avoir eu le temps de se joindre et de se couper réciproquement cabèche. Je l'ai écrit. Je l'écrirai encore : la guerre qui vient ne sera rien d'autre qu'une crise d'anarchie généralisée. Puisqu'il s'agit simplement de dépeupler un continent qui compte trop de bras, trop de mains pour la perfection de sa machinerie, rien n'oblige plus à user de moyens aussi coûteux que l'artillerie. Lorsqu'un petit nombre d'espions ravitaillés par les laboratoires et menant de ville en ville une confortable existence de touristes, suffiront à réduire de cinquante pour cent la population, en développant la peste bubonique, généralisant le cancer et empoisonnant les sources, appellerez-vous ça aussi la guerre, hypocrites ? Les décorerez-vous de la Croix de Saint-Louis ou de la Légion d'honneur, vos courtiers en morve et en choléra ? Pas même moyen de fêter l'Armistice, puisqu'il n'y aura pas plus d'armistice qu'il n'y aura eu de déclaration de guerre, les gouvernements protestant, la main sur le cœur, de leur volonté pacifique et jurant leurs grands dieux qu'ils ne sont absolument pour rien dans ce curieux déchaînement d'épidémies. Sans doute, je traduis votre pensée intime en images dont la brutalité vous irrite et contre lesquelles vous pouvez vous défendre. Mais quoi ! Je ne pense pas que Notre Saint-Père le pape soit plus rassuré que moi sur l'avenir de l'Occident chrétien. Il n'est donc nullement exagéré de conclure que rien ne saurait justifier les immenses charniers de demain, aucun de ces *casus belli*, jadis amoureusement caressés dans les chancelleries. Et pourtant il faut que ces charniers se remplissent. Vous-même, vous-même qui haussez les épaules, vous savez – vous savez – qu'ils se rempliront, que vous les verrez pleins, à moins, mon cher monsieur, que vous ne soyez dedans. On ne peut raisonnablement, pour de telles fins délirantes, utiliser que le fanatisme religieux qui survit à la foi, la furie religieuse consubstantielle à la part la plus obscure, la plus vénéneuse de l'âme humaine. Qui l'utilisera ? Quels monstres ? Hélas ! il n'y a peut-être pas de monstres. Ceux qui rêvent d'exploiter ces perversions comme ils feraient d'un quelconque slogan sont des malheureux incapables d'en mesurer l'effroyable, le démoniaque pouvoir. Ils ne croient d'ailleurs pas au diable. Ils mettraient le feu aux hommes pour un coup de Bourse, sans s'être un instant préoccupés des moyens de l'éteindre, ils ne savent absolument rien de l'homme qu'ils définissent entre eux une machine à perdre ou à gagner des sous, une machine à sous. – Et les autres ? Les autres sont désespérés, désespérés à leur insu, de cette espèce turpide toujours comique du désespoir qui s'appelle l'ahurissement – le désespoir à la portée des imbéciles. Hélas ! on ne veut pas se rendre compte ! Je ne suis pas bien vieux, et j'ai cependant connu le temps où les imbéciles croyaient vivre dans un monde solide, bien clos, le Monde Moderne, supérieur à tous ceux qui l'avaient précédé, bien que nécessairement inférieur à celui qui viendrait après lui. J'ai connu le temps où le mot de moderne avait le sens de meilleur. Or l'amertume désabusée des grands esprits du dernier siècle – sentiment aussi étranger au Français moyen contemporain de l'Exposition de 1900 que l'économie de M. Karl Marx ou l'esthétique de M. Ruskin – fournit maintenant – bien que traduite dans un langage baroque – la grande presse populaire de ses motifs préférés. Qu'importe, direz-vous, il faut à ces gens-là un certain nombre de lieux communs qu'ils se répètent mutuellement comme des perroquets, avec les airs penchés, rengorgements et clignements d'yeux de ce volatile. Mais on ne nourrit pas les perroquets avec du vin parfumé aux aromates du Livre de Job ou de l'Ecclésiaste. C'est à quoi devraient penser tant de nigauds débordants d'esprit de mesure au point de n'être plus à la mesure d'eux-mêmes, qui citent La Fontaine à tout propos, comme si le parfait poète avait jamais été plus loin dans la vie que dans l'amour, n'ayant fait que taquiner l'une et l'autre de ses vieilles mains madrées que surveillait encore, toujours en vain, hélas ! Mme de La Sablière. La sagesse du Vieux est en effet une sagesse de vieillard, on dirait qu'elle en a l'odeur. Je ne méprise pas ses maximes, elles serviront neuf fois sur dix à vous épargner des sottises. Mais une existence humaine compte un très petit nombre de conjonctures décisives qui lui donnent son sens, et à de tels moments la souriante sapience du Bonhomme ne sert qu'à vous faire manquer d'une minute l'appel impérieux du risque ou de la gloire – ou même tout simplement de la Chance. Dans la jeunesse ou la Prospérité – qui est une autre jeunesse – on prête volontiers l'oreille aux propos doucement rassurants de ces sceptiques qui se prétendent revenus de tout. Et puis l'âge vient, et l'on se demande où ils sont réellement allés. Supposez, par exemple, que le délicieux Jacques Bainville eût vécu aussi longtemps que Mathusalem. Pendant neuf cents ans, aurait-il fait autre chose que de prêter de l'esprit aux imbéciles ? Ce démon de finesse était surtout un marchand d'illusions, un type dans le genre du vitrier de Baudelaire. Il prodiguait aux médiocres, avec un sourire contraint dont l'amertume était sa revanche et son secret, la seule illusion que la Nature ordinairement leur refuse, l'illusion d'avoir compris. Il en est d'ailleurs exactement de ces expériences de bibliothèque comme de la routine des vieux libertins. La Fontaine a dû, en son temps – car les vieux libertins aiment à se vanter –, faire bâiller d'admiration et d'envie plus d'un jouvenceau. Mais beaucoup d'entre ces derniers ont dû s'aviser bien vite que la stratégie du bonhomme convenait tout juste au gentil bétail amoureux dont il a peuplé ses contes. Mis en présence d'une vraie femme, de celles qu'on possède ou ne possède pas, le pauvre vieux disciple d'Horace, toujours un peu éméché comme son maître, n'imaginait sans doute rien de mieux qu'égarer sous les jupes une main débile, quitte à recevoir au même moment sur la figure celle de sa divinité. Ainsi voit-on, à la joue des docteurs en réalisme, dès qu'ils s'échauffent, rougir le soufflet du réel.

*

C'est une grande duperie de croire que l'homme moyen n'est susceptible que de passions moyennes. Le plus souvent, il ne paraît moyen que parce qu'il s'accorde docilement à l'opinion moyenne, ainsi que l'animal à sang froid au milieu ambiant. La simple lecture des journaux prouve que l'opinion moyenne est le luxe des périodes prospères de l'histoire, qu'elle cède aujourd'hui de toute part au tragique quotidien. Pour former un jugement moyen sur les événements actuels, il faudrait l'illumination du génie. C'est avec des événements moyens que l'homme moyen fait son miel, cet élixir doucereux auquel M. André Tardieu a voulu attribuer un jour des propriétés enivrantes. Il est clair que si vous asseyez l'homme moyen sur un fagot embrasé, vous tarirez du même coup sa sécrétion. Le feu au derrière, il courra se réfugier dans n'importe laquelle des idéologies qu'il eût fuies jadis avec épouvante. La disparition des classes moyennes s'explique très bien par la lente et progressive destruction des hommes moyens. La classe moyenne ne se recrute plus. Les dictatures exploitent ce phénomène, elles n'en sont pas les auteurs.

Il me paraît vain de compter sur les hommes moyens pour une politique moyenne. Les hommes moyens ont les nerfs malades, il serait extrêmement dangereux de les exciter. Sans prétendre me faire le censeur d'une certaine éloquence cléricale, j'ai le droit de dire qu'inoffensive au temps de M. Jacques Piou, ou sur les lèvres du regretté comte Albert de Mun, elle s'adresse aujourd'hui à des imaginations déréglées par l'angoisse. Les contemporains de M. Jacques Piou étaient évidemment indignés par la politique de M. Combes, mais ils ne se sont pas crus un seul instant capables de rébellion ouverte contre ce minuscule politicien à tête de rat. Pour une raison que je dois formuler exactement comme je le pense : les affaires alors marchaient bien. Il n'y a dans cette remarque nulle intention blessante. Le plus optimiste des évêques espagnols n'oserait soutenir qu'on rencontre beaucoup de chrétiens capables de se sentir aussi bouleversés par le vote d'une loi défavorable à la liberté de l'enseignement que par la nouvelle de sa propre ruine, surtout lorsque cette ruine est sans remède puisqu'elle est fonction, comme disent les mathématiciens, de la ruine universelle. Autre chose était donc de parler des héros de la Vendée aux paisibles sujets de M. Armand Fallières, autre chose est de donner en exemple la guerre civile espagnole à de pauvres types qui doutent de tout, de la société elle-même, et sont disposés à dire : « La Croisade ? Va pour la Croisade !... » comme ils pensaient cinq minutes plus tôt : « Le communisme ? Pourquoi pas ? »

Je répète aux Excellences que Leurs Seigneuries ne semblent pas avoir pleine conscience de la responsabilité qu'elles assument. « La guerre civile dure depuis quinze mois, pensent-ils. La louer aujourd'hui n'engage à rien. » Mille pardons ! L'idée de Croisade est dans l'air – celle des Forces de Dieu contre les Forces du Mal. Je ne manquerai pas au respect que je dois à l'épiscopat en déclarant que l'entreprise est de conséquence, et puisque Leurs Seigneuries l'approuvent, elles se doivent de l'organiser. Ce n'est pas que je me croie personnellement en cause : je suis royaliste, et lorsqu'il s'agit de se battre, ce n'est pas d'Elles que je recevrai des ordres, ni un chef. Mais Elles ne peuvent tout de même laisser l'idée de Croisade au premier tournant de la rue, sans prendre la peine d'examiner par qui elle sera recueillie. « En avant pour le Bien contre le Mal ! » Et voilà déjà que le Japon répond : « Présent ! » avec son impayable voix de clarinette. L'ardente charité du nouveau champion flamboie aux quatre coins de Shanghai. Est-ce que Vos Seigneuries ne trouvent pas qu'on se paie leurs mitres ?

*

Il vous est naturellement loisible de répondre que je parle en mon nom, autant dire au nom de rien. Mais supposez que je parle au nom de cent mille hommes prêts à se battre. Me croiriez-vous vraiment assez naïf pour jeter mes gens dans la bataille sur une consigne aussi vague que celle-ci : exterminer les méchants. Et d'abord quels méchants ? – Ceux que les hommes d'ordre vous désigneront comme tels. – Je me méfie de ce que vous appelez les hommes d'ordre. Pourquoi Vos Seigneuries ne désigneraient-elles pas elles-mêmes les réprouvés ? Car il est bien entendu que nous nous sommes croisés contre les ennemis de Dieu, ceux que Dieu lui-même désigne à nos coups. – Les ennemis de la Société voulue par Dieu sont les ennemis de Dieu. – D'accord. Mais en bonne justice nous estimons que la Société a deux sortes d'ennemis, ceux qui l'exploitent du dedans par l'égoïsme et l'injustice, et ceux qui, du dehors, ont entrepris de la démolir. Si l'Ange du Seigneur franchissait aujourd'hui les Pyrénées pour aller frapper de l'épée flamboyante, dans l'un et l'autre camp, ces deux espèces d'anarchistes, au sens exact du mot, ne verriez-vous pas fondre les effectifs, Excellences ? Devrons-nous donc plus simplement considérer comme ennemi tout schismatique, hérétique, agnostique, incapable de réciter sans faute le Symbole de Nicée ? – N'en faites rien, malheureux ! Des hérétiques et des agnostiques il y en a, hélas ! un peu partout. Il y a même aussi des infidèles. Ne nous questionnez plus. Nous ne sommes pas des hommes charnels, nous bénissons ou maudissons les intentions, du moins telles qu'on les exprime. Dieu jugera le reste. – Bien sûr. Ce sont les intentions que vous maudissez, mais ce n'est pas les intentions qu'on fusille. Si vous ne voulez avoir affaire qu'aux intentions, pourquoi vous mêlez-vous d'une bataille d'hommes ? Les hommes ont assez de prétextes pour se casser la tête. Vous allez nous gêner, Excellences, ne vous mettez pas dans le champ de tir ! À la première occasion qui vous paraîtra favorable, vous redeviendrez des hommes de paix et vous nous laisserez entre deux feux, comme Louis XVI fit jadis des Suisses. Nous n'entendrons plus parler de vous jusqu'au jour où un brave homme de prêtre, un peu pâle et bredouillant, par une petite aube froide que je sais, viendra nous exhorter au bruit des marteaux qui cloueront quelque chose, derrière le mur. C'est pourquoi ma requête n'a nullement le caractère que vous pourriez lui supposer. Une guerre civile est voulue par un petit nombre, mais elle est d'abord la résolution d'un complexe psychologique : « Finissons-en une fois pour toutes ! » L'adversaire n'y est pas un homme à réduire, mais à supprimer, la société s'avouant décidément incapable de le faire rentrer dans ses cadres. C'est un hors-la-loi, la loi ne le protège plus. Il n'a plus rien à attendre que de la pitié. Or, en guerre civile tout acte de pitié serait d'un exemple déplorable pour la troupe. Vous ne pensez tout de même pas que les combattants du général Franco eussent supporté de voir embrocher par des Maures pouilleux des Espagnols qui demandaient pardon dans leur propre langue, s'ils n'avaient cru, sur la foi de leurs chefs, que ces compatriotes étaient des monstres. Il n'y a pas de pitié en guerre civile, il n'y a pas non plus de justice. Les Rouges de Palma, n'appartenant pour la plupart qu'à des partis modérés de gauche, n'avaient eu nulle part aux assassinats de Madrid ou de Barcelone : ils n'en furent pas moins abattus comme des chiens. On ne part pas pour la guerre civile avec des avocats, des juges et des codes d'instruction criminelle dans les fourgons. Je n'ai aucun goût pour cette sorte d'entreprise, mais il est possible qu'on me l'impose un jour. Alors il me semble que je tâcherai de regarder ma besogne en face, avant de retrousser mes manches. Je reproche à vos hommes d'ordre d'aller dans l'injustice exactement comme ils vont au bordel, en rasant les murs, lorsqu'ils n'éprouvent pas encore le besoin, une fois satisfaits, de faire paternellement la morale à la pauvre fille qui, vêtue d'une paire de bas, les écoute en bâillant, assise au bord du lit. La loi des suspects, par exemple, n'est-elle pas inscrite en toutes lettres dans n'importe quelle charte de guerre civile ? À quoi bon faire la grimace. – Feu sur qui bouge ! – Convenez qu'il n'y a pas grand-chose à tirer d'une telle maxime pour un grave jurisconsulte. Celui qui bouge peut être le blessé agonisant, qu'importe ? Pas un seul des blessés ou des malades faits prisonniers au cours des opérations de guerre, d'août et de septembre 36, contre les Catalans, à Majorque, n'a été épargné par les nationaux. À quel titre l'eussent-ils été, je vous le demande ? Hors la loi, ils se trouvaient aussi hors de l'humanité, des animaux féroces – *feras* –, des bêtes. N'était-ce donc pas assez ? Allez-vous faire encore de ces misérables des réprouvés ? Jusqu'à ce moment, l'Église tolérait qu'on les supprimât. Convient-il désormais de donner à cette suppression le caractère d'un acte méritoire, justifié par des motifs surnaturels ? Je l'ignore. Je voudrais qu'on précisât. Il est difficile de traiter les soldats de l'Armée du Mal comme des belligérants quelconques. N'appartiendraient-ils pas de ce fait à la juridiction ecclésiastique ? Leur crime est précisément celui que châtiaient avec le plus de sévérité les tribunaux du Saint-Office, et l'histoire nous apprend que ces tribunaux n'épargnaient ni les femmes ni les enfants. Que devons-nous faire des femmes et des enfants ? Je me demande pourquoi on trouverait ridicule la question que je pose ici. Car il est vain de tenir pour responsables de l'Inquisition l'Église ou les Rois Catholiques – ce sont les mœurs qui l'ont faite. Après tout, lorsqu'elle allumait ses bûchers à travers l'Espagne, ce pays comptait beaucoup plus d'éminents théologiens qu'aujourd'hui, et, l'Évangile y étant déjà prêché depuis quinze cents ans, il y a lieu de croire que nous n'avons pas appris grand-chose depuis. Les usages évoluent plus lentement que les mœurs, ou plutôt les mœurs n'évoluent pas, elles semblent sujettes aux brusques et profondes mutations qui marquent l'origine et le déclin des périodes historiques comme aussi celles des espèces animale ou végétale. Le monde est mûr pour toute forme de cruauté, comme pour toute forme de fanatisme ou de superstition. Il suffirait qu'on respectât certains de ses usages, et, par exemple, qu'on s'abstînt de violenter son curieux sentiment de sollicitude envers les bêtes, une des rares acquisitions, peut-être, de la sensibilité moderne occidentale. Je crois que les Allemands s'habitueraient très vite à brûler publiquement leurs juifs, et les staliniens leurs trotskistes. J'ai vu, j'ai vu de mes yeux, j'ai vu moi qui vous parle, j'ai vu un petit peuple chrétien, de tradition pacifique, d'une extrême et presque excessive sociabilité, s'endurcir tout à coup, j'ai vu se durcir ces visages, et jusqu'aux visages des enfants. Il est donc inutile de prétendre garder le contrôle de certaines passions lorsqu'elles sont une fois déchaînées. Les utiliserons-nous telles quelles ? Courrons-nous ce risque ? Devrons-nous étouffer dans le sang, à l'exemple des contemporains de Philippe II, ces grandes hérésies encore à peine formées, mais qu'on sent déjà remuer sous la terre ?

Pendant des mois, à Majorque, les équipes de tueurs, transportées rapidement de village en village par des camions réquisitionnés à cet effet, ont froidement abattu, au su de tous, des milliers d'individus jugés suspects, mais contre lesquels le tribunal militaire lui-même eût dû renoncer à invoquer le moindre prétexte légal. Mgr l'évêque de Palma était informé de ce fait, comme tout le monde. Il ne s'en est pas moins montré, chaque fois qu'il a pu, aux côtés de ces exécuteurs dont quelques-uns avaient notoirement sur les mains la brève agonie d'une centaine d'hommes. Cette attitude sera-t-elle demain celle de l'Église ? La question a désormais beaucoup moins d'importance pour les Espagnols que pour nous. Il semble vraisemblable, en effet, que les généraux du pronunciamiento, pour sauver leur tête, laisseront rétablir la Monarchie qu'ils ont détruite six ans plus tôt. L'entreprise n'aura coûté qu'un million d'hommes. Évidemment cette dépense paraît énorme. Elle vaut du moins à l'Espagne d'être hors d'état, pour longtemps, de prendre part à n'importe quelle croisade. Derrière ses montagnes elle reste, comme par le passé, en marge de l'Europe. L'épuration est d'ailleurs terminée là-bas. Je pense à l'épuration de mon pays, qui n'est pas commencée encore, je pense à l'épuration des Français. Pour rallier une certaine partie de la classe ouvrière le temps nous est bien mesuré. Si la lutte des Forces du Bien contre les Forces du Mal est si proche qu'on le dit, la nécessité s'impose d'agir vite et fort. Ne pourriez-vous pas prendre vos responsabilités comme nous prendrons les nôtres le jour venu ? Car ce n'est pas avec M. Paul Claudel ou le R.P. Janvier que vous viendrez à bout de votre croisade, c'est avec nous. Voilà pourquoi j'ai parfaitement le droit de vous parler tranquillement en face comme je le fais. Si des malheureux croient que j'ironise, je les plains. La Russie maintenant n'est plus seule à souhaiter une révolution en France. Les deux autres États totalitaires n'en tireraient pas un moindre profit, et celle de gauche doit avoir logiquement leurs préférences parce qu'elle bouleverserait plus profondément la structure du pays, briserait ses cadres, nous aliénerait des démocraties capitalistes et permettrait aux dictateurs de plus fructueuses combinaisons. Il est donc possible que nous soyons forcés de tirer les premiers. Cela n'ira pas sans risque de malentendu. Quel que soit leur toupet, les prédicateurs de la Bonne Guerre n'oseraient soutenir que les Forces du Mal se trouvent si nettement délimitées que nous ne frapperons qu'à coup sûr. Vingt pour cent de pillards, d'incendiaires, de bourreaux, c'est beaucoup, et je vous fais la part belle, il me semble. Malheureusement la canaille se trouve rarement sous le feu des mitrailleuses. Soyez sûrs que la nôtre aussi donnera tous ses soins à l'arrière, au moral de l'arrière, aux traîtres, aux espions, aux défaitistes de l'arrière. Il ne restera devant nous que de braves ouvriers français, assez bêtes, par exemple, pour me croire l'ami de M. André Tardieu, et prêts à me fusiller comme tel, pauvres diables ! Faudra-t-il traiter en bêtes fauves des gens que j'estime ? – Eh bien ! traitez-les comme vous voudrez ! – Pardon. La honte des guerres civiles, c'est qu'elles sont d'abord essentiellement des opérations policières. La police y inspire et ordonne tout. Combattant sur le front d'Espagne, si j'avais prétendu m'opposer aux exécutions sommaires, j'aurais été moi-même fusillé. On ne fait pas la guerre civile avec des gants blancs. La Terreur est sa loi, et vous le savez. Les évêques espagnols le savent si bien qu'ils ont dû faire allusion aux excès regrettables, aux abus inévitables, sur un ton qui n'a rien de militaire. Hélas ! je regrette de l'avouer : ces formules d'absolution générale ne comptent nullement à mes yeux. La méprise de Leurs Seigneuries est toujours la même. Elles ont l'air d'imaginer que la guerre ressemble au Mardi gras, qu'elle est une sorte de joyeuse trêve à la morale commune, et qu'on s'y livre à la cruauté comme les joyeux de carnaval au jeu des pince-fesses. Une fois éteints les derniers lampions, il convient d'accueillir le cher enfant avec un sourire entendu et paternel. « Allons, allons, rassurez-vous. Il y a des moments où l'on n'est pas maître de se refuser un petit plaisir. N'y pensons plus ! – Mais, Excellences, ce ne sont pas du tout des petits plaisirs ! – Avouez donc que dans le feu de l'action, les militaires deviennent féroces, ils ressemblent au cheval de l'Écriture qui geint et frappe le sol. Nous savons cela par M. Claudel qui sait ce qu'est la guerre, qui a même écrit des poèmes de guerre. Après tout, lorsqu'on se trouve en face d'un homme qui a voulu vous tuer une minute plus tôt, on est bien excusable, fût-il prisonnier, de le piquer un peu avec la baïonnette, cette baïonnette que les vaillants Poilus français appelaient, n'est-ce pas, Rosalie ? – Mais non ! Mais non : Vos Seigneuries font erreur. Les guerriers, à l'exception de Mme Chenal ou de M. Paul Claudel, ont toujours ignoré jusqu'au nom de Rosalie. Je pense que Rosalie doit s'entendre d'une baïonnette rose de sang. Cette plaisanterie féroce et polissonne n'a, je vous assure, rien de militaire. Sauf votre respect, elle doit traduire en un langage poétique les délectations moroses de quelques dames sevrées de tendresse, ou tourmentées par l'âge. Excellences, beaucoup de dames se font du guerrier permissionnaire l'idée la plus propre à stimuler leurs facultés amoureuses. Ne tombez pas innocemment dans la même illusion. Les vieilles Anglaises aussi se persuadent que l'aficionado ne fréquente la Plaza que dans l'espérance d'y voir éventrer les chevaux, mais c'est elles – pauvres chères choses ! – qui n'ont d'yeux que pour ces saloperies. Sans doute, il est possible que la guerre ait jadis formé des gladiateurs, des belluaires. Du moins chez les peuples à sang de bouc. Mais lorsqu'un homme a une fois fait face au mur orange et noir du tir de barrage, dans le barrissement des mille sirènes d'acier, puis ménageant son souffle, ses gros souliers collant à la glaise, s'est aligné de son mieux sur ce qu'il reste de la section, il n'a plus le temps de songer à la bagatelle – je veux dire à la haine de l'ennemi... Mais non, Excellences, vous vous trompez encore, il n'a pas bu. Il ne se saoulera qu'après. Il est aux portes de la mort, ou sans doute un peu au-delà, mais il ne le sait pas, il ne sait rien de ce détachement essentiel, fondamental, qui n'a plus les couleurs de la vie, atteint à une espèce de transparence surhumaine. Les forces hurlantes qu'il affronte sont absolument sans proportion avec la révolte ou la colère d'un pauvre diable tel que lui ; et bien qu'il se croie souvent très occupé à ne pas laisser sa culotte dans les barbelés, j'affirme à Vos Seigneuries qu'il marche alors nu sous le regard de Dieu. Ce sont là des confidences que vous recevrez rarement, pour cette raison que les portes de la mort ne se trouvent sur aucun indicateur de chemin de fer. Ceux qui, dans leur naïveté, ont choisi eux-mêmes le nom cocasse d'Anciens Combattants auront beau retourner en famille à la place exacte où ils subirent l'épreuve du feu, ils ne se souviennent de rien du tout et, faute de mieux, ils racontent des histoires. Car les souvenirs de guerre ressemblent aux souvenirs de l'enfance. »

*

Vos Seigneuries doivent comprendre que l'héroïsme serait trop aisé à définir s'il existait de par le monde des héros patentés capables de donner aux curieux des consultations sur la matière. Les héros ne se croient pas plus des héros que les saints ne se croient des saints. En attendant la décision parfois tardive de l'Église et même bien après, vous savez que ces derniers doivent s'en remettre du soin de leur gloire à des chanoines lettrés, qui les refont naturellement à leur image et ressemblance. Même à la guerre, on a d'ailleurs plus rarement que vous ne pensez l'occasion d'être héroïque, ne fût-ce qu'un instant. Vous pourriez très bien avoir fait prisonnière toute une section de mitrailleuses, et garder néanmoins de ce fait d'armes une impression un peu trouble, qu'une louange excessive a vite fait de rendre désagréable. Au lieu que vous ne douterez nullement de telle ou telle humble conjoncture, si humble qu'elle ne saurait faire la matière d'un récit, où, de la fatigue, du dégoût, de l'angoisse, de la révolte même de votre chair exténuée a tout à coup surgi l'acceptation de la mort, non pas délibérée ni joyeuse mais plus intime, plus profonde – la réconciliation pacifique de la vie et de la mort ainsi qu'un miracle de lumière. – Excellences, je ne me sers pas de pareils mots à l'intention de Vos Seigneuries, je comprends très bien que vous vous fassiez des soldats de mon pays une idée très différente. J'écris, à cet instant, pour délivrer mon âme, parce que j'en ai assez d'entendre tour à tour rabaisser la guerre, puis l'exalter, sans jamais d'ailleurs y rien comprendre. Ces moments-là furent à nous, rien qu'à nous, tellement à nous que la mémoire est le plus souvent impuissante à les arracher de nouveau à la trame de la vie. Ils furent ce qu'ils furent, ils furent une fois, ils ne se rattachent qu'en apparence à certaines images, d'ailleurs banales, communes à tous, en sorte que le mécanisme de la mémoire, pour les rappeler, tourne à vide. Vos Seigneuries interrogeraient vainement là-dessus mes vieux compagnons : « C'est vrai, avoueront-ils peut-être. Il y a des jours où l'on se foutait de tout. Aucun mystère à ça. » Ils auraient répondu de même vingt ans plus tôt, remontant la chanson aux lèvres, vers les lumineux villages, pleins du cri des coqs et du joyeux tintement des seaux sur la margelle. Je les vois par d'insolites matins, sur les petites places ensoleillées, la capote encore raide de boue, et leurs sacrées bandes molletières. « On va se noircir ? On y va ? » – Ils essayaient de sourire, avec leurs barbes de trois semaines et des joues si creuses qu'ils souriaient de travers – visages, ô chers visages, ô visages de mon pays ! Je sais qu'il n'est pas bien de se noircir. Mais que voulez-vous ? Ils croyaient noyer dans un vin illusoire, une bibine acide, la peur d'hier et celle de demain. Mais ce n'était pas la peur, c'était le souvenir de la grâce reçue, car ils avaient hâte de redevenir des hommes comme les autres, de se retrouver dans leurs pauvres peaux d'électeurs mobilisés, comme jadis ils quittaient le veston du dimanche, enfilaient la culotte de velours, faisaient jouer leurs orteils dans les espadrilles. – De la grâce reçue ? De quelle grâce ? – Eh bien ! je ne puis trouver un autre mot : une grâce, un don. Qu'ils fussent incapables d'en apprécier le prix, cela ne fait rien à l'affaire, je pense ? Beaucoup d'entre eux croyaient même y voir un présage fâcheux. « Il y a des jours où on tient plus à la vie », disaient-ils. Sans doute craignaient-ils que la vie, par un juste retour, ne tînt plus à eux, les oubliât. Et ils délibéraient tranquillement de se noircir, de se noircir au plus juste prix. Ils se noircissaient en effet, ils redevenaient de pauvres diables. C'est ce que vous appelez, je crois, l'abus de la grâce ? Ils ignoraient, heureusement, la nature de cette faute et sa gravité. Ils ignoraient, pour la plupart, jusqu'au nom de grâce. Nous discuterons une autre fois – quand vous voudrez – s'il s'agissait d'ignorance ou d'oubli, car beaucoup de ces gens-là étaient baptisés. Je veux dire seulement qu'ils avaient peut-être été parfois dignes de cette grâce, de ce sourire de Dieu. Car ils vivaient, sans le savoir, au fond de leurs trous boueux une vie fraternelle. Non pas qu'ils fussent, entre eux, irréprochables, ni qu'ils s'appelassent frères, à la manière des moines, un mot de trois lettres, que je n'ose écrire, suffisant d'ordinaire à leur cordialité. Prendre le tour de garde d'un camarade fatigué, à l'heure où le froufroutement du crapouillot monte dans le jour qui sombre, ce n'est pas rien ! Ils faisaient cela, et bien autre chose encore. Ils partageaient leur dernière croûte de pain, buvaient ensemble l'ultime bidon de café puant, et de leurs grosses mains maladroites, avec des : « C'est-y malheureux tout de même ! » et des : « Misère ! » fourraient leur paquet de pansement tout entier dans l'antre béant d'un ventre, où coulait la sueur de leur front. Cela non plus n'est pas rien lorsque les balles des mitrailleuses claquent à hauteur des épaules ! J'attire de nouveau sur ce point l'attention des Seigneuries espagnoles. Quand on vit une vie pareille, il est difficile de haïr l'ennemi. Le don quotidien de soi-même n'incline à aucun des sentiments – haine, envie, avarice – qui resserrent l'homme sur lui-même, font de lui-même sa propre fin. On s'habitue très bien aux morts, à la vue, à l'odeur des morts, mais les charniers sont les charniers. Une brute y devient lâche, un lâche y pourrit sur place, se liquéfie. Aussi longtemps qu'il y aura des soldats dans le monde, vous ne les empêcherez pas d'honorer leur risque, et qui honore son risque, honore l'ennemi. Telle est la loi du sport et de la guerre. – Mais qui vous empêche d'honorer ? – J'illustrerai donc ce propos d'un exemple. J'ignore ce que firent ou ne firent pas les Croisés de la Péninsule. Je sais seulement que les Croisés de Majorque exécutèrent en une nuit tous les prisonniers ramassés dans les tranchées catalanes. On conduisit le bétail jusqu'à la plage où on le fusilla sans se presser, bête par bête. Mais non, Excellences, je ne mets nullement en cause votre vénéré Frère, l'évêque-archevêque de Palma ! Il se fit représenter comme d'habitude, à la cérémonie, par un certain nombre de ses prêtres qui, sous la surveillance des militaires, offrirent leurs services à ces malheureux. On peut se représenter la scène : « Allons, Padre, celui-là est-il prêt ? – Une minute, monsieur le capitaine, je vais vous le donner tout de suite. » Leurs Excellences affirment avoir obtenu dans de pareilles conjonctures des résultats satisfaisants, que m'importe ? Avec un peu plus de temps devant eux, et par exemple en prenant la peine d'asseoir les patients sur une marmite d'eau bouillante, ces ecclésiastiques auraient sans doute mieux réussi encore. Ils leur auraient même fait chanter les vêpres, pourquoi pas ? Moi, je m'en fiche. Le travail achevé, les Croisés mirent les bestiaux par tas – bétail absous et non absous –, puis les arrosèrent d'essence, que l'on appelle là-bas gazoline. Il est bien possible que cette purification par le feu ait revêtu alors, en raison de la présence des prêtres de service, une signification liturgique. Malheureusement je n'ai vu que le surlendemain ces hommes noirs et luisants, tordus par la flamme, et dont quelques-uns affectaient dans la mort des poses obscènes, capables d'affliger les dames palmesanes, et leurs distingués confesseurs. Un goudron puant sortait d'eux par rigoles, et fumait sous le soleil d'août. Précisément, je crois que M. Bailby, directeur du *Jour*, est quelque chose au syndicat des journalistes ? Je l'informe donc, en passant, que M. le baron Guy de Traversay, secrétaire général de *l'Intransigeant*, était parmi ces morts-là.

*

Faut-il répéter encore que de telles images ne troublent pas mon sommeil ? Ce sont des images de guerre civile, très monotones, à la longue. En 1914, un Allemand, par exemple, était logiquement tenu pour indésirable aussi longtemps qu'il foulait en armes le sol de notre pays. Prisonnier, blessé ou malade, il appartenait aussitôt à la part estimable de l'humanité, les idiots de l'arrière eux-mêmes n'ayant jamais osé, du moins publiquement, affirmer que les armées allemandes, autrichiennes ou bulgares étaient les Armées du Mal. Mais les Rouges sont les Rouges. Toujours à l'exemple du gibier réservé jadis aux inquisiteurs, les hommes de désordre sont moins à craindre pour leurs armes que pour leur langue. Ces pervertisseurs de conscience appartiennent même à une espèce si venimeuse que leur contact seul rend digne de mort. Pour en revenir au secrétaire général de *l'Intransigeant*, c'est vainement qu'il justifia de sa qualité de journaliste français. Je ne crains aucun démenti lorsque j'affirme qu'après un bref débat entre deux officiers espagnols il fut exécuté pour avoir été trouvé porteur d'une misérable petite feuille dactylographiée, signée des fonctionnaires de la Genaralidad, le recommandant à la bienveillance du capitaine Bayo. Il est parfaitement possible qu'une feuille semblable, signée des autorités nationalistes de Palma, m'eût valu, chez les républicains, le même sort. Je pourrais cependant répondre que je n'en sais rien, puisque à ma connaissance du moins aucun journaliste français n'a été fusillé par les gens de Valence. Il me semble beaucoup plus simple d'écrire que les anarchistes de la F.A.I. professant n'avoir ni Dieu ni Maître, ce fait vous eût dispensé de chercher, à mon assassinat, aucune autre justification que celle de leur bon plaisir. Au lieu que j'ai une longue, une très ancienne pratique de la conscience des gens de bien, je connais leurs cœurs. S'ils tuent, ou concèdent de tuer, c'est qu'ils se sont d'abord, je suppose, mis en règle avec Dieu et leurs maîtres, avec la Loi, et surtout avec l'opinion des gens de bien, car ils ont des fils à établir et des jeunes filles à marier. Il est certain que le capitaine-croisé qui a tenu dans ses mains le sort de notre compatriote ne le croyait nullement coupable des assassinats des prêtres catalans ou du pillage des églises de Malaga. Non pas coupable ni même complice, mais moralement responsable, je pense ? Comme étaient jadis responsables du massacre des otages, exécuté par une centaine de voyous, les vingt mille communards abattus par les soldats du général de Galliffet, encore que les évêques français de ce temps-là n'aient pas cru indispensable de se solidariser, au nom de Dieu, avec ce militaire.

*

Sans doute, Leurs Excellences espagnoles vont trouver que j'argumente bien lentement, à petits pas. Qu'ils prennent patience ! Nous ne discutons sur le passé que par légitime souci d'un proche avenir. Je ne me lasserai pas de répéter que nous pouvons entreprendre d'un jour à l'autre l'épuration des Français sur le modèle de l'épuration espagnole, bénie par l'épiscopat. « Ne vous inquiétez pas, me soufflent à l'oreille Leurs Seigneuries. Une fois la chose en train, nous fermerons les yeux. – Mais je ne veux justement pas que vous fermiez les yeux, Excellences ! Si vous fermez les yeux, je me connais, je cesserai aussitôt de fusiller la canaille. Pour exécuter convenablement cette besogne, ce n'est pas d'indulgence, mais d'encouragement que j'ai besoin. La menace même de l'enfer, en cas de négligence, ne serait pas de trop. Je suis tenté de bien des manières, hélas ! et pourtant il ne m'arrive pas, même après un dîner copieux, de me dire : "Quel dommage que la prudence de mon directeur me retienne d'épurer !" C'est un travail difficile, une besogne harassante, d'épurer ! Si je dois envisager de l'entreprendre un jour, à qui diable Vos Seigneuries veulent-elles que je m'adresse ? – Nos Seigneuries ne comprennent pas grand-chose à ces bizarreries. Vous n'êtes bon qu'à faire un simple soldat de la Croisade, ou peut-être un caporal, puisqu'on nous dit que vous avez obtenu ce modeste grade, au cours de la dernière guerre. Il serait étrange que nous dussions vous encourager à tuer. N'est-ce pas votre besogne de soldat ? Le Mal n'a déjà que trop de prestige, et nous risquerions de scandaliser les faibles par un donquichottisme qui ne s'accorde pas du tout à la sainteté de notre ministère. L'idée d'honorer les ennemis de l'Église ne nous est jamais venue. Il importe, au contraire, de rabaisser d'abord leur superbe, leur vaine gloriole, de les humilier. L'aiguillon d'une certaine injustice facilite leur expiation en ce monde, leur épargnera dans l'autre des supplices plus grands. Qu'ont-ils à perdre ? Après tout, le feu des bûchers leur rendait jadis le même service. Le péché serait d'en agir ainsi par haine. Il suffit donc que nous souhaitions leur salut, et que nos théologiens affirment ce salut possible, car Dieu est mort pour tous, ce point de doctrine doit être maintenu. L'indulgence des docteurs ne saurait donner à penser qu'au petit nombre de fidèles qui lisent leurs livres. Le gros de nos paroissiens préférera toujours croire bonnement, une fois pour toutes, que la seule paillardise a damné Luther et que les distingués collaborateurs de *l'Ami du Clergé* épuisèrent en vain, à l'égard du pauvre Lamennais, les dernières réserves de leur charité. Il est moins utile de réfuter les faux prophètes que de détourner d'eux nos brebis. Mêmement, nous ne songions pas à soutenir que les milliers d'Espagnols fusillés par nos Croisés fussent des assassins de prêtres ou de religieuses. Ne vaut-il pas mieux mettre d'honnêtes gens fourvoyés au rang des assassins que risquer de faire passer les assassins pour d'honnêtes gens ? Il n'y a point ici-bas d'erreurs judiciaires irréparables puisque tous les jugements peuvent être réformés dans l'autre monde. – Mais, Excellences, la faute irréparable serait peut-être, justement, de fusiller des innocents ? – Voilà pourquoi dans l'impuissance où nous sommes, nous autres, gens d'Église, princes de la Paix, serviteurs des serviteurs d'un Dieu serviteur de tous, d'assumer le contrôle d'une répression laïque forcément brutale, nous préférons laisser dans la bonne foi nos enfants militaires. À quoi bon troubler leurs consciences, puisque aussi bien leurs chefs ordonnent, et qu'ils doivent obéir sous peine de mort ? Avec vos théories, la Croisade aurait finalement abouti à l'exécution légale, pour indiscipline, de nos fidèles les plus scrupuleux chez qui la charité du Christ se serait émue quelques mois ou quelques semaines trop tôt. De les laisser encore un temps sous le signe de la justice, où est le mal ? Après avoir ainsi évité les cours martiales, peu tendres pour les objecteurs de conscience, ils retrouveront la miséricorde le jour où nous aurons besoin d'eux, ils faciliteront grandement notre tâche lorsque les Révérends Pères jésuites démocrates jugeront le moment venu de se rapprocher des masses ouvrières. Cette politique empirique paraît dénuée de noblesse. Elle n'est guère noble en effet. Nous nous promettons de la suivre, vaille que vaille, cahin-caha, jusqu'au dernier des jours, car nous croyons le monde inguérissable, bien que nous nous gardions de l'avouer franchement. Si le monde devait guérir, nous le saurions depuis deux mille ans. Le monde païen était dur, mais il y avait en lui un principe de craintive soumission aux forces de la nature, à ses Lois, au Destin. L'espérance chrétienne en a fait éclater la sévère assise. Pour avoir raison des vieilles murailles, ne suffit-il pas de quelques fleurs des champs, poussant leurs racines dans chaque fissure, avec l'humidité de la terre ? Et voilà que l'Espérance, détournée de ses fins surnaturelles, jette l'homme à la conquête du Bonheur, enfle notre espèce d'une espèce d'orgueil collectif qui rendra son cœur plus dur que l'acier de ses mécaniques. Nous ne sommes pas que les prédicateurs de l'Évangile, nous en sommes aussi les ministres. À mesure que son esprit va s'affaiblissant, nous ressemblons à ces ambassadeurs de pays trop vulnérables qui n'osent jamais parler de réclamer leur passeport, par crainte qu'on ne les prenne au mot. Contre nous, les écrivains catholiques ont beau jeu ! Hélas ! Nous ne faisons ni ne défaisons plus les Royaumes.

« Nous entrons par la porte qu'on veut bien laisser ouverte, seulement nous y entrons avec l'ancienne pompe, et si nos hôtes n'y regardent pas de trop près nous leur faisons les honneurs de leur propre table. Les écrivains catholiques savent-ils l'Évangile mieux que nous ? Ils tournent en dérision notre Croisade. Ils nous somment de mettre à sa tête un chef irréprochable. Qu'ils le cherchent, et, l'ayant trouvé, qu'ils l'y mettent eux-mêmes ! Jusque-là nous nous contenterons de celui qui nous sert d'habitude, sans que nous ayons la peine de le nommer. Voulez-vous savoir son nom ? Il s'appelle le général Moindre-Mal. Nous le préférons encore au général Mieux, que la sagesse des nations a d'ailleurs dénoncé depuis longtemps comme l'ennemi du Bien. Que voulez-vous ? La société humaine est pleine de contradictions qui ne seront jamais résolues. Ainsi la Révolution s'est toujours faite avec les pauvres, bien que les pauvres en aient rarement tiré grand profit. La contre-révolution se fera toujours contre eux, parce qu'ils sont malcontents, et parfois même désespérés. Or le désespoir est contagieux. La Société s'accommode assez bien de ses pauvres, aussi longtemps qu'elle peut absorber les malcontents soit dans les hôpitaux, soit dans les prisons. Lorsque la proportion des malcontents s'augmente dangereuse-ment elle appelle ses gendarmes et ouvre en plein ses cimetières. Vous me répondrez qu'il n'y a plus aujour-d'hui de société – ce qu'on appelle de ce nom n'est en effet qu'une espèce de compromis – l'ordre établi – un état de choses. Un état de choses ne subsiste que grâce à un certain optimisme. Faute de mieux, on rétablit l'optimisme en diminuant le nombre des malcontents. Ce sont là d'amères vérités, nous l'avouons, et il est préférable pour nous de les laisser dans l'ombre. Elles ne sont d'ailleurs pas nôtres. Qu'on nous refasse une société chrétienne, et notre politique sera bien différente ! L'Église aussi est une société. En tant que telle, c'est avec les sociétés humaines qu'elle traite. Voudrait-on que nous soyons toujours du côté des mal-contents ? Notre crédit temporel serait alors bien vite épuisé ! Certes, nous ne manquons jamais de respecter la pauvreté, ni d'enseigner qu'elle mérite honneur et révérence. Mais il n'y a pas que la pauvreté, il y a les pauvres. Les seuls vrais pauvres dont nous pouvons nous porter garants sont les pauvres volontaires, nos moines et nos moniales. Ceux-là portent l'uniforme de l'armée régulière. Les autres appartiennent aux formations irrégulières, à peu près comme ces corsaires pourvus d'une lettre de marque et que les pouvoirs légitimes se réservaient toujours de désavouer. Il est parfaitement exact que le monde moderne, en multipliant les besoins, multiplie les misérables, il rend de plus en plus difficile le paisible exercice de la pauvreté. Les papes ont éveillé, par des encycliques, sur ce problème capital l'attention des gouvernements. Que pouvons-nous de plus ? Le nombre des misérables va croissant, et nous voyons croître à proportion les budgets de guerre. Il y a là une coïncidence troublante. Après tout, détruire à coups de canon le surplus des misérables, ou consumer par le feu des récoltes entières de froment, jeter au ruisseau des tonnes de lait sont des mesures absolument identiques. Si la société matérialiste nous demandait d'approuver solennellement, par exemple, l'extermination des chômeurs, nous lui répondrions certainement par un refus. Remarquez que ce procédé aurait pourtant des conséquences moins inhumaines qu'une abstention impuissante, car en laissant se multiplier les misérables, c'est-à-dire les éléments antisociaux inassimilables, on aboutit fatalement à des répressions sanglantes qui toujours dépassent le but, remplissent les cimetières, vident les caisses de l'État, sont la cause de crises économiques, génératrices de nouveaux misérables – ainsi se ferme le cycle infernal. N'importe ! l'extermination des chômeurs tombe d'elle-même sous nos censures. Mais nous ne saurions interdire à la Société de se défendre contre les éléments de désordre. D'autant que nous sommes, de ces désordres, les premières victimes. Cette dernière considération paraîtra, elle aussi, peu noble à M. Bernanos. Nous lui ferons donc observer que dans la mesure même où la société s'endurcit, nos œuvres sont de plus en plus précieuses, indispensables. Il est des misérables chrétiens, il en est d'autres impies. Qu'on fusille ces derniers, nous ne nous en réjouirons pas, mais enfin nous n'en sommes pas fâchés pour nos églises et pour nos prêtres. Que voulez-vous que nous répondions à des gens qui prétendent en assumer la défense contre les bourreaux et les incendiaires ? Nous faisons semblant de les croire. Il arrive que nous les croyions, car ce temps malheureux abonde en paradoxes, équivoques et contradictions. Gagner encore quelques années, quelques mois même, ce n'est pas rien ! Car l'heure viendra, l'heure va venir où l'on nous mettra, comme on dit, au pied du mur. La société matérialiste a encore pour nous des égards. Elle s'est baptisée réaliste. Le réalisme est un nom honorable, un beau nom qui nous rappelle les controverses de la bonne époque, la querelle des universaux. Ne décourageons pas cette bienveillance. Il est clair qu'après avoir exterminé les misérables, elle demandera l'autorisation de décimer, au nom des mêmes principes réalistes, les incurables, les infirmes, les tarés, ou présumés tels – dans l'intérêt de la race. Nous devons nous opposer nécessairement à cette regrettable pratique. Nous nous y opposerons avec le moindre risque, soutenus par une partie de l'opinion universelle. Cette catégorie de misérables ne saurait, en effet, être entièrement assimilée aux autres éléments de désordre. Ainsi avons-nous pris contre M. Hitler la défense des juifs. Les juifs se sont bien gardés de prendre les armes. M. Hitler ne peut nous les représenter comme des révoltés ! Ainsi nous sont-ils devenus plus précieux que les catholiques basques, dont l'entêtement héroïque compromet gravement notre politique. De plus, les juifs sont puissants dans le monde et valent d'être ménagés. Nous le disons sans honte. Une telle attitude serait blâmable si nous attendions de ces juifs qu'ils servent nos intérêts temporels. Mais nous les ménageons pour qu'ils nous ménagent à leur tour, c'est-à-dire qu'ils ménagent l'Église, et peut-être même qu'ils dispensent un jour quelque part de leur superflu aux misérables échappés des massacres. Car tout vient du pauvre et tout retourne au pauvre. La pauvreté est un gouffre, engloutit tout, consomme patiemment les richesses de l'univers. Nous le savons. Nous savons que la patience du pauvre ne périra pas. *Patienta pauperum non peribit in aeternum.* La patience du pauvre aura raison de tout. C'est ainsi qu'il faut entendre le mystère de son avènement. Le sceptre du pauvre est la patience. Ce sont là des vérités que les hommes de gouvernement, fussent-ils d'Église, doivent se dispenser de prêcher aux riches comme aux pauvres. Dieu sait où va leur cœur, mais ils ne peuvent prendre à leur compte les malédictions de Léon Bloy. Nous préférerons toujours M. Ch. Maurras à Péguy. Vit-on jamais une cité opulente où les pauvres diables aient mangé à leur faim ? Les plus hautes fleurs de la civilisation humaine ont poussé sur les fumiers de la misère. Il ne devrait pas en être ainsi, soit ! C'est pourquoi Notre-Seigneur Jésus-Christ a maudit le monde, et nous devons pourtant traiter avec le monde. L'habitude prise n'en va pas sans un certain endurcissement de cœur. Si l'Église était gouvernée par les Petites Sœurs des Pauvres, ses affaires temporelles n'en iraient pas mieux. Croyez-nous. Elles iraient même beaucoup plus mal. Que voulez-vous ! Nous faisons aux maîtres une obligation de la justice et aux esclaves un devoir de la résignation. Lorsqu'un esclave tire des coups de fusil, comment le tenir pour un résigné ? Au lieu que l'injustice du maître est affaire d'appréciation. Hélas ! nous ne nions pas du tout que l'injustice du maître coûte beaucoup plus cher à la société que certaines violences. Pourtant, même à dommage égal, la sanction sera très différente, car la justice défère à ses tribunaux l'injustice du maître, la révolte des autres étant du ressort de la garde civile. Or le jugement des mitrailleuses est malheureusement sans appel. Nous ne faisons aucune difficulté de convenir qu'il y a aujourd'hui de mauvais patrons. Il y en a eu de pires jadis. Pour faire la partie belle à nos contradicteurs, nous accepterons même de nous reporter au dernier siècle, lorsque la législation ouvrière n'existait pas. Nous pensons à l'un quelconque de ces petits potentats de province dont la cupidité, l'inconscience et l'avarice décimaient des générations de femmes et d'enfants, accablés par un travail qui dépassait leurs faibles forces, et auxquels un salaire dérisoire permettait à peine de ne pas mourir de faim. Si la peinture ne paraît pas encore noire, nous voudrons bien encore qu'au mépris du sixième commandement ce mauvais riche disposât de ses plus jolies ouvrières pour de répréhensibles pratiques. Cela s'est vu. Cela s'est même vu souvent. Supposez maintenant qu'un jour de paie les ouvriers, après s'être rendus coupables d'ivrognerie – le plus grand des péchés de gourmandise, et le seul aussi qui reste à la portée des gens qui meurent de faim –, se soient rassemblés dans l'intention de briser, à coups de pierres, les carreaux de leur patron. Le préfet – nous ne parlerons pas du maire, présumant que sous le règne de Louis-Philippe notre industriel eût certainement exercé lui-même la magistrature municipale –, le préfet, disons-nous, n'aurait pas manqué d'intervenir avec ses gendarmes. Dans une conjoncture semblable, qu'un petit livre d'Édouard Drumont a rendue tristement fameuse, les émeutiers accompagnés de leurs familles ayant refusé d'obéir aux sommations, l'agent responsable donna l'ordre de tirer sur la foule. Il y eut un nombre regrettable de victimes. Or, à l'exception de M. le chanoine Lemire et de M. le comte Albert de Mun, les députés bien-pensants approuvèrent à l'unanimité ce fonctionnaire. Si légitime que pût être l'indignation des travailleurs, elle ne saurait naturellement se traduire par un désordre. N'importe quel préfet aurait agi de même, eût-il été bon catholique et membre de la Société de Saint-Vincent-de-Paul.

– Je partage absolument l'opinion de Vos Seigneuries. On pourrait pousser plus loin l'argument. Il serait facile, par exemple, d'imaginer que l'industriel-maire recevait précisément à sa table, ce jour-là, le curé de la paroisse. Nul doute qu'en attendant l'arrivée, toujours un peu tardive, des gendarmes, cet ecclésiastique n'eût donné à son hôte l'autorisation d'abattre la canaille qui menaçait sa propriété. – Votre ironie ne nous déconcerte nullement. L'exercice du droit de légitime défense ne saurait être refusé à personne. – Soit. Dans quelle mesure l'auriez-vous reconnu aux pauvres diables dont nous venons de parler ? – Dans la même mesure, exactement. Car si le mauvais riche, suivi de ses domestiques, était venu faire le siège de modestes et respectables chaumières, briser leurs vitres… – Excellences, il y avait rarement des vitres aux chaumières en ce temps-là. Votre hypothèse est d'ailleurs, permettez-moi de vous le dire, invraisemblable. Mais laissons dormir les morts. Oui ou non, au témoignage des Révérends Pères jésuites-sociaux, n'existait-il pas, en Espagne, de nombreuses enclaves où l'incurie et l'avarice des propriétaires fonciers réduisaient à la famine des misérables sous-alimentés depuis des siècles ? Le dictateur Primo de Rivera appelait ces curieux centres de dépopulation la honte de l'Espagne. – Nos Seigneuries le déplorent. Elles se sont levées maintes fois, se lèvent encore contre… – Que Vos Seigneuries prennent donc la peine de se rasseoir. Leur gymnastique ne sert à rien. Eussent-elles approuvé, oui ou non, la révolte de ces malheureux ? Eussent-elles invoqué – je dis ouvertement, solennellement invoqué en leur faveur le droit de légitime défense ? – Leur révolte n'aurait guère plus servi que notre gymnastique. – Sans doute. Et je vais même vous dire pourquoi : c'est qu'à l'appel des propriétaires affameurs eût répondu aussitôt la totalité des gens d'ordre, parmi lesquels on aurait compté de braves gens, beaucoup de braves gens, presque aussi maigres et non moins exploités que les affamés. Il y a une solidarité des hommes d'ordre. Je ne la déplore pas. Je déplore qu'elle se soit constituée sur une équivoque inhumaine, sur une conception hideuse de l'ordre – l'ordre dans la rue. Nous connaissons cette espèce d'ordre depuis l'enfance. C'est l'ordre des pions. Deux espiègles enfoncent leur plume dans les cuisses de l'élève Gribouille. Gribouille crie. – Élève Gribouille, cent lignes. – Mais monsieur ! – Élève Gribouille, deux cents lignes ; et si vous continuez à troubler vos studieux camarades, je vous mets à la porte de l'étude. – Nous et nos vénérés Frères avons écrit maintes fois… – Excellences, Vos Seigneuries ont parfaitement défini les conditions de l'Ordre Chrétien. Et même, à vous lire, on comprend très bien que les pauvres gens deviennent communistes. Car c'est leur manière à eux d'exprimer leur désapprobation du faux ordre. La vôtre est d'un caractère évidemment plus grave, plus objectif. C'est peut-être que le désordre ne révolte que votre zèle ou votre raison. Les misérables seraient incapables de le définir, ils l'expérimentent à vif. Un médecin peut bien regretter très sincèrement qu'une mauvaise politique de l'hygiène voue d'innocents jeunes gens à la syphilis. Mais autre chose est de déplorer la syphilis, autre chose est d'attraper la vérole. – Vous prétendez convaincre Nos Seigneuries d'imposture ? – Assurément non. Je veux seulement dire que vous ne souffrez pas dans votre chair, et moins encore dans la chair de votre chair. Même alors, d'ailleurs, vos sentiments religieux vous rendraient plus facile l'exercice de la sainte patience. – Nous sommes, en effet, des hommes de paix. – Certes. Il arrive pourtant que le désordre vous presse à votre tour. Votre attitude alors n'est pas très différente de celle des violents qui tuent pour ne pas mourir. On vous voit, au nom du Père, du Fils et du Saint-Esprit, bénir des arguments à répétition qui sortent tout luisants, bien graissés, des célèbres bibliothèques de M. Hotchkiss. J'ai vu, par exemple, Mgr l'évêque-archevêque de Palma agiter ses mains vénérables au-dessus des mitrailleuses italiennes – l'ai-je vu, oui ou non ? – Vous l'avez vu. Fallait-il donc nous laisser tuer, priver la catholique Espagne de ses pasteurs ? La vie de nos assassins était-elle plus précieuse que la nôtre ? Fallait-il qu'on les épargnât aux dépens de notre propre existence ? – Je répondrai une fois pour toutes à Vos Seigneuries que tuer est pour un homme d'honneur une nécessité douloureuse. Il me semblera toujours préférable d'opérer moi-même. Mais puisque Vos Excellences se résignent à n'exercer qu'indirectement, par personne interposée, leur droit de légitime défense – ce droit qui me paraît de plus en plus réservé à une certaine catégorie de citoyens et comme inséparable du droit de propriété, au point qu'on peut bien défendre à coups de fusil sa maison, même si l'on en a plusieurs, alors qu'on ne peut défendre par les mêmes moyens son salaire, même si l'on ne possède rien d'autre –, il eût mieux valu, après tant de discours sur la malheureuse condition des paysans et des ouvriers espagnols, l'égoïsme des riches, le caractère prétendu antisocial de la monarchie bourbonienne, vous retenir encore un peu de dénoncer solennellement au monde, comme seuls auteurs responsables d'une si grande variété de malheurs, des hommes dont le moins qu'on puisse dire est qu'ils souffraient plus que d'autres des erreurs et des malheurs que vous passiez votre temps à déplorer. Si vous ne disposez contre les mauvais riches d'aucune autre sanction que vos inoffensifs mandements de carême, c'est un triste spectacle de voir vos vieilles mains, vos vénérables vieilles mains où brille l'anneau du Pasteur désigner en tremblant, aux justiciers, la poitrine des mauvais pauvres. Même mauvais, les pauvres ne peuvent être tenus pour responsables, par exemple, de la crise économique et de la furie des armements. Ils ont perdu Dieu, soit. Est-ce que vous leur aviez donné Dieu à garder ? Je croyais jusqu'à ce moment que cette charge vous était confiée ? Nous nous faisons, nous autres pères, une idée, je crois, assez convenable des égards dus à votre paternité. Lorsque vos enfants tournent mal, pourquoi diable refuseriez-vous de partager l'angoisse des pères selon la nature ? Cette sorte d'angoisse a un nom, nous l'appelons la honte. Les fautes des fils n'ont-elles pas toujours rejailli sur les pères ? Ce risque est lourd, il assure aussi la dignité de notre humble ministère temporel. Si les fils n'étaient capables de déshonorer les pères, comment pourraient-ils les honorer ? En parlant ainsi, je suis sûr de ne causer aucune surprise à Vos Seigneuries, car leurs prédicateurs ne manquent aucune occasion de nous rappeler nos responsabilités sur ce point capital. C'est d'ailleurs par cette responsabilité que nous sommes pères. Hors d'elle nous ne serions que des tuteurs ou des nourriciers. Certes, je ne doute nullement que dans le secret de leur oratoire les évêques espagnols n'interrogent sévèrement leur conscience. Ils soulageraient grandement les nôtres en laissant voir quelque chose, dans leurs discours, de cette louable anxiété. Nous ne demanderions d'ailleurs pas mieux que d'en partager filialement l'amertume. Car, à la fin des fins, si Dieu se retire du monde c'est qu'il se retire de nous d'abord, chrétiens. Je ne suis nullement expert en théologie, je parle ici comme d'habitude, selon la lettre et l'esprit du catéchisme élémentaire, le seul que je sois sûr de connaître. Depuis les premiers siècles, l'Espagne est un pays chrétien. Pour le préserver des Maures, des juifs et de la plus grande hérésie de l'Occident, les hommes d'Église n'ont guère ménagé sa chair et son sang. Ils ont trouvé dans les Rois Catholiques des collaborateurs si zélés que les papes eux-mêmes devaient rassurer parfois la bigoterie soupçonneuse de ces grandioses maniaques dont les ambassadeurs, à lire certains de leurs rapports publiés jadis par M. Champion, espionnaient la cour de France au compte de Monseigneur l'archevêque de Tolède, les sbires de la Sainte Inquisition recueillant les suspects au passage de la frontière. Bref, il serait impossible de citer, en Europe, un pays où l'Église a trouvé plus d'alliés, ou, s'il le fallait, de complices. En plein dix-neuvième siècle, alors que notre pauvre clergé ruiné par la Révolution ne se recrutait déjà qu'avec tant de peine, Leurs Seigneuries espagnoles ne savaient, à la lettre, que faire de leurs prêtres et de leurs moines. On m'accordera de même qu'ils n'ont jamais manqué de ressources ni – sauf de brèves éclipses – des faveurs du gouvernement. Alors quoi ? N'est-il pas incroyable qu'une telle nation compte aujourd'hui un si grand nombre de fanatiques d'impiété ! L'exemple de mon propre pays ne saurait rien m'apprendre. Il a fallu deux siècles au rationalisme de la Renaissance pour infecter nos classes dirigeantes, et c'est de la bourgeoisie voltairienne que notre peuple tient son anticléricalisme. L'anticléricalisme, comme la vérole, a d'abord été chez nous une maladie bourgeoise. En 1789, la paysannerie française restait fidèle à ses prêtres. Elle le restait encore en 1875. Bref, Leurs Seigneuries espagnoles ne sauraient, comme les nôtres, accuser l'école laïque. – Évidemment, il y a le diable. »

*

L'argument ne me semble pas négligeable. Me rapportant toujours au catéchisme élémentaire, je dirai cependant qu'il serait périlleux d'avouer qu'un pays disposant de si prodigieuses réserves spirituelles puisse être ravagé tout à coup par la haine de Dieu comme par la peste. Je sais bien que la Providence se plaît parfois à déconcerter notre logique, mais elle permet rarement que se pose aux hommes de bonne volonté la question sans réponse, par laquelle s'exprime l'espèce la plus insidieuse et la plus redoutable du désespoir : « À quoi bon ? » Contre le diable, l'Église dispose de puissants moyens surnaturels. Il est vrai, je ne l'ignore pas, que Dieu peut les rendre pour un temps inefficaces. Mais enfin, vous autres, gens d'Église, vous parlez sans cesse des nécessités de votre politique temporelle. À vous entendre, nous n'en apprécions nullement l'importance et les heureux effets dans le monde. Il n'est pas de sacrifice d'argent, de conviction ou d'amour-propre que vous n'exigiez de nous dans l'intérêt de ces infaillibles combinaisons. Lorsqu'il vous arrivait de conclure jadis, au temps des diplomates, un avantageux concordat, ne réclamiez-vous pas votre part d'éloges, et, faute de mieux, sans reproche, Excellences, ne la preniez-vous pas vous-mêmes, grâce à la presse religieuse, experte en hyperboles ? Si comme les Révérends Pères jésuites en nourrissaient l'espoir, Leurs Seigneuries avaient réussi à fonder de l'autre côté des Pyrénées une république bien-pensante, cette démocratie cléricale fruit d'un heureux compromis entre l'esprit conservateur et le vocabulaire de gauche, Dieu !... quelle ruée de thuriféraires, quelle envolée d'encensoirs ! Puisque votre politique temporelle a de si hauts desseins, pourquoi nous serait-il interdit de mesurer ses échecs ? Je ne suis nullement un fanfaron de sincérité. Pour ce qui me reste à dire, j'aimerais autant qu'un autre s'en chargeât. Qu'ai-je à gagner dans cette entreprise ? Je ne saurais me ranger parmi ces hommes dangereux auxquels on pardonne volontiers des excès de langage, parce qu'on les redoute. Leurs Seigneuries d'Espagne ou d'ailleurs n'ont rien à craindre de moi. Hélas ! il peut arriver à n'importe lequel d'entre nous, fût-il d'ailleurs prince ou évêque, de se trouver brusquement face à face avec la Sainte Humanité du Christ, car le Christ n'est pas au-dessus de nos misérables querelles – à l'exemple du Dieu géomètre ou physicien –, il est dedans, il s'est revêtu de nos misères, nous ne sommes pas sûrs de le reconnaître du premier coup. Mais enfin,

Leurs Seigneuries jouent avec moi, comme on dit, sur le velours. Elles savent bien que sous aucun prétexte je ne voudrais écrire un mot contre l'Église. J'accorde volontiers que mes propos ne conviennent pas à tout le monde, mais qui peut parler sans risque de scandale ? L'expression même de la pensée par la parole est dans le monde un scandale permanent. Et que dire de la parole écrite ? Bonne aujourd'hui, ne peut-elle pas être mauvaise demain ? Certaines œuvres bienfaisantes, libératrices, du temps que battait le pauvre cœur qui les avait conçues, nous apparaissent aujourd'hui fixées dans une immobilité redoutable, une espèce de grimace inhumaine – comme des spectres. Hélas ! le dernier privilège du pauvre était de ne savoir pas lire ! On l'en a privé avec les autres, il n'est plus analphabète, il n'est plus maintenant qu'ignorant. Le monde vit d'illusion, c'est-à-dire de prestiges, et c'est un grand malheur pour beaucoup que se substitue au prestige des personnes, ou même des uniformes, le prestige plus médiocre encore des mots. Je sais cela, je sais tout cela aussi bien qu'aucune des Excellences qui m'accusent de porter atteinte au leur. Mais quoi ? Ne m'ont-elles pas prêché jadis qu'il me fallait vivre avec mon temps ? Le silence peut-il suffire à maintenir les prestiges dans un monde livré aux bavards ? Il ne m'appartient pas de me prononcer sur le principe même du prestige, mais j'ai bien le droit d'apprécier les méthodes puisque j'appartiens au public qu'on prétend séduire. M'est-il défendu de les préférer sincères ? Sans doute le devoir de sincérité ne s'impose pas si étroitement aux hommes publics, fussent-ils d'Église. J'admets volontiers qu'ils mentent, faute de mieux. Il reste que le mensonge est un pis-aller : encore faut-il qu'il serve à quelque chose. Or l'expérience de la vie nous apprend promptement que les mensonges les plus inutiles sont ceux-là qui prétendent masquer après coup les erreurs ou les fautes, les mensonges d'excuse, qu'on pourrait appeler les mensonges de raccroc. Après tout les pères de famille ont eux aussi leur politique temporelle, et cette politique est, par plus d'un côté, une politique de prestige. Nous gagnons rarement à étayer d'un mensonge une erreur ou un échec. On n'échappe pas au ridicule par une affectation de gravité. Je sais une grande Dame, une très grande Dame, une des plus grandes Dames du monde qui, en présence de son bon cousin le roi d'Espagne, au cours d'un déjeuner intime, laissa choir son dentier. Elle le reprit discrètement, porta une seconde sa serviette à sa bouche, fit du regard le tour des convives, recueillit les sourires furtifs, et avisant enfin au bout de la table le précepteur ecclésiastique pâle d'un compatissant émoi : « Monsieur l'abbé, dit-elle, je voudrais pouvoir vous faire archevêque, il n'y a que nous deux qui n'ayons pas ri. »

*

On peut me répondre que je ne suis pas bon juge de la politique temporelle des gens d'Église. Dieu me garde, en effet, d'imiter les insupportables polygraphes de droite qui, depuis trente ans, la plupart avec l'accent de Marseille, gourmandent l'Europe, décident gravement de la Paix ou de la Guerre, rêvent de fabuleuses alliances latines, sous le contrôle, sans doute, d'une Internationale de professeurs, et pour résoudre le problème allemand déclarent au nez d'un certain nombre de vieilles dames admiratrices et terrifiées : « Rien de plus simple. Selon la méthode cartésienne, divisons la difficulté, c'est-à-dire l'Allemagne, en autant de petits États qu'il sera nécessaire. » Là-dessus, ils sonnent le secrétaire de rédaction qui leur apporte la colle et les ciseaux.

*

Je ne suis pas bon juge de la politique temporelle des gens d'Église, je ne connais pas leurs dossiers. Mais je suis juge, comme tout le monde, de ses manifestations publiques. Leurs Seigneuries savent mieux que moi ce qu'elles souhaitent de prestige. L'affaire n'est pas de souhaiter, mais d'obtenir. Or, si l'amour-propre suffit à nous informer du degré de prestige proportionné à l'opinion généralement favorable que nous avons de nous-même, elle ne saurait évidemment, pour la même raison, nous avertir du ridicule. C'est le prochain qui peut nous mettre en garde, lui seul. Je braverai donc ce ridicule en me permettant de dénoncer les omissions ou les mensonges désormais inutiles, puisqu'ils ne satisfont qu'une petite troupe de fanatiques respectueux, que la vérité contenterait probablement aussi bien, puisqu'ils se contentent de n'importe quoi. Pour un paroissien qui raisonne comme si les gens d'Église jouaient toujours la meilleure carte et ne perdaient au jeu que grâce aux charmes magiques d'un diablotin dissimulé dans leur barrette, cent mille braves gens d'intelligence moyenne, auxquels on vante le légendaire esprit de finesse des dignitaires ecclésiastiques et qui d'ailleurs savent parfaitement que l'Église ne choisit généralement pas ces derniers parmi les religieux contemplatifs favorisés d'éclatantes faveurs mystiques, se disent que dans toutes les entreprises humaines, ou toutes celles du moins où l'on fait sa part au génie humain, les chefs sont tenus responsables des échecs. Dois-je répéter une fois de plus qu'on aurait tort de me prendre pour un zélote, un sectaire. Il serait probablement dangereux de prétendre limoger tous ensemble les évêques et les chefs d'ordres espagnols, convaincus d'incapacité. Mais enfin, supposons une minute que le Saint-Siège m'ait seulement placé à la tête, voilà une dizaine d'années, de l'Action catholique espagnole, m'assurant la disposition du budget de cette puissante société, je trouverais aujourd'hui naturel d'être relevé de mes fonctions. La propagande religieuse serait-elle la seule entreprise qui ne se juge pas aux résultats ? Si ce contrôle manque, je conseillerais alors de mettre les noms des successeurs éventuels dans un chapeau, et de tirer l'élu au sort après une prière au bon Dieu. Ce procédé ne me semble d'ailleurs pas plus méprisable qu'un autre, loin de là. Je doute seulement de le faire agréer aux autorités compétentes. Alors ? Il est certain que les gens d'Église raisonnent d'une manière bien différente. Les gens de droite ne leur cèdent pas, d'ailleurs, en optimisme. Si *l'Action française* comptait demain trois millions d'abonnés, M. Pujo se féliciterait certainement de sa bonne fortune. Mais si ce journal n'en compte plus, un jour, que deux cents, son rédacteur en chef écrira que ce sont les minorités qui font l'histoire et qu'un tel avortement apporte une preuve nouvelle de l'acharnement des ennemis de l'intérieur, et par conséquent de la nécessité plus pressante que jamais de soutenir le seul journal qui ne se soit jamais trompé. Pareillement lorsque l'influence des jésuites grandit, les bons pères exaltent leurs méthodes. Cela s'appelle un triomphe. Lorsqu'ils sont expulsés par tous les gouvernements, ou même interdits par le pape, comme au dix-huitième siècle, cela s'appelle une épreuve et ils déclarent que l'opiniâtreté des adversaires désigne assez leur Compagnie comme la meilleure. Moi, je veux bien. Je veux bien que si l'Espagne fourmille aujourd'hui de brise-croix, c'est que le diable exerce plus particulièrement ses diableries sur un pays riche de trop de prêtres vertueux, d'édifiants dévots, de zélateurs et de zélatrices. À ce compte, les monastères où pulluleraient tout à coup les religieux ivrognes ou paillards devraient être considérés comme de respectables forteresses contre lesquelles s'acharnent les démons. C'est une vue surnaturelle intéressante. Je ne crois pas que la congrégation de l'Index me permette de la développer dans un roman.

*

Mon opinion n'a d'importance que pour quelques amis. C'est pourquoi je l'exprime aussi librement. Je crois tenir de mes modestes ancêtres, à défaut de leurs vertus, un certain sens de la vie chrétienne, qui ne manquait jadis à aucun homme de notre vieux peuple baptisé. Je reconnais qu'il est possible d'imaginer, après Auguste Comte, une nation positiviste, aussi respectueuse des forces spirituelles que l'auteur de *la Politique positive*. Je crèverais parmi ces gens-là, si indulgents qu'ils fussent à mon égard, faute d'un air familier indispensable. Je leur préférerais cent fois les brigands iconoclastes, dont la fureur sacrilège m'est assurément plus concevable que l'orgueil des philosophes. Il y a chez nous, dans toutes les classes, beaucoup de chrétiens qui me ressemblent ? Nous ignorons si les enquêtes et les statistiques confirmeraient ou non les réactions spontanées de notre instinct. Mais le témoignage du chimiste le plus expert ne saurait prévaloir contre celui du malheureux qui prouve, en étouffant, la médiocre qualité de l'air qu'aspirent ses poumons. L'air d'Espagne n'est pas favorable à des poumons chrétiens. L'angoisse de la suffocation y paraît d'autant plus intolérable que rien ne l'explique d'abord, car la puissance catholique s'affirme là-bas de toutes parts. Après un séjour de l'autre côté des Pyrénées, l'illustre archevêque de Malines, le cardinal Mercier, félicité, par le témoin même duquel je tiens le fait, d'avoir pu admirer de près la chrétienne Espagne, répondit après un long silence : « Chrétienne, l'Espagne ! Vous trouvez ?... » Fort d'une telle caution, je me permettrai donc d'écrire qu'avant de chercher à un fait désormais historique des explications inaccessibles aux intelligences moyennes il conviendrait de se poser une simple question : « L'instruction ou plutôt l'éducation chrétienne n'a-t-elle pas été sabotée, en Espagne, au profit d'une poignée de prétendus bénéficiaires de la dévotion ? »

S'il en était ainsi, on jugerait dérisoires et la condamnation solennelle de tous les adversaires du pronunciamiento, fussent-ils catholiques, et l'approbation à peine nuancée des méthodes militaires appliquées à la conversion des impies. Qu'importe, direz-vous, une approbation de plus ou de moins ? Je vais répondre, je pèse mes mots. Je ne prête pas aux évêques d'Espagne, non plus qu'à leurs vénérés approbateurs français, le goût du sang. « Ce M. Bernanos, pensent-ils, se croit très malin, il nous juge sur nos écritures. Nous prend-il pour de simples gens de lettres ? Avec toutes ses belles phrases, il ne sauvera probablement pas du poteau un seul catholique basque. Au lieu que notre insistance discrète a plusieurs fois obtenu de M. le général Franco la promesse formelle d'un certain adoucissement à la répression. » L'argument n'est pas négligeable. J'ajoute même que Leurs Seigneuries se font sans doute une idée trop modeste de leur auguste crédit auprès du public catholique – modestie, hélas ! justifiée par un grand nombre d'expériences antérieures. Malheureusement le réalisme politique, soit de droite, soit de gauche, vient de s'aviser que l'opinion catholique, depuis deux siècles impuissante à conquérir, devient une force non négligeable, on peut même dire momentanément indispensable aux entrepreneurs des prochains charniers. Le réalisme stalinien la ménage – du moins en France –, le réalisme fasciste lui offre, dans la Cité antique reconstituée, une sorte d'honorariat, un privilège analogue à celui des Princes Consorts. Le réalisme hitlérien, lui-même, prend des gages dont la négociation facilitera sans doute les accords futurs – selon la plus pure tradition de la diplomatie bismarckienne. Bref, le monde qui se forme souffre d'une extrême disette de valeurs spirituelles et souhaite ardemment disposer des nôtres. Il est prêt, comme toutes les trésoreries embarrassées, à augmenter le taux de l'intérêt. Nous ne prétendons pas, nous autres simples laïques, disposer d'énormes capitaux spirituels et, dans une certaine mesure, nous les mettrions volontiers à la disposition de nos pasteurs. N'est-il pas légitime pourtant d'exiger quelques garanties avant de jeter dans la spéculation des dictatures l'humble épargne des aïeux ? Car cette épargne n'est pas un bien abstrait, notre héritage spirituel s'est incarné, nous ne rendrons pas compte à Dieu d'une bibliothèque – nos enfants sont une part de cet héritage, la part vivante. Or le mandement de Leurs Seigneuries espagnoles n'est évidemment qu'un mandement après beaucoup d'autres, mais ce n'est pas un mandement comme les autres. Il n'est pas possible de cacher à Leurs Seigneuries que notre génération n'a pas été précisément abreuvée par elles de grandeur, d'héroïsme. Chaque fois qu'elles sont intervenues, au nom du Moindre Mal, c'était pour nous demander d'abandonner quelque chose. Elles ne nous ont jamais prêché que la résignation, l'acceptation, l'obéissance au pouvoir établi. La fidélité à l'ancienne France était hier encore tenue pour un acte d'insubordination regrettable, et les affreux petits curés démocrates, jaunes de toute l'envie des parvenus de l'intelligence, espèce d'ailleurs heureusement presque abolie, ainsi qu'une autre à peine distincte, celle des instituteurs de M. Jules Ferry, nous riaient au nez lorsque nous parlions d'honneur, du vieil honneur jugé réactionnaire. La guerre venue, après avoir toléré qu'on enrichît le catéchisme d'un huitième péché capital, celui de Défaitisme, elles laissèrent pratiquement à M. Poincaré ou à M. Clemenceau le soin de résoudre nos petits cas de conscience, de nos consciences militaires, de nos consciences mobilisées. Quelques années plus tard, la nécessité s'imposant de mettre au point une doctrine pratique de la Paix – celle que le monde attendait, qu'il attendait de nous, de la France –, les mêmes Seigneuries chargèrent officieusement de ce soin M. Aristide Briand. Temps fameux où le père de la Brière était à la Société des Nations l'observateur de la Compagnie – ô temps fameux, temps révolus ! La voix de ce révérend a dû tomber avec Addis-Abeba, et son ardeur s'éteindre avec la dernière bombe de Guernica. À moins qu'ayant achevé son bout de rôle, il attende de ses supérieurs qu'ils lui en donnent un autre. Que voulez-vous ? Je ne me fais peut-être pas de l'obéissance une idée très orthodoxe. Docile comme un cadavre, soit. Mais personne ne peut contraindre un cadavre à parler !…

*

Si je réveille aujourd'hui des souvenirs c'est afin de faire mieux comprendre que le nouveau langage des Seigneuries a retenti comme l'appel de la trompette au cœur de nos enfants. La Sainte Écriture ne dit-elle pas que les pères ont mangé les fruits verts, et que leurs fils ont les dents agacées ? Il est naturel que nos successeurs éprouvent le besoin de se réchauffer l'estomac. Mais il est naturel aussi qu'ils soient exposés à se tromper sur la qualité du vin qui leur est servi. Je continue à peser mes mots. Lorsque les hommes d'Église pratiquaient la politique des concessions et en parlaient le langage, ils réjouissaient avec les ducs libéraux de l'Académie française une foule de braves gens dont les réactions étaient d'autant moins à craindre qu'ils faisaient profession de détester jusqu'au mot de réactionnaire. Dans ces conditions il est évident que les états-majors ecclésiastiques ne risquaient pas grand-chose. Mais en appelant aux armes, même à voix basse, je crois qu'ils mettront debout un peuple qu'ils connaissent mal, et dont ils ont parlé jusqu'ici rarement la langue, ce peuple de la jeunesse qui a pourtant fait le Moyen Âge et la chrétienté, aux temps bénis où le monde n'était pas encombré de vieillards, où un homme de mon âge, grâce à l'ignorance des médecins, l'abus des viandes et des robustes vins du terroir, devait déjà penser à céder bientôt la place. Depuis le dix-septième siècle, l'Église se méfie de la jeunesse. Oh ! vous pouvez sourire ! Votre système d'éducation marque, avouez-le, plus de sollicitude que de confiance. C'est bien joli de protéger les petits hommes contre les périls de l'adolescence, mais les bons jeunes gens que vous exposez dans les concours manquent un peu de tempérament, vous ne trouvez pas ? Sont-ils plus chastes que leurs ancêtres du treizième siècle, je l'ignore. Entre nous, je me le demande. Je me demande encore si ces produits sélectionnés de la formation humaniste et moraliste mise à la mode par les jésuites de l'époque classique n'absorbent pas votre attention au point de vous faire perdre le contact avec une jeunesse bien différente et qui d'ailleurs passe rarement le seuil de vos maisons. Oui, appelez cette jeunesse aux armes, appelez-la, et vous verrez frémir la chrétienté comme la surface d'une eau prête à bouillir. Il est plus facile à nos vieilles races militaires de combattre et de mourir que de pratiquer la vertu de chasteté. Votre erreur n'était pas de demander trop, c'était sans doute de ne pas demander assez, de ne pas demander tout, la vie même. Au fond, vos ingénieuses méthodes semblent inspirées moins de l'Évangile que des moralistes, l'Évangile est tellement plus jeune que vous ! À vous entendre, on croirait parfois que la jeunesse est une crise malheureusement inévitable, une épreuve à surmonter. Vous avez l'air d'en surveiller les complications, le thermomètre à la main, ainsi que d'une scarlatine ou d'une rougeole. Dès que la température baisse, vous poussez un soupir de soulagement, comme si le malade était hors de danger, alors qu'il ne fait le plus souvent que prendre sa place parmi les médiocres, qui se qualifient entre eux d'hommes graves, ou pratiques, ou dignes. Hélas ! c'est la fièvre de la jeunesse qui maintient le reste du monde à la température normale. Quand la jeunesse se refroidit, le reste du monde claque des dents. Oh ! je sais bien que le problème n'est pas simple. Réconcilier, au nom de l'humanisme, la morale de l'Évangile et celle de La Fontaine ne semble pas une petite entreprise. Lorsqu'un ministre, un banquier, remet entre vos mains sa géniture, il espère que vous la modèlerez à son image et à sa ressemblance, et vous ne pouvez tromper tout à fait son attente. Vous ne la trompez pas toujours. La fine fleur de l'athéisme encyclopédique est sortie de vos maisons. « Nous les traitions bien, dites-vous, nous les protégions contre le mal, ils n'avaient rien à craindre auprès de nous. » Oui, dommage que le bateau ait pris la mer ! S'il n'était jamais sorti des cales nous l'y verrions encore, peint à neuf, lavé de frais, orné de jolis pavillons. – « Hé quoi, ne les avions-nous pas prévenus contre le monde ? » – Sans doute. Ils savaient plus ou moins toutes les concessions qu'un chrétien peut faire à l'esprit du monde sans risquer l'enfer éternel. Avec de tels champions des Béatitudes, le monde n'a pas grand-chose à redouter, il peut tranquillement attendre que la malédiction portée contre lui s'accomplisse... « Vous ne pouvez servir Dieu et le monde, vous ne pouvez servir Dieu et l'argent... » Rassurez-vous, je ne commenterai pas ce texte, puisque vous me le défendez. Je dirai simplement que si vous aviez pris depuis vingt siècles autant de peine à le justifier que vous avez dépensé d'ingéniosité, de finesse et de psychologie, non pas sans doute à le détourner de son sens – Dieu ne l'eût pas permis – mais à mettre en garde vos paroissiens contre une interprétation trop littérale, la chrétienté serait peut-être plus vivante. Il n'importe guère que vous fassiez de jeunes chrétiens moyens, car le monde moderne est tombé si bas que « chrétien moyen » n'a même plus la signification d'honnête homme. Il est inutile que vous formiez des chrétiens moyens, ils deviendront tels avec l'âge. Certes, Dieu seul sonde les cœurs. Mais enfin, médiocre pour médiocre, à ne considérer que le rendement, n'importe quel chef responsable vous dira qu'un chrétien moyen a tous les défauts de l'espèce commune, avec une dose supplémentaire d'orgueil, d'hypocrisie, sans parler d'une regrettable aptitude à résoudre favorablement les cas de conscience. « Nous ne pouvons faire mieux », répondez-vous. Sans doute. On craint cependant que vous soyez tombés jadis dans la même illusion que les auteurs de programmes universitaires. À vouloir un peu de tout, vous n'avez pas voulu assez. Vos produits répondent malheureusement à l'idée que les professeurs de belles-lettres se font du génie français : pondéré, mesuré, modéré. J'entends bien qu'il serait dangereux d'exploiter la révolte naturelle de la jeunesse, en face d'une société organisée en dehors d'elle et qui ne saurait encore l'admettre nulle part. Il vous faut éduquer des citoyens qui rendront à César ce qui est à César et même un peu plus. Ce supplément est d'ailleurs d'importance variable, un chiffre à débattre, un gage précieux, base de profitables négociations avec le pouvoir établi. Si vous croyez que ce marchandage me scandalise, vous vous trompez grandement. Puisque César dispose de vos établissements, les ouvre ou les ferme à son gré, pourquoi ne marchanderiez-vous pas avec lui ? Le malheur est que vous ranimerez difficilement, plus tard, la flamme que votre prudence aura tenue sous le boisseau.

*

Je m'excuse de remuer ces cendres. Elles sont déjà si froides qu'on ne pourrait se coucher dessus sans mourir. Notre génération n'a pas été gâtée de splendeur, non ! Le champ de nos fidélités temporelles se rétrécissait à mesure, pour n'être plus qu'un point sur la carte, comme les États de l'Église, ce fameux héritage de Charlemagne pour lequel nos grands-pères ont cru mourir. Nous doutions de tout, nous doutions de nous davantage. Les moralistes croient volontiers la jeunesse présomptueuse. Sa présomption et son insolence ne sont pourtant que les expressions à peine différentes d'une timidité profonde, car elle craint le ridicule plus que la mort, et les hommes mûrs qui la manœuvrent le savent bien. Supposons qu'aux environs de 1905, je me sois rendu avec quelques camarades auprès de chaque évêque de France, et que nous leur ayons tenu ce langage : « Excellence, vous nous faites part tous les ans, à l'occasion du carême, de l'angoisse qui vous étreint au spectacle de la défaillante chrétienté. L'audace des méchants s'accroît sans cesse. L'ère des persécutions va s'ouvrir, beaucoup d'entre vous la déclarent ouverte. Nous sommes décidés à résister par les armes. Nous ne demandons pas à Votre Excellence de se mettre à notre tête, bien entendu. Mais le cas échéant, nous implorerons simplement votre bénédiction. » Leurs Excellences nous auraient paternellement souri au nez. L'occasion ne nous a pas été donnée sans doute, mais nous n'en gardons pas moins ce sourire sur le cœur. Quoi ! ce que vous eussiez qualifié alors d'enfantillage, de gaminerie, n'était donc pas si fou ? Alors que nous pensions sacrifier aux démons du romanesque, nous faisions preuve de tant de prévoyance politique ? N'avons-nous pas, de ce chef, quelque titre à discuter aujourd'hui vos initiatives ? De vous ou de nous, qui mérite, sur ce point, la confiance de nos fils ? À l'amertume de nos déceptions passées nous jugeons mieux que personne la ferveur d'enthousiasme de nos garçons qui, à l'âge où vous nous conviez à de pacifiques besognes – jardins ouvriers, cercles d'études, patronages ou propagation de *la Croix* et du *Pèlerin* –, sont appelés sous les étendards. Pour moi, une fois de plus, je parle de ce que je sais. Ce que j'exprime, je l'éprouve ou je l'ai éprouvé.

Si ce fait n'était public – autant qu'un événement si futile peut mériter une telle épithète – je ne me permettrais pas de rappeler que mon fils a servi sous l'uniforme de la Phalange. Je parlerai de lui d'autant plus librement qu'il est, à l'heure où je trace ces lignes – un mélancolique soir de Noël –, quelque part sur la mer, au large des côtes du Dahomey – ce qui prouve après tout qu'il n'appartient pas à l'espèce des sédentaires. Certes, je décline en son nom l'éloge excessif qui lui fut décerné jadis en chaire par S. Ém. le cardinal Baudrillart, car pas plus que moi-même en mon temps, il n'a jamais mérité d'être proposé en exemple à la jeunesse française. Mais enfin, il s'est battu. Il s'est battu dans notre petite île et aussi dans les tranchées de Madrid. Certes, je tiens l'ancienne Phalange pour parfaitement honorable, et il ne me viendrait pas à l'esprit de comparer un magnifique chef tel que Primo de Rivera aux généraux roublards qui pataugent depuis dix-huit mois, avec leurs grandes bottes, dans un des plus hideux charniers de l'histoire. Mon opinion eût-elle été différente que je n'eusse jamais songé à blâmer la fidélité d'Yves à ses compagnons, à son drapeau. L'honneur d'un garçon de dix-sept ans est une chose trop fragile, trop dangereuse à manier pour de vieilles mains. C'est précisément pourquoi nous vous demandons de réfléchir avant d'approuver ou de désapprouver, car il est plus facile de faire, par quelque solennel mandement, d'un général quelconque une sorte de Godefroy de Bouillon, que de refaire d'un Godefroy de Bouillon manqué, un général quelconque. Lorsque notre jeunesse sera debout, vos conseils viendront trop tard, et nous ne sommes pas gens, nous autres – non, vraiment, nous, leurs pères –, à tirer en arrière par leurs basques des braves garçons déjà engagés sous le feu de l'ennemi. Ne nous reprochez pas notre méfiance. Elle n'a rien d'irrespectueux. Nous ne nous méfions pas du tout, par exemple, de M. Claudel, l'encouragement de ce dernier ne comptant nullement à nos yeux.

*

Nous demandons pour nos fils un autre général que le général Moindre-Mal. Si la société moderne est à ce point d'injustice que les hommes de paix eux-mêmes songent à y laisser porter le fer, il faudrait tout de même s'entendre. Nos fils devront-ils mourir pour en retarder l'inévitable dissolution ? Anarchistes, communistes, socialistes, radicaux, parlementaires, de M. Prieto à M. Robles, il y a, chez les rouges d'Espagne, un assez joli panachage. Mais les blancs ne leur cèdent aucunement sur ce point. À qui fera-t-on croire que le milliardaire Juan March, enrichi au su de toute l'Espagne par la fraude et la concussion, jeté en prison par la Monarchie, aujourd'hui grand argentier du Mouvement, ait les mêmes buts politiques ou sociaux que le chef de la Phalange, qui l'avait publiquement promis, en 1936, au poteau d'exécution ? Que diable peuvent avoir de commun les paysans de M. Fal Conde avec ces aristocrates mâtinés de juif, qui tiennent de leur double origine les formes les plus exquises de la lèpre ou de l'épilepsie, et dont l'absurde égoïsme a perdu la Royauté ? La tragédie espagnole, préfiguration de la tragédie universelle, fait éclater à l'évidence la misérable condition de l'homme de bonne volonté dans la société moderne qui l'élimine peu à peu, ainsi qu'un sous-produit inutilisable. L'homme de bonne volonté n'a plus de parti, je me demande s'il aura demain une patrie. Je crois assurément peu désirable une collaboration des catholiques et des communistes, mais l'alliance des anciens combattants de Cathelineau et des émigrés voltairiens avait-elle beaucoup plus de chance de fonder une société nouvelle, ou même de restaurer l'ancienne ? Qui part d'une équivoque ne peut aboutir qu'à un compromis. Dans le monde moderne, le bon l'emporte-t-il encore assez sur le mauvais pour que nous devions nous considérer comme solidaires de tous ceux qui le défendent, même s'ils en sont les injustes privilégiés ? Je vois bien, par exemple, l'aide qu'apportent, en temps de guerre civile, les hommes de bonne volonté aux hommes d'argent. Ils mettent l'héroïsme au service de ces derniers. Mais la paix rétablie – ou du moins ce que la police appelle de ce nom – il est infiniment probable que l'homme d'argent fera recevoir l'homme de bonne volonté par son secrétaire. « L'ordre n'est-il pas sauvé ? Que demandez-vous de plus ? » Si l'autre insiste, on le traitera d'indiscipliné. Tant qu'il a mis la violence au service des maîtres, il a eu pour lui la magistrature et la gendarmerie. S'il lui arrivait plus tard d'en disposer au profit d'une autre catégorie de citoyens, il cesserait d'être un homme de bonne volonté pour devenir un homme de désordre, justiciable des tribunaux militaires. Je n'oserais lui promettre, dans ces conditions, l'appui de l'Épiscopat.

*

Les journaux publient aujourd'hui même une protestation du Saint-Siège. Il est difficile de rester insensible au spectacle de ce vieillard presque agonisant qui, rassemblant ses forces, en appelle à Dieu d'une injuste accusation, défend jusqu'au dernier souffle l'honneur de son pontificat. Mais enfin, mettez-vous à la place d'un jeune Croisé italien. On l'a croisé contre les noirs, on l'a croisé contre les rouges, va-t-on le croiser contre les rouges et noirs de M. Hitler, proclamé persécuteur de l'Église, au même titre que M. Prieto ? Il est vrai que pour s'acquitter de cette dernière épuration il n'aura pas à entreprendre un voyage coûteux vers les rives de la Spree. S'il mène en Espagne la guerre sainte, son zèle trouvera bien à s'exercer sur place contre les nazis volontaires de l'armée du général Franco. Je demeure perplexe.

*

Nous n'avons jamais fait que de l'action religieuse, proclame Pie XI. S'en tenir à cette action est facile au pape. Mais un propagandiste armé du fusil-mitrailleur aura beaucoup de mal à distinguer en lui le partisan du missionnaire. Sur le champ de bataille, l'un et l'autre ne font qu'un. La confusion me paraît inévitable, et je n'aurai pas l'hypocrisie de crier au scandale. Je ne me lasserai pas non plus de répéter que cette sorte d'apostolat ne saurait être toujours exercée en parfaite sécurité de conscience. Le devoir des autorités religieuses n'est-il pas de définir nettement le but, puisqu'elles jugent, hélas ! impossible de nommer les chefs responsables ? Les Croisés s'étaient croisés pour délivrer le tombeau du Christ. M. Henri Massis assure que nous défendons l'essentiel de la civilisation occidentale. C'est une formule bien vague, et qui ressemble à celle de la guerre du Droit. On dit aussi les libertés indispensables. L'accord est-il fait entre nous sur ces libertés ? Pour un chrétien, je n'en connais qu'une : celle de pratiquer sa foi. Aucune société humaine, à en juger par les luttes séculaires de l'Église et du pouvoir civil, n'a laissé aux catholiques l'usage absolu de cette liberté si précieuse. C'est donc une question de plus ou de moins. Comment la posez-vous ? À mon sens, pour pratiquer librement ma foi, selon l'esprit de l'Évangile – excusez-moi –, il n'est pas seulement nécessaire de me permettre de la pratiquer, il faut encore ne pas m'y contraindre. On ne saurait aimer Dieu sous la menace. Les gens d'Église l'ont parfois oublié. Est-ce que je me fais bien comprendre ? Que dire des gendarmes d'Église ? Voilà tantôt deux mille ans que fut prononcée contre les Pharisiens la parole de l'Évangile la plus dure, d'une dureté qui étonne le cœur, et cette race ne semble pas près de s'éteindre ? Lequel d'entre nous peut se vanter de ne pas avoir dans les veines une seule goutte du sang de ces vipères ? Si vous n'avez pas su en défendre vos paroisses – ni même vos couvents ou vos monastères – nous pouvons bien craindre qu'ils ne fassent la loi dans vos armées. Pour eux comme pour vous, il vaut mieux qu'il n'en soit rien. La liberté du Christ est intacte en nous, et sauf aussi notre honneur. Je voudrais vous le dire plus simplement, avec des mots plus simples. Nous ne laisserons pas l'épée de la France chrétienne entre de telles mains. Nous leur ferons face, fût-ce aux côtés des filles perdues, des

Samaritains, des publicains, des larrons et des adultères, comme nous en a jadis donné l'exemple le Maître que nous servons.

Je doute que les spécialistes se soient beaucoup préoccupés de ce problème. Les mêmes prêtres qui passent leur temps à démontrer par d'ineptes petits livres leur tranquille ignorance du douloureux cœur des hommes, de l'homme – car ils en ont encore prodigieusement affaibli l'image conventionnelle héritée des fades humanistes du dix-huitième siècle –, auront beau jeu de condamner mes rêveries. Ils ne feraient pas à Dieu, non plus qu'à leur propre sacerdoce, l'honneur de supposer que le sacrement de baptême, par exemple, doit marquer un être assez profondément pour donner à sa perversion, le cas échéant, un degré de malice proportionné à la grâce reçue. Ce ne sont pas là, évidemment, des vérités bonnes à entendre tomber du haut de la chaire par des paroissiens pressés, cinq minutes avant la quête. « De quoi vous mêlez-vous ? me diront une fois de plus ces pasteurs. Il y a du vrai dans ce que vous écrivez là. Mais à répandre de tels propos, ne donnez-vous pas trop d'avantage aux infidèles ? Ne vont-ils pas conclure de vos discours sur la corruption des meilleurs – *corruptio optimi* – que c'est nous qui les corrompons, qu'ils sont les premiers victimes de notre infidélité ? » Mon Dieu, la thèse peut se soutenir. Elle ne vaut d'ailleurs pas grand-chose en faveur des impies qui s'en prévalent, car elle témoigne contre eux d'un certain approfondissement des sources mêmes du surnaturel, qui est aussi une grâce de Dieu dont ces raisonneurs abusent. Mais elle vaut assurément pour ceux qui n'ont jamais pensé à une interprétation aussi subtile. Ils l'entendront un jour je le crois, je le crois de toutes les forces de mon âme, ils l'entendront une fois, à leur grande surprise, tomber des lèvres du Juste Juge, avec la sentence de pitié.

La théologie morale a sur d'autres sciences conjecturales un éclatant avantage, les vérités qu'elle affirme sont moins contrôlées par la raison que par la conscience. De plus, réduites à l'essentiel, je trouve qu'elles sont à la portée du premier venu. Elles nous justifient rarement, elles nous justifient de moins en moins, à mesure que nous les pénétrons plus avant. Celles que j'essaie d'exprimer me condamnent, je le sais. Je l'ai toujours su. Qui m'a le premier appris que la foi est un don de Dieu ? Je l'ignore. Ma mère, sans doute. Il pouvait donc m'être retiré ?… Dès ce moment j'ai connu l'angoisse de la mort car, après tant d'années, je ne puis séparer une angoisse de l'autre, la double épouvante s'est glissée par la même brèche dans mon cœur d'enfant. La foi ne m'est donc jamais apparue ainsi qu'une contrainte. L'idée d'avoir à prendre ma défense contre moi-même ne me vient pas. C'est elle qui assure ma défense, elle est cette part de liberté que je ne pourrais céder sans mourir. Pour que nous nous trouvions un jour face à face ainsi que deux étrangers, il faudrait ce même dédoublement mystérieux, incompréhensible qui doit précéder l'acte du suicide, et peut seul l'expliquer. Ne se suicide pas qui veut. Je pense que la mort n'attire qu'un certain nombre de prédestinés chez qui le réflexe de l'épouvante me paraît jouer à contre-sens, par une bizarrerie vaguement analogue à certaines aberrations sexuelles. Je n'éprouve pas plus la tentation du suicide que celle du doute. Plus exactement, le même instinct me défend de l'une et de l'autre, et c'est le plus puissant de tous, c'est l'instinct de conservation. Vous ne voudriez tout de même pas que, vivant ainsi à l'intérieur d'une sorte d'univers spirituel dont tant d'hommes ne soupçonnent pas l'existence, je croie me rendre coupable des mêmes fautes que ces derniers, sous prétexte qu'elles portent le même nom dans le dictionnaire ? Le terrible et suppliant aveu du psaume : « J'ai fait le mal en votre Présence », n'a évidemment pas grande signification aux yeux d'une foule de braves types qui préféreraient mille fois, dans un cas délicat, la présence de Dieu à celle du gendarme. Il n'est pas nécessaire d'être docteur en théologie pour comprendre que le mal fait en une telle Présence doit atteindre à un certain degré de concentration susceptible de le rendre mortel non seulement pour nous, mais pour le prochain, même à une dose extrêmement faible. Donner le mauvais exemple est à la portée de n'importe qui. Le mauvais exemple des chrétiens s'appelle scandale. C'est nous qui répandons à travers le monde ce poison, il est distillé dans nos alambics. Je n'ignore pas que les bons pères chartreux qui conseillent prudemment l'usage et non l'abus de leur liqueur, bien qu'ils ne puissent ignorer qu'elle ne stimule pas seulement les innocentes fonctions digestives, seraient très étonnés d'apprendre qu'elle apporte aux séducteurs, dans le secret des cabinets particuliers, une aide précieuse et parfois décisive. Mais enfin ces religieux pourraient me répondre qu'ils réconfortent aussi les malades et les affligés. Au lieu que le scandale ne saurait rendre aucun de ces services.

*

Mon Dieu, on voudrait exprimer ces vérités si simples dans le langage de l'enfance. Elles le seront. Elles vont l'être. Il n'y a pas là de quoi se réjouir. Les dévots et les dévotes qui font le voyage de Lisieux reviennent généralement très rassurés. Ils n'ont vu là-bas qu'une basilique comme les autres, un peu plus laide seulement, et une jolie poupée de cire habillée d'un velours de soie qui joue la bure. À défaut d'idées précises ils rapportent au moins une photographie naïvement truquée par les bonnes sœurs et absolument conforme au type de beauté standard, popularisé par le cinéma. Je n'attache aucune importance à cette super-cherie. Quel que soit le confiseur auquel nous devons cette effigie, elle a été répandue à des milliers d'exemplaires, elle n'appartient plus depuis longtemps aux pauvres mains qui l'ont modelée, qui se dessèchent aujourd'hui sous la terre, ou s'y dessécheront demain. Je ne pense qu'aux malheureux qui lui ont confié leur peine, aux agonisants dont elle aura rafraîchi le dernier regard. Après tout, il était peut-être dans le dessein de cette fille mystérieuse d'accorder au pauvre monde un suprême répit, de le laisser souffler un instant à l'ombre de sa médiocrité familière, car elle a semé ici-bas, de ses petites mains innocentes, de ses terribles petites mains expertes au découpage des fleurs de papier, mais aussi rongées par le chlore des lessives et les engelures, une graine dont rien n'arrêtera plus la germination. Elle est là sous la terre et les pieux badauds regardent avec attendrissement la minuscule tige à peine verte encore, couleur de miel. « L'esprit d'enfance, se disent-ils entre eux, oui, madame. Vous croiriez une plante, mais ce n'est pas une plante, c'est une idée, madame, une idée charmante, poétique, une idée de femme, quoi, mon mari a trouvé le mot. Car en dehors du travail et des choses sérieuses, il faut de la poésie dans la vie. Les jeunes ne savent plus s'amuser gentiment. Lorsque j'en fais la remarque à ma fille, elle me répond qu'elle a soupé de la petite fleur bleue, qu'on ne la mange plus qu'en salade, et patati et patata. N'empêche que la Sainte nous donne raison, pas vrai ? D'ailleurs elle est notre contemporaine, elle aurait seulement dix ans de plus que moi, j'aurais très bien pu la connaître. »

*

On ne parle jamais que de la victoire des saints, de leur triomphe. Appartenant à l'Église triomphante ils ne peuvent faire autrement que d'y triompher, la chose est sûre. Un jour par an, l'Église militante m'invite à me réjouir de ce triomphe ou même à m'y associer humblement. J'obéis. Après quoi, il me reste trois cent soixante-quatre jours pour penser aux échecs, ici-bas, de chacun de ces capitaines d'aventures. En 1207, par exemple, un petit homme commençait à courir les routes de l'Ombrie. Il annonçait aux hommes une nouvelle très surprenante, l'avènement de la Pauvreté. C'était son avènement à lui, *poverello*, qu'il annonçait sans le savoir. Les dévots sont des gens malins. Aussi longtemps que le Saint s'est promené à travers le monde, aux côtés de la Sainte Pauvreté qu'il appelait sa Dame, ils n'osaient encore trop rien dire. Mais le Saint une fois mort, que voulez-vous ? Ils se sont trouvés tellement occupés à l'honorer que la Pauvreté s'est perdue dans la foule en fête. Elle a même oublié sa couronne, la couronne réservée pour le sacre, qu'on a solennellement placée sur la tête du Saint, aux applaudissements des riches, stupéfaits de s'en tirer à si bon compte. Je pense que le plus stupéfait de tous, c'était encore le Saint qui n'avait rien demandé, ni sceptre ni couronne, et ne savait probablement que faire de ces attributs. Qu'importe ! La canaille dorée ou pourprée avait eu chaud. Ouf !... Après quoi, ce fut, comme on dit, une fameuse reprise des affaires ! Jamais la vente des indulgences n'avait rapporté aussi gros. Vraiment, ça ne retient pas votre attention, cette bacchanale de la Renaissance, les ruffians bariolés, princes, ministres, astrologues, cardinaux, peintres et poètes, drapés d'or ou bardés de fer, tous mangés par le mal napolitain, menant leur ronde infernale, avec des hennissements, autour de la tombe du pauvre des pauvres, découvreur d'Amériques invisibles, mourant au seuil de ces jardins enchantés ?

(Il est vrai que par une délicate attention le supérieur des franciscains, fait Grand d'Espagne par les Rois Catholiques, recevait pour asile l'un des plus magnifiques palais de Madrid.)

Et après ? Après, c'est tout. Il fallait que l'entreprise fût tentée, il fallait certainement aussi qu'elle échouât. Personne, ce saint excepté, n'a jamais cru sérieusement à l'avènement de la Pauvreté, personne, sinon ce séraphique, n'espéra jamais lui rendre l'honneur à la face des nations. Je sais parfaitement que mon insistance sur ce point a quelque chose d'insupportable. « Un grand nombre de saints ont servi les pauvres. Nous honorons ces saints. L'honneur rendu aux serviteurs ne rejaillit pas assez sur les pauvres qu'ils ont servis ? On peut, on doit même déplorer que les pauvres manquent de pain, mais d'honneur ? C'est de la littérature. » Il y a un moyen de tout arranger : organisez le culte du Pauvre Inconnu. Vous l'enterrerez place de la Bourse, et désormais on ne verra plus à Paris un roi de l'acier, de la houille ou du pétrole qui ne considère comme un devoir de venir déposer une couronne sur la dalle sacrée.

Je comprends que vous soyez las de ma littérature, c'est votre droit. Moi, je suis las de la vôtre. Chaque fois que l'occasion s'en présente, vous écrivez des pages et des pages sur le mouvement franciscain, et le plus effronté d'entre vous n'oserait affirmer sans rire que le sort des Pauvres – compte tenu de l'immense progrès matériel réalisé dans le monde depuis la mort du Poverello – se soit grandement amélioré. Est-ce la faute du Saint ? Non. Alors c'est la vôtre ; c'est la vôtre et la mienne, enfin c'est la nôtre. Il n'est pas besoin d'être grand clerc pour comprendre qu'il serait impossible de supprimer l'histoire de saint François sans mutiler du même coup l'histoire de l'Église, cela saute aux yeux du premier venu. Eh bien, j'ai le plus grand respect pour les franciscains, je veux qu'ils soient d'excellents religieux. Mais entre nous, la main sur le cœur, supposez que demain tous ces braves gens mettent des souliers, deviennent des jésuites, des rédemptoristes ou même des chantres, croyez-vous que cet événement serait encore capable d'ébranler la chrétienté ? Prendrait-on le deuil dans les chaumières ? Non ? Eh bien, trêve d'éloquence, laissez-nous respirer un peu, voulez-vous ?

III

Le monde va être jugé par les enfants. L'esprit d'enfance va juger le monde. Évidemment, la sainte de Lisieux n'a rien écrit de pareil, peut-être ne s'est-elle jamais proposé une image très précise du merveilleux printemps dont elle était la messagère. Je veux dire qu'elle n'attendait pas sans doute qu'il s'étendît un jour sur toute la terre, recouvrît de son flux embaumé, de sa blanche écume, les villes d'acier, les carapaces de béton, les champs innocents terrifiés par les monstres mécaniques, et jusqu'au sol noir des charniers. « Je vais faire tomber une pluie de roses », disait-elle vingt ans avant 1914. Elle ne savait pas quelles roses.

*

Le monde va être jugé par les enfants. Je ne prétends donner à ces paroles aucune signification proprement mystique. M. Paul Claudel a ses Vacquerie, comme son vieux maître Hugo. Les Vacquerie de M. Paul Claudel m'ont dégoûté sinon de la mystique, du moins de M. Paul Claudel, car il n'est rien qu'un naïf et fervent plagiat pour faire apparaître qu'un prodigieux

232

don d'invention verbale ne va jamais sans quelque niaiserie foncière. Appliqué au visionnaire de *la Légende
des siècles*, ce mot de niaiserie ne choque plus personne depuis la mort du regretté M. Paul Souday. En le
prononçant pour la première fois, Barbey d'Aurevilly
ne récolta jadis que des huées. Puissé-je, tout indigne
que je sois du vieux maître de ma jeunesse, recueillir à
mon tour, tenir au creux de mes deux mains l'indignation des imbéciles. Sans doute, les circonstances n'ont
guère servi le prophète de Guernesey. Il n'a pu mettre
en vers immenses que la philosophie du *Constitution-
nel*, la science de M. Raspail ; M. Paul Claudel puise
les siens dans *la Revue thomiste*.

*

Le Vacquerie qui est en M. Paul Claudel n'aurait
d'ailleurs sans doute pas suffi à m'éloigner de toute
vulgarisation poétique de saint Jean de la Croix. Heureusement la grossièreté de mon humeur m'interdit
naturellement des lectures pour moi démesurées. S'il
existait un dictionnaire de mystique – il existe peut-être
en somme – je me garderais de l'ouvrir, comme je me
garde d'ouvrir les dictionnaires de médecine ou
d'archéologie, car je respecte trop la petite part de
savoir que je possède, qui m'a coûté tant de peine à
acquérir, pour y introduire des éléments douteux. De
toutes les amphibologies, le coq-à-l'âne sublime me
paraît le plus ridicule. À quoi bon risquer de se casser le
cou en cherchant sur les cimes des évidences qui sont à
portée de la main ? Il me semble que, même incrédule,
la vie profonde de l'Église m'apparaîtrait toujours

comme singulièrement révélatrice de ces déficiences secrètes, de ces altérations de la substance morale qui transforment lentement et presque insensiblement les peuples, au point de passer inaperçues, jusqu'à ce que la crise éclate tout à coup, par le jeu fortuit de circonstances favorables, que l'historien prendra gravement pour des causes. N'importe quel observateur de bonne foi m'accorderait volontiers que l'Église est une société spirituelle dont il paraîtrait encore légitime d'attendre, à défaut d'une clairvoyance surhumaine, des réactions beaucoup plus vives et plus sensibles. Une telle vue est incomplète, je l'avoue, mais elle n'est pas fausse. Elle a aussi l'avantage de se prêter mal aux développements oratoires des Bourdaloue de sous-préfecture dont le style noble est seul capable d'enfler le jabot, et qui tiendraient la gageure de substituer, à l'insu d'un auditoire somnolent, la modulation à la parole, comme s'ils avaient un accordéon dans le ventre. J'imagine très bien le langage du brave agnostique, d'intelligence moyenne, auquel, par impossible, le jour de l'année consacré à sainte Thérése de Lisieux, l'un de ces insupportables bavards céderait pour un moment sa place en chaire.

*

Dévots et dévotes, commencerait-il, je ne partage pas vos croyances, mais l'histoire de l'Église m'est probablement plus familière qu'à vous, car je l'ai lue, et il n'y a pas beaucoup de paroissiens qui pourraient en dire autant. Si je me trompe, que les intéressés lèvent la main ! Dévots et dévotes, je vous approuve de louer les saints, et je suis heureux que M. le curé me permette de joindre mes louanges aux vôtres. Ils vous appartiennent plus qu'à moi, puisque vous adorez le même Maître. Je trouve donc très naturel que vous vous félicitiez ensemble de la gloire qu'ils ont acquise par une vie sublime, mais – excusez ce propos – j'aurais du mal à croire qu'ils n'ont tant souffert et tant combattu que pour vous permettre des réjouissances auxquelles ne sauraient d'ailleurs s'associer des milliers de pauvres diables qui n'ont jamais entendu parler de ces héros et qui, pour les connaître, ne peuvent absolument compter que sur vous. Il est vrai que l'administration des Postes met chaque année en circulation des calendriers où leurs noms se trouvent inscrits avec les phases de la lune. Mais ces magnifiques prodigues ont tout donné, même leurs noms, qu'une autre administration vigilante, celle de l'État civil, met à la disposition du premier venu, croyant ou non croyant, pour servir de numéro d'ordre aux citoyens nouveau-nés. Nous ne connaissons pas les saints, nous autres, et il semble que vous ne les connaissiez pas beaucoup davantage. Lequel d'entre vous serait capable d'écrire vingt lignes sur son Patron ou sa Patronne ? Il fut un temps où cette ignorance me rendait perplexe, elle me paraît maintenant presque aussi naturelle qu'à vous. Je sais que vous ne vous préoccupez guère de ce que pensent les gens de ma sorte. Les plus pieux de vos frères évitent même toute discussion avec les impies, par crainte, disent-ils, de perdre la foi. Nous ne manquons pas de conclure que cette foi est bien chancelante. Nous nous demandons ce que peut être la foi des tièdes, des médiocres. Nous traitons volontiers ces malheureux de simulateurs, d'hypocrites. Cette constatation ne va pas pour nous sans tristesse. Vous ne vous intéressez pas aux incrédules, mais les incrédules s'intéressent énormément à vous. Il est peu d'incroyants qui, à une certaine époque de leur vie, ne se soient approchés de vous, sournoisement, fût-ce l'injure à la bouche. Mettez-vous à notre place. N'eussiez-vous qu'une chance, qu'une petite chance, qu'une faible petite chance d'avoir raison, la mort nous réserverait une effroyable surprise. N'est-il pas tentant de vous observer de près, de vous sonder ? Car enfin vous passez pour croire à l'enfer. Le regard que vous posez sur nous, en camarades, ne trahira-t-il pas quelque chose de cette pitié que vous ne refuseriez certainement pas à un condamné de la terre ? Oh ! bien sûr, nous n'attendons pas des démonstrations ridicules, mais enfin, mais à la fin des fins, de pouvoir imaginer seulement qu'un certain nombre des compagnons avec lesquels on a dansé, skié, joué au bridge, grinceront peut-être des dents toute l'éternité en maudissant Dieu, cela devrait tout de même changer un homme ! Bref, nous vous croyons intéressants. Eh bien, voilà, vous n'êtes guère intéressants, et nous souffrons d'être déçus. Nous souffrons surtout de l'humiliation d'avoir espéré en vous, c'est-à-dire d'avoir douté de nous, de notre incrédulité. La plupart de mes pareils s'en tiennent à cette première expérience. Elle ne résout rien, cependant, car on trouve évidemment parmi vous un certain nombre de faux dévots dont l'intérêt est le mobile. Mais il y a les autres. Qui les considère ne peut manquer d'observer que si la foi qu'ils professent ne change pas grand-chose à leur vie, puisqu'ils pratiquent comme nous, aux doses moyennes, six des péchés capitaux, elle empoisonne leurs tristes plaisirs par l'extrême importance qu'elle donne au septième, réputé mortel. Mes chers frères, faute de cet héroïsme sans lequel M. Léon Bloy affirmait qu'un chrétien n'est qu'un porc, le caractère anxieux de votre luxure vous ferait reconnaître entre tous. Il est donc vrai que vous croyez réellement à l'enfer. Vous le craignez pour vous, fidèles. Vous l'attendez pour nous. Il est inouï que dans ces conditions vous manquiez aussi complètement de pathétique !

*

Dévots et dévotes, s'il vous arrive d'être photographiés par la caméra, vous serez stupéfaits de découvrir sur l'écran un personnage très différent de celui dont le miroir vous renvoie une image immobile. Il est possible que l'examen de conscience vous ait découvert peu à peu des qualités qui vous sont devenues avec le temps si familières que vous les croyez naïvement perceptibles à tous. Mais nous ne voyons pas vos consciences ! Par contre, votre vocabulaire, dont l'usage a sans doute pour vous affaibli le sens, nous est plus accessible que vous-mêmes, nous fait rêver. N'a-t-il pas notamment ce mot mystérieux : *l'état de grâce* ? Lorsque vous sortez du confessionnal vous êtes « en état de grâce ». L'état de grâce… Eh bien, que voulez-vous, il n'y paraît pas beaucoup. Nous nous demandons ce que vous faites de la grâce de Dieu. Ne devrait-elle pas rayonner de vous ? Où diable cachez-vous votre joie ?

Vous répondrez que ça ne me regarde pas. La trouverais-je, cette joie, que je ne saurais m'en servir.

Sans doute. Vous nous parlez généralement sur un ton d'aigreur ou de revanche, comme si vous nous en vouliez des plaisirs dont vous vous privez. Ont-ils donc tant de prix à vos yeux ? Hélas ! ils n'en ont guère aux nôtres. Vous avez l'air de nous prendre pour des animaux qui trouvent dans l'exercice de leurs fonctions digestives ou reproductrices une source inépuisable de délices, toujours neuves, toujours fraîches, parce que aussitôt oubliées que senties. Mais le *vanité des vanités* n'a plus de secrets pour nous !... Les passages les plus amers du Livre de Job ou de l'Ecclésiaste ne nous apprennent rien de nouveau, ont inspiré nos peintres et nos poètes. Si vous voulez bien réfléchir, vous conviendrez que nous ressemblons assez, nous autres, aux hommes de l'Ancien Testament. Le monde moderne est aussi dur que le monde juif, et l'incessante clameur qui sort de lui est celle qu'entendaient les Prophètes, que jetaient vers le Ciel les villes énormes accroupies au bord des eaux. Le silence de la mort nous hante comme elles, et nous y répondons, comme elles, tour à tour, par des cris de haine ou d'épouvante. Enfin, nous adorons le même Veau. Adorer un veau n'est nullement, croyez-le bien, pour les peuples un signe d'optimisme. Nous sommes rongés par la même lèpre dont l'imagination sémite, à travers les siècles, porte la hideuse blessure, l'obsession du néant, l'impuissance, pour ainsi dire physique, à concevoir la résurrection. Même au temps de Notre-Seigneur, exception faite de la petite communauté pharisienne, les juifs ne croyaient guère à la vie future. Je suppose qu'ils la désiraient trop, d'un désir venu des entrailles et qui dévore aussi les nôtres. L'espérance chrétienne n'étanche pas cette sorte de soif, nous le savons. L'espérance passe en nous comme à travers un crible. Vous me direz qu'Israël attendait le Messie. Nous attendons le nôtre. À leur exemple encore, nous ne sommes pas bien sûrs qu'il vienne et, par crainte de voir s'envoler au ciel la dernière illusion qui nous reste, nous l'attachons fortement à la terre, nous rêvons d'un Messie charnel : la Science, le Progrès, qui nous feraient maîtres de la Planète. Oui, nous sommes des hommes de l'Ancien Testament. Vous nous répondrez que notre aveuglement est alors plus coupable que celui des juifs contemporains de Tibère. Pardon. D'abord il n'est nullement certain que nous aurions crucifié le Sauveur. Retournez la chose comme vous voudrez, les déicides appartenaient à la classe édifiante. Vous aurez beau dire et beau faire, le déicide ne saurait désormais s'inscrire à la rubrique des crimes crapuleux. C'est un crime distingué, le plus distingué des crimes, un crime rare commis par des prêtres opulents, approuvés par la grande bourgeoisie et les intellectuels de ce temps-là, qu'on appelait scribes. Vous pouvez rigoler, chers frères, ce ne sont pas les communistes ni les sacrilèges qui ont mis le Seigneur en croix. D'ailleurs, permettez que je rigole aussi. Vous tenez naturellement l'Évangile pour inspiré, vous faites un sort à chaque paragraphe de ce livre divin, et ça ne vous frappe pas, non, l'insistance du bon Dieu à mettre généralement hors de cause une sorte de gens dont le moins qu'on puisse dire est qu'ils ne forment pas la société habituelle des gendarmes, des notaires, des généraux en retraite, non plus que celle de leurs vertueuses épouses, ni, entre nous, des curés ? Ça ne vous frappe pas que le bon Dieu ait réservé ses malédictions les plus dures à des personnages très bien vus, exacts aux offices, observateurs rigoureux du jeûne, et beaucoup plus instruits de leur religion – sans reproche – que la plupart des paroissiens d'aujourd'hui ? Cette énormité n'attire plus vos regards ? Elle retient les nôtres, que voulez-vous que je vous dise ? Il ne suffit pas de me répondre que Dieu s'est remis entre vos mains. Les mains auxquelles le Christ s'est remis jadis n'étaient pas des mains amies, c'étaient des mains consacrées. Que vous ayez succédé à la Synagogue, et que cette succession soit légitime, qu'importe ! Pour nous qui n'attendons que de vous le partage d'un don que vous proclamez ineffable, il n'importe pas de savoir si Dieu s'est remis entre vos mains, mais ce que vous en faites.

*

Je vois d'ici, mes chers frères, le profil impérieux de M. le colonel Romorantin. Il échange avec M. le conservateur des hypothèques et quelques négociants connus dans cette paroisse des regards indignés. « Nous sommes ici chez nous, sacrédié ! Ce monsieur ne m'a seulement jamais été présenté, je ne le connais pas et il en profite pour nous dire des choses désagréables. » Mais, cher colonel, votre Église n'est tout de même pas le cercle militaire ! Je souhaite que vous ayez un jour votre fauteuil sous la vaste coupole de l'Église triomphante, aujourd'hui vous n'êtes encore que candidat comme tout le monde. Célébrons-nous la fête de sainte Thérèse ou celle des paroissiens ? À vous voir prendre place dans le chœur, j'aurais cru assister à la réception d'un nouvel académicien par ses collègues en uniforme. On dirait que ce grand dogme de la Communion des Saints, dont la majesté nous étonne, ne vous apporte qu'une prérogative de plus, parmi beaucoup d'autres. Celui de la réversibilité des mérites n'en est-il pas le complément ? Nous ne répondons, nous, que de nos actes ou de leurs conséquences matérielles. La solidarité qui vous lie aux autres hommes est d'une espèce bien supérieure. Il me semble que ce don de la foi qui vous est départi, loin de vous émanciper vous lie à eux par des liens plus étroits que ceux du sang et de la race. Vous êtes le sel de la terre. Lorsque le monde s'affadit, à qui voulez-vous que je m'en prenne ? Il est vain de vous prévaloir des mérites de vos saints, puisque vous n'êtes d'abord que les intendants de ces biens. Nous entendons souvent les meilleurs d'entre vous proclamer avec fierté qu'ils ne « doivent rien à personne ». De telles paroles n'ont absolument aucun sens dans votre bouche, car vous devez littéralement à tout le monde, à chacun de nous, à moi-même. Colonel, il est possible que vous soyez plus criblé de dettes qu'un sous-lieutenant ! Dieu seul est dans le secret de nos trésoreries. S'il est vrai, comme l'affirment vos prêtres, que le sort d'un puissant de la terre dépend peut-être, à la minute où je parle, de la volonté d'un enfant partagé entre le bien et le mal et qui résiste à la grâce de toutes ses faibles forces, rien n'est plus cocasse que de vous entendre parler des affaires de ce monde sur le ton le plus ordinaire. Ah ! vous êtes de drôles de gens ! M. le colonel Romorantin dira sans doute ce soir en battant les cartes : « Qu'est-ce que c'est que ces histoires-là ? Dans la famille, saprelotte, nous avons tous la foi du charbonnier ! » Car votre morale est celle de tout le monde, à un rien près : vous appelez péché ce que les moralistes désignent d'un autre nom. Ah ! oui, vous êtes de bien curieux personnages ! Si vous entendez proclamer qu'une petite carmélite tuberculeuse, par l'observation héroïque de devoirs aussi humbles qu'elle-même, a pu obtenir la conversion de milliers d'hommes, ou même – pourquoi pas ! – la victoire de 1918, vous n'en ressentez nul émoi. Au contraire, si l'on vous affirme poliment, selon votre logique particulière, que la corruption du clergé mexicain, par exemple, est la cause surnaturelle des persécutions dans ce malheureux pays, vous haussez les épaules. « Quelle commune mesure entre la rapacité, l'avarice ou le concubinat de ces pauvres prêtres et les crimes de sang perpétrés par des brutes ? » Ce raisonnement vaut pour moi, non pour vous. C'est le raisonnement des juges de ce monde qui punissent l'adultère d'une amende de vingt-cinq francs et fichent au bloc pour six mois un mendiant coupable de grivèlerie. Pareillement, vous tenez pour vraisemblable qu'un curé d'Ars ait ramené ses bonshommes à la messe grâce à un genre de vie si misérable que ses confrères délibéraient d'enfermer ce malheureux. Mais si j'avais le malheur d'insinuer que tel curé d'Espagne, bien que parfaitement en règle avec les tribunaux de son pays, peut être tenu néanmoins pour le géniteur spirituel d'une paroisse d'assassins et de sacrilèges, je serais sûrement traité de bolchevique. Êtes-vous imbéciles, ou faites-vous semblant de l'être ? On vous passerait aisément la foi sans les œuvres. Puisque nous ne croyons pas à l'efficacité de vos sacrements nous ne pourrions sans méchanceté vous reprocher de ne pas valoir beaucoup mieux que nous. Ce qui passe l'entendement, c'est que vous raisonnez habituellement sur les affaires de ce monde exactement comme nous. Car enfin, rien ne vous y force ! Que vous agissiez selon nos principes, ou plutôt selon la dure expérience d'hommes qui, n'ayant nul espoir en l'autre monde, mènent dans celui-ci une lutte très comparable à celle des bêtes ou des végétaux, selon les lois de la concurrence vitale, soit. Mais lorsque vos pères professaient l'économie sans entrailles de M. Adam Smith, ou quand vous rendez gravement hommage à Machiavel, permettez-moi de le dire, vous ne nous épatez nullement, vous nous apparaissez comme de singuliers, d'incompréhensibles cocos.

Cette déclaration bien sincère n'ébranlera pas, je le sais, le solide optimisme auquel vous donnez sans doute, par analogie, le nom d'espérance. Le défaut des vertus sublimes c'est qu'elles doivent être pratiquées avec héroïsme. Il en est d'elles comme de ces hommes que toute résistance exalte, mais qui n'en sont que plus faciles à séduire. L'humilité trempe les forts. Adroitement circonvenue, il arrive qu'elle épargne aux médiocres les affres de l'humiliation ou du moins qu'elle en adoucisse l'amertume. Lorsque les circonstances nous forcent à convenir que nous ne valons pas grand-chose, quelle autre ressource avons-nous que de fermer les yeux à cette douloureuse évidence ? Nous n'y réussissons pas toujours. S'avouer à soi-même qu'on est un lâche, un menteur ou un mufle ne réconforte guère des gens de notre sorte. Au lieu qu'après vous être livrés à cet exercice, un certain

nombre d'entre vous manifestent une sorte de satisfaction qui nous paraît un peu comique. À défaut de
la grâce de Dieu, l'acte d'humilité qu'ils viennent de
lire dans leur paroissien leur a rendu l'estime d'eux-
mêmes. L'opération me paraît trop avantageuse pour
être réellement surnaturelle.

*

Vous trouvez, chers amis, que mon exorde est bien
lent. Mais la mauvaise opinion que vous avez de nous
m'afflige, et j'essaie de la réformer. Je ne crois pas cette
opinion réfléchie ni volontaire. Vous voyez les impies
tels qu'ils sont, et les chrétiens tels qu'ils devraient être,
fâcheux malentendu ! Ou plutôt vous nous voyez tels
que nous serions, en effet, si vous étiez des chrétiens
selon l'esprit de l'Évangile et le cœur de Dieu. Car il
serait légitime alors de parler de notre endurcissement.
Croyez-vous que cela soit bien agréable de s'entendre
traiter quotidiennement d'ennemis de Dieu par des personnages aussi hautement surnaturels que M. Bailby ou
M. Doriot ! Un tel qualificatif n'avait rien de très dangereux pour nos pères ou nos grands-pères au temps où
vos orateurs invoquaient contre nous les droits sacrés
de la liberté de conscience. Il peut nous valoir demain
la regrettable sollicitude d'un général de la Croisade.
Non, mes chers frères, beaucoup d'incroyants ne sont
pas si endurcis qu'on pense. Dois-je vous rappeler que
Dieu est venu lui-même se révéler au peuple juif ? Ils
l'ont vu. Ils l'ont entendu. Ils l'ont touché de leurs
mains. Ils lui ont demandé des signes. Il leur a donné
ces signes. Il a guéri les malades, ressuscité les morts.

Puis il est remonté aux cieux. Si nous le cherchons en ce monde, c'est vous désormais que nous y trouvons, vous seuls ! Oh ! je rends hommage à l'Église – mais enfin, l'histoire de l'Église elle-même ne livre pas son secret au premier venu. Il y a Rome – mais vous savez que la majesté du catholicisme ne s'y découvre pas d'abord, il y a bien des vôtres qui reviennent déçus. Que sera-ce des nôtres ? C'est vous, chrétiens, que la liturgie de la Messe déclare participants à la divinité, c'est vous, hommes divins, qui depuis l'Ascension du Christ êtes ici-bas sa personne visible. Avouez que vous n'êtes pas toujours reconnaissables du premier coup.

*

Vous trouvez mes remarques déplacées dans cette enceinte. Elles ne le sont pas plus que la présence de la plupart d'entre vous. Puissent-elles attirer votre attention sur les périls qui vous menacent. Elles sont assurément très indignes de la sainte dont nous célébrons la fête, mais elles ont le mérite d'être simples ; et même puériles ; le sourire de M. le conservateur des hypothèques m'en est un sûr témoignage. Notre céleste amie ne m'en voudra pas de parler en enfant. Je ne suis, hélas ! qu'un vieil enfant chargé d'expérience, et vous n'avez pas grand-chose à craindre de moi. Redoutez ceux qui vont venir, qui vous jugeront, redoutez les enfants innocents, car ils sont aussi des enfants terribles. Le seul parti qui vous reste à prendre est celui que vous propose la sainte : redevenez vous-mêmes des enfants, retrouvez l'esprit d'enfance. Car l'heure vient où les questions qui vous seront posées de tous les points de la terre seront si pressantes et si simples que vous ne pourrez guère y répondre que par des oui ou par des non. La société dans laquelle vous vivez paraît plus complexe que les autres parce qu'elle excelle à compliquer les problèmes, ou du moins à les présenter de cent manières différentes, ce qui lui permet d'inventer à mesure des solutions provisoires qu'elle présente naturellement comme définitives. Cette méthode est celle de la médecine depuis Molière. Mais elle est également celle des économistes et des sociologues. Je prétends que vous occupez dans cette société une situation avantageuse, car en se proclamant matérialiste, elle vous laisse à bon compte l'immense privilège de la critiquer au nom de l'Esprit. Malheureusement pour vous, passé un certain degré de ruse et d'imposture, les plus insolentes phraséologies ne sauraient masquer le vide des systèmes. Lorsque le doctrinaire entend monter de la salle attentive un certain murmure, à peine perceptible encore, il a beau redoubler d'importance et de gravité, ce suprême effort achève de le perdre. On a pu lire, par exemple, dans un des derniers numéros de *la Revue de Paris*, sous la signature de M. Paul Morand, les lignes suivantes : « J'imagine très bien les autarchies de demain, prescrivant le célibat dans certaines régions déshéritées, poussant au contraire aux naissances, d'après un vaste plan embryogénique, dans des contrées à mettre spécialement en valeur... Après avoir réglé la quantité des naissances, l'État futur s'occupera sans nul doute de la qualité ; ne voulant pas rester en deçà de l'État actuel, directeur de haras. »

M. Paul Morand appartient à la meilleure société, il appartient même à la Carrière. On ne saurait donc le prendre pour un humoriste. M. Patenôtre, que je sache, n'est pas non plus un humoriste, son récent témoignage peut donc être entendu par un auditoire aussi sérieux que celui auquel j'ai l'honneur de m'adresser.

« Imaginons une collectivité riche comme les États-Unis, ou même comme la Grande-Bretagne ou la France, où l'on fasse table rase de tous les préjugés et qu'on y décide, un beau jour, d'un accord unanime, de produire au maximum sans se soucier des demandes de la clientèle. Aussitôt les usines perfectionnent leur outillage et tournent, avec roulement d'équipe, nuit et jour ; pareillement dans les campagnes, la production des céréales, la culture maraîchère, l'élevage amplifient leur rendement.

« Qu'arrive-t-il ? Le volume de cette production industrielle et agricole atteint au bout de X... années une telle dimension qu'on peut raisonnablement déclarer qu'une juste répartition serait susceptible d'octroyer à chacun et à tous un large confort et un grand bien-être.

« Pourquoi faut-il donc que la routine de nos méthodes, la camisole de nos préjugés s'opposent à la marche du progrès et arrêtent ce mieux-être au cri de : "Tu ne passeras pas !" Qu'y a-t-il donc de vicié dans notre système économique qui l'emprisonne dans un cercle infernal, où la production est comprimée par l'insuffisance d'une consommation solvable, tandis que cette consommation est rendue à son tour insuffisamment solvable, notamment par une production mal épanouie ? »

Je ne sais si vous appréciez autant que moi la naïveté de cet aveu. Tant d'efforts dépensés pour aboutir à une société prétendue matérialiste qui ne peut plus ni produire ni vendre ! Avouez que dans ces conditions les hommes d'ordre, d'un tel ordre, peuvent s'habiller en rouge, en jaune ou en vert, les dictateurs grincer des dents et montrer le blanc de l'œil, les gosses que leurs parents ont traînés au théâtre commencent à se regarder entre eux, ils ont retrouvé Guignol, et la salle va s'effondrer sous un éclat de rire.

Chrétiens qui m'écoutez, voilà le péril. Il est dangereux de succéder à une société qui s'est effondrée dans un éclat de rire, parce que les morceaux mêmes en seront inutilisables. Vous devrez reconstruire. Vous devrez tout reconstruire devant des enfants. Redevenez donc enfants. Ils ont trouvé le joint de l'armure, vous ne désarmerez leur ironie qu'à force de simplicité, de franchise, d'audace.

Vous ne les désarmerez qu'à force d'héroïsme.

*

En parlant ainsi je ne crois pas trahir la pensée de sainte Thérèse de Lisieux. Je l'interprète seulement. J'essaie de l'utiliser humainement, au règlement des affaires de ce monde. Elle a prêché l'esprit d'enfance. L'esprit d'enfance peut le bien et le mal. Ce n'est pas un esprit d'acceptation de l'injustice. N'en faites pas un esprit de révolte. Il vous balayerait du monde.

Une telle hypothèse n'a rien de rassurant pour nous puisque nous serions balayés ensemble.

J'attire votre attention sur une singularité de l'histoire, depuis l'ère chrétienne. Lorsque les juifs lapidaient les prophètes, c'était autant de gagné pour les goys. Dieu leur livrait ce peuple à tête dure, et ils faisaient grand butin de ses trésors, de ses femmes et de ses filles. Au lieu que si vous restez sourds aux avertissements des saints, nous écopons avec vous, comme vous, plus que vous – s'il m'est permis d'employer cette expression familière. À ce point de vue, l'ancienne chrétienté tient toujours.

Car votre histoire, l'histoire de l'Église, semble d'abord n'ajouter qu'un chapitre à l'Histoire. Il n'en est rien cependant. La prudence et la folie des hommes ont bien pu s'y inscrire tour à tour, elles ne sauraient justifier entièrement les réussites ni les échecs. Oh ! cela ne se découvre pas au premier regard ! Et, par exemple, il serait indifférent qu'on relevât, de page en page, toutes les espèces d'erreurs connues, dans une proportion sensiblement égale. Je crois qu'elles ne s'y engendrent pas les unes les autres selon la loi commune, qu'elles ne suivent pas le même ordre de succession. Vous expliquez de telles singularités par une assistance divine. Je ne vous contredirai pas sur ce point. Je pense, par exemple, qu'à moins d'être un fol, nul ne peut rester insensible à l'extraordinaire qualité de vos héros, à leur incomparable humanité. Le nom de héros ne leur convient d'ailleurs guère, et celui de génie pas davantage, car ils sont à la fois des héros et des génies. Mais l'héroïsme et le génie ne vont pas d'ordinaire sans une certaine perte de substance humaine, au lieu que l'humanité de vos saints surabonde. Je dirai donc qu'ils sont à la fois des héros, des génies et des enfants. Prodigieuse fortune ! Assurément, nous traiterions plus volontiers avec eux qu'avec vous. Hélas ! l'expérience nous apprend que tout contact direct est impossible. Que voulez-vous que fassent d'une Thérèse de Lisieux nos politiques et nos moralistes ? Son message, dans leur bouche, perdrait toute signification, ou du moins toute chance d'efficacité. Il a été écrit dans votre langage, votre langage seul peut l'exprimer, nous manquons des mots nécessaires pour le traduire sans le trahir, n'en parlons plus. Mes chers frères, je vous fais cet aveu en toute humilité, recevez-le dans le même esprit. Car s'il n'appartient qu'à vous de transmettre le message des saints, il s'en faut, hélas ! que vous vous soyez toujours acquittés de ce devoir au mieux de nos intérêts. J'ai le regret de vous dire que nous payons cher vos négligences.

N'essayez pas de nous faire croire que ces hommes divins ne viennent apporter au tableau qu'un petit nombre de retouches ! Si j'osais, par exemple, je résumerais volontiers ainsi le message de saint François : « Ça va mal, mes enfants, ça va très mal, aurait dit le saint. Ça va même aller plus mal encore. Je souhaiterais pouvoir vous rassurer sur l'état de votre santé. Mais si vous n'aviez besoin que de tisanes, je serais resté tranquille chez moi, car j'aimais tendrement mes amis, et m'accompagnant sur la mandore, je leur chantais des vers provençaux. Le salut est à votre portée. N'essayez pas d'y aller par quatre chemins : il n'y en a qu'un, c'est celui de la Pauvreté. Je ne vous y suis pas, mes enfants, je vous précède ; je me jette en avant, n'ayez pas peur.

Si je pouvais souffrir tout seul, vous pensez bien que je ne serais pas venu vous troubler dans vos plaisirs. Hélas ! le bon Dieu ne me l'a pas permis. Vous avez irrité la Pauvreté, que voulez-vous que je vous dise. Vous l'avez poussée à bout. Parce qu'elle est patiente, vous avez fini par lui mettre peu à peu sur les épaules, sournoisement, toute votre charge. Elle est là, maintenant, étendue face contre terre, toujours silencieuse et pleurant dans la poussière. Vous dites : rien ne nous gêne plus, nous allons pouvoir danser. Vous n'allez pas danser, mes enfants, mais mourir. Vous êtes morts si la Pauvreté vous maudit. N'attirez pas sur ce monde la malédiction de la Pauvreté. En avant ! »

Ce conseil s'adressait évidemment à vous tous. Il en est peu qui l'ont suivi. Vous ressemblez à ces Italiens légendaires attendant l'heure de l'assaut. Tout à coup le colonel lève son sabre, enjambe le parapet, prend seul sa course à travers le tir de barrage, en criant : *Avanti !* *Avanti !* pendant que ses soldats, toujours tapis au fond de la parallèle de départ, électrisés par tant de vaillance, battent des mains, les larmes aux yeux : *Bravo ! Bravo !* *Bravissimo !*

*

Mes chers frères, je répète la même chose, parce que c'est toujours la même chose. Si vous aviez suivi ce saint au lieu de l'applaudir, l'Europe n'eût pas connu la Réforme ou les guerres de Religion, ni l'effroyable répression espagnole. C'est vous que ce saint avait appelés, mais la mort n'a pas choisi : elle a frappé sur tout le monde. Nous courons aujourd'hui un danger pareil. Il doit même être pire. Une sainte, dont la foudroyante carrière montre assez le caractère tragiquement pressant du message qui lui est confié, vous invite à redevenir enfants. Les desseins de Dieu, comme vous dites, sont impénétrables. Il est pourtant difficile de croire qu'on ne vous offre pas là votre dernière chance. Votre dernière chance et la nôtre. Êtes-vous capables de rajeunir le monde, oui ou non ? L'Évangile est toujours jeune, c'est vous qui êtes vieux. Vos vieillards sont même plus vieux que les autres. Ils vont branlant la tête et répétant « ni réaction ni révolution » d'une voix de basse si caverneuse qu'à chaque syllabe ils crachent une dent. La réaction est nécessaire, la révolution n'est pas de trop. Réaction et révolution ensemble ne seraient pas assez. Dieu ! laissez votre vieux scrupule de ménager un ordre qui se ménage si peu qu'il se détruit lui-même à mesure. L'ordre universel vient d'ailleurs de céder la place à la mobilisation universelle. Rappelez vos casuistes, de peur qu'on ne les mobilise aussi. Rappelez vos casuistes, ou plutôt remportez-les. Car les malheureux se sont livrés à des exercices d'assouplissement si compliqués qu'ils ont les jambes autour du cou, les bras rentrés dans les épaules et la tête à la hauteur de la dernière vertèbre dorsale. Remportez-les tels quels sur vos civières, car ils n'arriveront pas à se dénouer tout seuls. Rien n'est perdu puisque, à travers deux millénaires d'inutiles négociations, l'Évangile s'est transmis intact jusqu'à nous : il n'y manque pas une virgule. À toutes les questions qui vous seront désormais posées, est-il donc si difficile de répondre par oui ou par non ? Ainsi parlent les gens d'honneur. L'honneur est aussi une chose de l'enfance. C'est par ce principe d'enfance qu'il échappe à l'analyse des moralistes, car le moraliste ne travaille que sur l'homme mûr, bête fabuleuse inventée par lui, pour la commodité de ses déductions. Il n'y a pas d'hommes mûrs, il n'y a pas d'état intermédiaire entre un âge et l'autre. Qui ne peut donner plus qu'il ne reçoit commence à tomber en pourriture. Ce que disent la morale ou la physiologie sur ce point important n'a pour nous aucun intérêt parce que nous donnons aux mots de jeunesse et de vieillesse un autre sens qu'eux. L'expérience des hommes, et non de l'homme, nous apprend vite que jeunesse et vieillesse sont affaire de tempérament ou, si l'on veut, d'âme. J'y reconnais une sorte de prédestination. Ces vues, avouez-le, n'ont absolument rien d'original. Le plus obtus des observateurs sait parfaitement qu'un avare est vieux à vingt ans. Il y a un peuple de la jeunesse. C'est ce peuple qui vous appelle, c'est ce peuple qu'il faut sauver. N'attendez pas que le peuple des vieux ait achevé de le détruire par les mêmes méthodes qui jadis, en moins d'un siècle, ont eu raison des Peaux-Rouges. Ne permettez pas la colonisation des Jeunes par les Vieux ! Ne vous croyez pas quittes envers ce peuple par des discours, fussent-ils même imprimés. Au temps où les Pharisiens d'Amérique décimaient scientifiquement une race mille fois plus précieuse que leur dégoûtant ramas, les Indiens de Chateaubriand et de Cooper ne partageaient-ils pas avec l'Écossais de Walter Scott les savoureux loisirs des chattes romanesques qui se régalent de pitié comme de sang frais ? Chrétiens, l'avènement de Jeanne d'Arc au vingtième siècle revêt le caractère d'un avertissement solennel. La prodigieuse fortune d'une obscure petite carmélite me paraît un signe plus grave encore. Redevenez vite enfants, pour que nous le redevenions à notre tour. Ce ne doit pas être si difficile qu'on pense. Faute de vivre votre foi, votre foi n'est plus vivante, elle est devenue abstraite, elle s'est comme désincarnée. Peut-être trouverons-nous dans cette désincarnation du Verbe la vraie cause de nos malheurs. Beaucoup d'entre vous usent des vérités de l'Évangile ainsi que d'un thème initial, dont ils tirent une espèce d'orchestration inspirée par la sagesse de ce monde. En prétendant justifier ces vérités devant les Politiques, ne craignez-vous pas de les rendre inaccessibles aux Simples ? Si pourtant vous vouliez bien tenter une bonne fois de les opposer telles quelles aux systèmes compliqués, puis d'attendre tranquillement la réponse au lieu de parler tout le temps ? Jeanne d'Arc n'était qu'une sainte et elle n'en a pas moins mis dans sa poche les docteurs de l'Université de Paris. Si vous laissiez la parole à l'Enfant Jésus ? Vous me répéterez que cela ne me regarde pas. Mais, pardon ! Pour avoir raison d'un ordre presque aussi pétrifié que le nôtre, il n'a pas fallu tant de docteurs ! C'est là un fait historique d'une grande portée. Je trouve parfaitement naturel que vous teniez à vos bibliothèques. Elles vous ont utilement servi contre les hérésiarques. Mais le monde n'est pas seulement travaillé par les hérésiarques, il est obsédé par l'idée de suicide. D'un bout de la planète à l'autre, il accumule en hâte tous les moyens nécessaires à cette gigantesque entreprise. Vous n'arracherez pas un malheureux au suicide en lui apportant la preuve que le suicide est un acte antisocial, car le pauvre diable délibère précisément de déserter par la mort une société qui le dégoûte. Vous répétez encore aux hommes, dans un langage à peine distinct de celui des moralistes, des bêtes à morale, de tempérer leurs désirs. Mais ils n'ont plus de désirs, ils ne se proposent plus aucun but, ils n'en discernent aucun qui vaille le prix d'un effort.

Dévots et dévotes, j'arrive au bout de ce long discours. En ma qualité d'incroyant, je regrette de ne pouvoir vous bénir. J'ai l'honneur de vous saluer. De nous sentir si pareils à vous, presque aussi déconcertés que vous en face de redoutables conjonctures, cela serre un peu le cœur. Car, excusez ma franchise, vous ne paraissez pas moins préoccupés que nous de sauver vos peaux. Le mot des désespoirs enragés – n'importe quoi pourvu que je m'en tire ! – semble bien près d'éclore sur vos lèvres, tandis que vous louchez du côté des dictatures. N'importe qui, n'importe quoi, diable ! Redevenez vite enfants, c'est moins dangereux. Il faut bien avouer que nous n'avons aucune confiance dans vos capacités politiques. Encore un peu de temps et vos excès de zèle finiront par vous compromettre même auprès des nouveaux maîtres. Devenir la bête noire des hommes libres et des pauvres, avec un programme comme celui de l'Évangile, convenez qu'il y a de quoi faire rigoler. Redevenez donc enfants, réfugiez-vous dans l'enfance. Lorsque les puissants de ce monde vous posent des questions insidieuses sur un tas de problèmes dangereux, la guerre moderne, le respect des traités, l'organisation capitaliste, n'ayez pas honte d'avouer que vous êtes trop bêtes pour répondre, que l'Évangile va répondre pour vous. Alors la parole divine fera peut-être ce miracle de rallier les hommes de bonne volonté, puisqu'elle a été dite pour eux. Le

Pax hominibus bonae voluntatis ne saurait tout de même pas se traduire par : « Guerre d'abord, on verra plus tard », non ? Il est évidemment paradoxal pour nous d'attendre un miracle. Mais quoi ! n'est-il pas encore plus paradoxal de l'attendre de vous ? Alors nous prenons nos précautions. Elles nous semblent légitimes, car, remarquez-le bien, nous ne prétendons pas interpréter l'Évangile, nous vous sommons de l'accomplir, selon votre foi, selon la foi de votre Église. Nous ne renions pas vos docteurs. Nous renions vos politiques, parce qu'ils ont abondamment fourni la preuve qu'ils étaient des présomptueux et des sots. – L'Évangile ! L'Évangile ! Lorsqu'on en est venu à tout attendre du miracle, il est convenable d'exiger que cette dernière expérience soit bien faite. Supposez, mes très chers frères, que souffrant d'une tuberculose je demande à boire de l'eau de Lourdes, et que les médecins me proposent d'y mélanger quelque drogue de leur façon : « Chers docteurs, leur dirais-je, vous m'avez déclaré incurable. Laissez-moi donc tenter tranquillement ma chance. Si dans cette affaire, qui ne regarde que moi et la Sainte Vierge, j'ai besoin d'un intermédiaire, je ne m'adresserai sûrement pas au pharmacien. »

TROISIÈME PARTIE

I

J'ai commencé ce livre par un doux hiver palmesan, tout plein du suc des amandiers en fleur, juteux comme un fruit d'automne. Ce détail n'a aucun intérêt pour vous, je le crains. Dieu veuille que le café Alhambra redevienne ce qu'il était jadis, chaque matin, à l'heure où débarquaient du *Ciudad* les voyageurs un peu las d'une nuit de mer, quand fument sur les tables de marbre le café au puissant arôme et les encemadas dorés. Mais le *Ciudad* est au fond de la mer, avec son équipage, et les poissons tournent en rond dans la cabine où j'ai dormi. Certes, je ne voudrais faire nul tort au sympathique patron de l'Alhambra. Il me permettra cependant de dire que sa maison n'offre rien qui puisse attirer les foules. Elle est néanmoins pour moi l'une des grandes étapes de ma pauvre vie, la dernière sans doute. Car voilà déjà que le jour baisse, le vent fraîchit, la route est longue encore, je ne m'arrêterai pas avant que se referme sur moi la douce nuit que j'attends – ô réconciliatrice, ô secourable, ô sereine !

*

La vie n'apporte aucune désillusion, la vie n'a qu'une parole, elle la tient. Tant pis pour ceux qui disent le contraire. Ce sont des imposteurs ou des lâches. Les hommes, il est vrai, déçoivent, les hommes seuls. Tant pis encore pour ceux que cette déception empoisonne. C'est que leur âme fonctionne mal, leur âme n'élimine pas les toxines. Pour moi, les hommes ne m'ont pas déçu et je ne me suis pas déçu moi-même davantage. Je m'attendais à pis, voilà tout. Ce que je vois d'abord dans l'homme c'est son malheur. Le malheur de l'homme est la merveille de l'univers.

*

Quoi qu'il arrive désormais, la dernière étape de ma vie ne m'aura pas plus déçu que les autres. N'ayant jamais attendu de l'expérience qu'elle m'apportât la sagesse, je ne lui demande qu'un approfondissement de ma pitié, qu'elle creuse en moi assez avant pour que ne risque plus de se tarir la source des larmes. Dieu ! faute de savoir aimer selon votre grâce, ne m'arrachez pas l'humble compassion, le pain grossier de la compassion que nous pouvons rompre ensemble, pécheurs, assis au bord de la route, en silence, tête basse, à la manière des vieux pauvres. Il n'est rien de haïssable en l'homme que sa prétendue sagesse, le germe stérile, l'œuf de pierre que les vieillards se passent de génération en génération et qu'ils essaient d'échauffer tour à tour entre leurs cuisses glacées. En vain Dieu s'efforce de les réduire, les prie avec douceur d'échanger ce ridicule objet contre l'or vivant des Béatitudes. Ils le regardent en claquant des mandibules, épouvantés, poussant d'effroyables soupirs. S'il est vrai, comme l'exprime l'Évangile, que cette sagesse est folie, pourquoi, entre tant d'autres folies, ont-ils élu ce caillou ? Mais la sagesse est le vice des vieillards, et les vieillards ne survivent pas à leur vice, emportent avec eux son secret.

*

Je ne me sens pas né pour couver un œuf dur. Vous aurez beau me dire d'essayer, que je réussirai peut-être mieux que les autres, eh bien, non ! – « Soit ! Mais ne refusez pas cette innocente distraction à de respectables patriarches que le Moraliste vous invite à honorer. – Je la leur refuse froidement. Qu'ils courent plutôt derrière les petites filles ! – Ils ne tiennent plus sur leurs jambes ! – Qu'ils lisent donc le dernier roman de M. Léon Daudet. – Ils ne peuvent plus lire. – Alors, faites-en des sénateurs et allez les asseoir sur un banc du Luxembourg, au bord du bassin. » Il me semble qu'un homme de mon âge peut parler ainsi sans craindre le ridicule où ne manquent pas de tomber les jeunes gens irrespectueux, car il n'est rien de plus comique que la rageuse gravité des gâteux sinon la naïve, suffisante et discordante faconde du jouvenceau. Je n'en veux nullement aux vieillards. Il est même, entre nous, parfaitement possible qu'ils aient mérité jadis la révérence, qu'entre beaucoup d'autres guignols tragiques le monde moderne ait pu réussir à créer une nouvelle race de Nestors. Aussi longtemps que les hommes vivent très près de la terre, comme formés et façonnés par elle, leur expérience n'est que les mérites accumulés de l'humble effort de chaque jour. Elle est une espèce de sainteté naturelle, qui s'exprime par l'indulgence et la sérénité, une forme de prudence inaccessible aux êtres encore engagés dans la lutte pour le pain et le vin, car elle s'inspire d'un détachement sans amertume, d'une simple et solennelle acceptation. Que peuvent avoir de commun avec un vieux paysan de l'ancienne France ces septuagénaires demeurés aussi ignorants des valeurs réelles de la vie qu'un polytechnicien de vingt ans, ces bêtes à formules et à systèmes qui, même pris dans les rets de la paralysie sénile, restent aussi turbulents sur leurs pots qu'au temps où ils présidaient des conférences économiques ? Cet ordre est le leur. On souhaiterait qu'ils crevassent ensemble, tous les deux, très tranquilles. Mais voilà où nous commençons à ne plus nous entendre, eux et nous. Ils ne veulent pas.

Flatter les jeunes aux dépens des vieux est, je le jure, loin de ma pensée. J'y perdrais d'ailleurs mon temps et ma peine. On voyait, à la fin du dernier siècle, des juives sans âge, macérées dans les aromates, jaunies par tous les poisons de la ménopause, peintes à l'œuf comme les antiques fresques, pomper les héritages et vider les reins d'innombrables cercleux, les plus «psuchtt», les plus «vlan» du noble Faubourg. Cette singularité psychologique irritait Drumont. Elle était pourtant moins dégoûtante que le goût des jeunes intellectuels d'alors pour ces mêmes aristocrates faisandés sur les mains desquels ils devaient se contenter de flairer l'odeur des alcôves pourries, dont ils ne connaîtraient jamais les délices. J'affirme que la génération qui vit le jour aux environs de 1870 a été consacrée dès sa naissance aux démons de la vieillesse, baptisée dans ce sang corrompu. C'est sans doute grâce à leur protection qu'elle a pu échapper, de justesse, à deux guerres. Et les générations sorties d'elle me semblent marquées du même signe maléfique. Les premières ont tenté en vain de se libérer, moins d'un ennemi dont elles méconnaissaient naïvement la force et les desseins que du pressentiment funèbre qui remuait déjà dans leur cœur. À ce point de vue, la révolte de Péguy contre la Sorbonne, ce réquisitoire haletant, balbutiant, d'une ironie parfois scolaire, entrecoupé de cris sublimes, l'appel anxieux jeté vers les ancêtres morts contre les Vieux toujours vivants est un des témoignages les plus tragiques de l'histoire. Avec tant de Français dont il était le chef-né – bien que la plupart, hélas ! ignorassent jusqu'à son nom – Péguy dut payer chèrement son défi sacrilège aux divinités d'en bas. La guerre les a brûlés et dévorés ensemble, par monceaux. Après quoi l'esprit de vieillesse, désespérant de justifier par la seule foi démocratique le massacre universel des Innocents, s'est mis à parler grec et latin, pour la jubilation d'une partie de ses fidèles. Le buste de Brutus s'érige en face de celui de César, une moitié de Renan figure au Panthéon révolutionnaire tandis que le Panthéon réactionnaire a recueilli pieusement l'autre moitié, Jean-Jacques Rousseau pleure sur la poitrine de Nicolas Machiavel, et la haine contre l'Allemagne de Weimar passe toute chaude du giron des nationaux à celui des internationaux dégoûtés par M. Hitler. Bref, les deux France, la France de droite et la France de gauche, adorent le même dieu sans le savoir, bien qu'elles ne révèrent pas les mêmes saints.

*

Les jeunes gens qui lisent ces pages hausseront probablement les épaules. « Adorer la vieillesse, quelle
plaisanterie ! Nous ne cédons jamais aux dames mûres
notre place dans le métro, nous pratiquons les sports
d'hiver et, pour conserver la ligne, nous formons le
dessein d'aller tout nus. » Évidemment, vous êtes des
types de plein air, mais c'est votre pensée, mes amis,
qui sent la tisane et l'urine, comme un dortoir d'hospice. Plus précisément, vous n'avez pas de pensée,
vous vivez dans celle de vos aînés, sans jamais ouvrir
les fenêtres. Pour des champions d'altitude, avouez que
le fait est étrange. Haussez tant que vous voudrez les
épaules ! il suffit de lire vos journaux : les journaux où
vous entrez chaque matin, en pantoufles, à l'heure du
petit déjeuner, n'ont pas été repeints ni retapissés
depuis trente ans, on y trouve partout des poils de
barbe. Je parie d'imprimer demain, sous un faux titre
emprunté à la presse contemporaine, n'importe quel
numéro de *la Libre Parole*, et vous ne vous apercevrez
de rien, mes enfants. Que les vieux polémistes rouges,
noirs ou blancs veuillent bien se donner le mot, je jure
que vingt-quatre heures plus tard ils vous feront battre
le long du boulevard Saint-Michel, aux cris de « Vive
Dreyfus ! » et « À bas Dreyfus ! », mes pauvres gentils
cocos. Je me suis promis de parler le moins possible de
l'Action française car je ne voudrais pas être injuste.
L'Action française, si incroyable que cela paraisse
aujourd'hui, a eu une jeunesse, et je crains qu'on n'en
puisse dire autant, plus tard, de beaucoup d'entre

vous… Mais enfin, mais tout de même, nous comprendrions parfaitement que vous assuriez à M. Maurras une retraite glorieuse. L'étrange c'est que votre sollicitude s'étende à tout le personnel. Quoi ! vous passez chaque jour, depuis des années, à travers ces bureaux, et aucun de vous n'a jamais senti le besoin de changer au moins les garnitures ? On admire toujours sur les cheminées, coulés en bronze barbedienne, M. Pujo, M. Delbecque, M. Pierre Tuc et d'autres seigneurs – ceux-là en plâtre – auxquels le plus discret coup de plumeau serait fatal. L'idée ne vous est jamais venue de souffler un peu dessus, pour voir ? Et lorsqu'un prince de votre âge vous invite à choisir, il vous paraît tout naturel de lui tourner le dos, d'aller gravement vous asseoir sur les mêmes bancs où vos papas usèrent leurs culottes courtes, et de reprendre la leçon de doctrine sous la surveillance de M. Maxime Réal del Sarte, un autre prince, sacré jadis par les jeunes filles royalistes maintenant grand-mères : Prince de la Jeunesse française ?

*

Il y a une crise de la jeunesse, et elle ne se résoudra pas toute seule. Vos méthodes risquent de l'aggraver. Les maîtres du Monde croient sentir que la jeunesse leur échappe. Elle échappe à tous, elle échappe à elle-même, son énergie se détend peu à peu, ainsi que la vapeur dans le cylindre. L'accablante, la tyrannique, l'écrasante sollicitude des dictatures va la réduire à rien. On ne recrute pas plus les vrais enfants que les poètes, et les nouveaux systèmes d'éducation ne sauraient aboutir qu'au dressage de hideux homuncules, jouant au propagandiste, au soldat ou à l'ingénieur. Car l'esprit de jeunesse est une réalité aussi mystérieuse que la virginité, par exemple. La niaiserie, l'ignorance ou la peur, fût-elle même celle de l'enfer, ne forment pas les vierges. Ou du moins cette sorte de virginité me paraît aussi bête que l'espèce de chasteté obtenue par la castration.

*

Vous me direz, bien entendu, qu'un castrat n'est qu'un déchet, au lieu que la politique réaliste peut légitimement tenir pour vierge et utiliser comme telle n'importe quelle jeune femme certifiée intacte par les médecins. Mêmement, si les dictateurs de droite ou de gauche, par un gigantesque effort budgétaire, augmentent d'un certain nombre de têtes le troupeau des jeunes mâles impubères, je veux bien leur laisser croire qu'ils disposent de vastes réserves d'enfance. L'esprit d'enfance, n'est-ce pas ? cela ne se voit pas, les statistiques n'en tiennent aucun compte. Elles ne tiennent non plus aucun compte de l'esprit militaire, ce qui permet à M. Mussolini de penser qu'en concentrant au pied du plateau de Pratzen, et conformément aux plans de Napoléon, un nombre de divisions napolitaines ou siciliennes égal à celui des divisions impériales, il gagnerait sûrement la bataille d'Austerlitz. J'ai entendu maintes fois déplorer par les fascistes espagnols le préjugé antisocial des petits garçons français qui prennent plaisir à voir Guignol rosser le gendarme. Il y a là, disaient ces messieurs, une minuscule glande de sécrétion anarchique dont nos chirurgiens opéreront facilement l'ablation. Soit ! Les mêmes docteurs observent, dans l'Évangile, une glande révolutionnaire et une glande juive, qu'il conviendrait également d'inciser. Nul doute qu'une pareille intervention eût suffi jadis, en modifiant légèrement le métabolisme de saint François d'Assise, à faire de cet exalté sympathique un solide chanoine, humaniste et réaliste. Soit. Je me méfie beaucoup pourtant de cette chirurgie glandulaire. Je me méfie également de vos méthodes de dressage. Comme la plupart des villes d'Espagne, la capitale de Majorque appartenait aux enfants. Six semaines après l'avènement des croisés militaires, elle semblait leur appartenir davantage, car armés de fusils de bois, précédés d'une clique, les joueurs de billes mobilisés défilaient gravement sur les chaussées désertes. Ils jouent au soldat, me disais-je. Mais lorsque les grands frères reviennent chaque soir d'expéditions mystérieuses, qu'il arrive à tout le monde de rencontrer au coin des chemins, sous les mouches, un cadavre à la tête éclatée, le dos contre le talus et qui porte gravement sur le ventre la moitié de sa cervelle rose, le héros n'est pas le soldat, mais le policier. On vit donc les anciens joueurs de billes devenir gendarmes auxiliaires, échanger leurs fusils de parade contre des matraques de caoutchouc, alourdies d'un peu de plomb. Eh bien ! oui, riez tant que vous voudrez. La terreur est la terreur, et si vous aviez vécu au temps de Maximilien Robespierre, en qualité de suspect, c'est-à-dire de bête à police, pour laquelle la plus vague dénonciation est un péril de mort, vous auriez peut-être frémi au passage des carmagnoles de treize ans. Je ne tiens d'ailleurs nullement à ébranler vos nerfs, je voudrais simplement vous faire réfléchir car j'ai dû réfléchir moi-même. Je n'ai pas compris du premier coup. Si débarquant à Barcelone, au mois d'août 1936, j'avais vu défiler dans les rues de cette ville une troupe de marmots armés de casse-tête, chantant *l'Internationale*, les mots qui me seraient venus aux lèvres auraient été ceux que vous pensez. Au lieu que j'eusse traité d'espiègles les mêmes gosses brandissant les mêmes outils, pourvu qu'ils criassent : « À bas les Rouges ! » plutôt que « À bas les Curés ! ». Que voulez-vous ? Nous ne sommes pas maîtres de certains réflexes. Il m'est facile de penser désormais aux uns et aux autres avec une égale pitié.

J'ai toujours pensé que le monde moderne péchait contre l'esprit de jeunesse, et que ce crime le ferait mourir. Il est clair que la parole de l'Évangile : Vous ne pouvez servir Dieu et l'argent, a son équivalent naturaliste : Vous ne pouvez servir à la fois l'esprit de jeunesse et l'esprit de cupidité. Ce sont là, évidemment, des idées générales. Elles ne permettent pas de calculer la durée d'une évolution qui semble d'abord ne devoir se réaliser qu'avec une extrême lenteur. J'ai compris, à Palma, que l'immense effort de propagande éducatrice des dictatures allait la précipiter.

*

Oh ! mon Dieu, il ne s'agit pas d'une révélation d'en haut ! J'éprouve même beaucoup d'embarras et un peu de honte à choisir parmi tant de faits en apparence médiocres. Mais quoi ! Est-il rien de moins remar-

quable qu'un réflexe pupillaire ? Ne permet-il au médecin de diagnostiquer d'un coup d'œil une paralysie
générale ? J'habitais à Majorque un petit village au
bord de la mer, et qui n'est d'ailleurs qu'un faubourg
de Palma, éloigné de cinq kilomètres. En pleine guerre
civile, Porto Pi manquait plutôt d'animation, je dois le
dire. Les garçons servaient dans l'une ou l'autre bande,
ou ne servaient pas du tout selon le lieu du monde où
l'événement les avait surpris, car les Majorquins sont
un peuple voyageur. Ceux qui restaient ne se mon-
traient plus guère que le dimanche à la messe, suivie
naturellement par tous. Je me rappelle… Je me rappelle… Il y avait ce vieux mendiant chargé de la voirie,
avec sa drôle de charrette traînée par un fantôme d'âne
recouvert d'une peau probablement empruntée à un
autre animal de la même espèce, car elle était beaucoup
trop grande pour ses os. Bien que le fils unique de cet
agent municipal eût été tué par les militaires, un caba-
retier charitable permettait qu'il couchât dans l'écurie,
auprès de sa bête singulière. Ma petite fille Dominique
les aimait beaucoup tous les deux. Elle a trouvé le
matin de Pâques son vieux camarade pendu – entre sa
poubelle et son âne –, un matin de Pâques, un triom-
phal matin de Pâques, plein de mouettes blanches… Il
y avait cette grosse fille si gaie, si complaisante,
accueillie par tous, et qui communiait près de moi
chaque dimanche. On a vu, un jour, sous son corsage
maladroitement entrouvert, la plaque de police – une
belle plaque toute neuve… Et cette cuisinière elle aussi
chérie de mes gosses, qu'un argousin à face de mauvais
prêtre, qui me saluait jusqu'à terre, est venu trouver au
réveil. – « Habillez-vous, a-t-il dit. Je reviendrai vous

chercher ce soir à 4 heures. » Elle a mis sa robe de soie noire devenue trop étroite et qui craquait aux coutures. Elle a noué son baluchon, et elle a pleuré tout le jour à gros sanglots, tout cet interminable jour. Je l'ai rencontrée dans le chemin, trottinant derrière son maître, et elle m'a fait le salut fasciste, misère !... misère !... Je me rappelle... Je me rappelle... Mais qu'importe. Je voudrais seulement vous faire comprendre que si tous ces gens-là n'étaient pas gais, ils ne manquaient pas de loisirs. Alors ils venaient s'asseoir au bord de l'eau, les papas fumaient leurs pipes. Ce point de la côte n'est guère fréquenté par les amateurs qui lui préfèrent le luxueux Terreno. Ce ne fut donc pas sans surprise que les gens du village virent s'y abattre une douzaine de balillas, mais ils n'en laissèrent naturellement rien paraître, vous pensez bien ! L'un de ces marmots se baigna tout nu. Républicains ou non, les Palmesans sont prudes, et une grand-mère crut l'occasion bonne de se délier un peu la langue. Elle traita le marmot d'effronté. Au coup de sifflet du chef, les gardes accoururent, et sans beaucoup de zèle arrêtèrent la sacrilège. Ses compagnes protestèrent tandis que les hommes, toujours à l'écart, continuaient de fixer vaguement l'horizon mais laissaient éteindre leurs pipes. C'est à ce moment que les petits policiers décidèrent de déblayer le terrain à coups de matraque. Vous voyez le spectacle d'ici : les vieux, rouges de colère, clopinant devant ces gamins dont aucun d'entre eux n'eût d'ailleurs osé tirer les oreilles, puis s'efforçant, à cause des femmes, de reprendre un maintien digne, de ralentir le pas, et sautillant de nouveau, chaque fois que le cylindre de caoutchouc s'abattait sur leurs fesses. Quelques-uns pleuraient de rage. Force enfin dut rester à la loi.

*

Braves petits, direz-vous. Mon Dieu, oui, braves petits ! Ils étaient de braves petits avant qu'on en eût fait des nains, des hommes nains, avec les haines de l'homme mûr dans un corps de nain. Mais je suis tranquille : l'entreprise va se poursuivre, non tant par la malice des êtres que par la logique des choses. Il serait étrange que les nationalismes autarchiques n'exploitassent pas à fond l'enfance ainsi que n'importe quelle matière première. Les pions exécrables, les boucs buveurs d'encre aux entrailles de buvard, leur soufflent qu'un petit d'homme, livré à lui-même, montre des dispositions à l'indépendance qu'une société prévoyante devrait supprimer sur-le-champ, au lieu de perdre, à le redresser, un temps précieux. Bref, il s'agit de donner bien vite le sens réaliste des hiérarchies, même sous la forme élémentaire, ce goût de l'ordre et de la discipline qui distingue, par exemple, l'adjudant corse. La mentalité enfantine, diraient ces docteurs dans leur sinistre langage, présente des tendances contradictoires. Il est naturel à un enfant de donner plus d'amour à un chien galeux qu'à une bête de prix. Il lui est naturel aussi d'assommer le chien galeux à l'aide de cailloux. La première tendance relève de la mystique celte qui s'exprime par l'absurde axiome : « Gloire aux vaincus. » La seconde est déjà comme une ébauche de génie politique latin, car un chien galeux ne saurait rendre aucun service, et il est licite de le détruire sauf à retenir

271

un moment l'attention de l'exécuteur sur le caractère inutile et par conséquent peu social de certains raffinements de cruauté, lui faisant observer qu'il pourrait tuer proprement dix chiens galeux dans le même temps qu'il en martyrise un seul – d'où plaisir égal, et profit pour la communauté.

*

Ces docteurs ne raisonnent pas mal. Car je répète qu'il est parfaitement vrai que le petit d'homme naît réfractaire, qu'il vit le plus longtemps possible dans un univers affectif fait à sa mesure, et où prennent aisément place, aux côtés d'un papa et d'une maman sublimés, des créatures à peine plus imaginaires, les ogres, les fées, les chevaliers, les reines pour lesquelles on pourfend des géants, et les jeunes princes qui meurent d'amour. Une fois possédé par des fantômes, un garçon quelconque, même soumis à un régime convenable ou développé par la pratique des sports, risque de devenir poète, ou plutôt anarchiste, au sens exact du mot, c'est-à-dire incapable d'exécuter en vers une commande des services de propagande de l'État. Je connais, je connais très intimement un jeune Français qui au début de la croisade épiscopale espagnole, ayant dû prendre part à une expédition punitive, revint hors de lui, déchira sa chemise bleue de phalangiste, répétant d'une voix entrecoupée de sanglots contenus, de son ancienne voix, de sa voix retrouvée de petit garçon : « Les salauds ! Ils ont tué deux pauvres types, deux vieux paysans, très vieux, des types d'au moins cinquante ans ! » – ce qui n'était pas, entre nous, très flatteur pour son papa, tout près d'atteindre à cette dernière étape de la sénilité… Un professeur de réalisme lui eût répondu : « Mon ami, l'acte qui vient de s'accomplir sous vos yeux est politique au premier chef. D'abord ces deux types professaient une autre opinion que celle autorisée par l'État. Qu'ils fussent vieux et pauvres, cela devrait plutôt calmer vos scrupules, si vous saviez réprimer les aveugles réflexes de votre sensibilité. Car un vieux a moins de prix qu'un jeune. Et puisque les pauvres ne goûtent guère aux joies de la vie, il n'y a pas grand désavantage à les priver d'un bien dont ils tirent peu de profit. »

*

Ce raisonnement vaut ce qu'il vaut. Je répète que vous ne ferez pas sa part au réalisme politique, et que le jour où le pauvre, l'infirme, l'idiot n'auront d'autre providence en ce bas monde que la naturelle répulsion des délicats pour la souffrance, il sera temps de conseiller le suicide à ces malheureux. Les gens du peuple ont un mot très profond lorsqu'ils s'encouragent à la sympathie : « Mettons-nous à sa place », disent-ils. On ne se met aisément qu'à la place de ses égaux. À un certain degré d'infériorité, réelle ou imaginaire, cette substitution n'est plus possible. Les délicats du dix-septième siècle ne se mettaient nullement à la place des nègres dont la traite enrichissait leurs familles. M. Vittorio Mussolini a publié un livre sur sa campagne d'Éthiopie :

Je n'avais jamais vu un grand incendie, déclare-t-il, bien que j'aie souvent suivi les autos de pompiers…

C'est peut-être parce que quelqu'un avait entendu parler de cette lacune de mon éducation qu'une machine de la 14ᵉ escadrille a reçu l'ordre d'aller bombarder la zone d'Adi-Abo exclusivement avec des bombes incendiaires. Nous... devions mettre en feu les collines boisées, les champs et les petits villages. Tout cela était très divertissant... À peine les bombes touchaient-elles le sol qu'elles éclataient en fumée blanche et une flamme gigantesque s'élevait pendant que l'herbe sèche se mettait à brûler. Je pensais aux animaux. Mon Dieu, ce qu'ils couraient !... Lorsque les châssis porte-bombes furent vidés, j'ai commencé à lancer des bombes à la main... C'était très amusant. Une grande « zariba » entourée de grands arbres n'a pas été facile à atteindre. J'ai dû viser très exactement et je n'ai réussi qu'à la troisième fois. Les malheureux qui s'y trouvaient ont sauté au-dehors lorsqu'ils ont vu leur toit brûler et se sont enfuis comme des fous... Entourés d'un cercle de flammes, quatre à cinq mille Abyssins sont arrivés à leur fin par asphyxie. On aurait dit l'enfer : la fumée s'élevait à une hauteur incroyable, et les flammes coloraient en rouge tout le ciel noir[1].

Il est clair que M. Vittorio Mussolini n'a jamais songé à se mettre à la place des Éthiopiens. Si son papa l'envoie un jour sur le front français, il comblera une autre lacune de son éducation. Il verra ce que c'est que des hommes, et je suppose qu'il reviendra les pieds devant faire part de cette expérience à sa famille. N'importe ! – Renvoyé à M. Brasillach pour l'oraison

---

1. D'après DE GRŒNE AMSTERDAMMER, cité par *la Paix civile*.

funèbre ! – Les soyeux de Lyon qui, sous la monarchie de Louis-Philippe, laissaient crever de faim leurs ouvriers ne se mettaient pas à la place de ces frères inférieurs, non plus que M. Cavaignac dont on connaît la parole fameuse devant la Chambre, après l'insurrection de Lyon : « Il faut que les ouvriers sachent bien qu'il n'y a pas de remèdes pour eux que la patience et la résignation. » Parole contre laquelle l'épiscopat français de cette époque n'a élevé aucune protestation. Bref, la pitié ne joue jamais à coup sûr. Le législateur ne peut absolument pas compter sur elle comme, par exemple, sur l'esprit de lucre et l'intérêt. La pitié ne saurait se justifier en politique, ou du moins elle n'apporte au réaliste qu'une aide précaire, dans des cas exceptionnels. Il l'utilise parce qu'elle est là, il aimerait mieux s'en passer. Vous ne pouvez d'ailleurs juger la pitié, depuis vingt siècles vous ne savez plus exactement ce que c'est. Depuis vingt siècles, l'Ange de la Charité du Christ la tient pressée sur sa poitrine, au chaud contre son cœur sublime. Lorsque l'Ange en aura assez de vous, mes enfants, vos docteurs en politique positive auront beau lui faire proposer par des casuistes hors d'usage, poudrés de naphtaline, une avantageuse transaction. – « Reprenez-la donc, votre pitié », répondra l'Ange. Et vous trouvez par terre une pauvre petite bête aveugle, toute rose, sans poils ni plumes et qui crèvera de froid en cinq minutes.

*

Je ne prétends pas confondre l'esprit de jeunesse et celui de charité, je ne suis pas théologien. L'expérience m'a seulement appris qu'on ne rencontre jamais l'un sans l'autre, que diable voulez-vous que je vous dise ? Oui, les vertus de l'Évangile sont un peu folles – il n'y a pas de mal, peut-être, à danser devant l'arche comme le roi David ? Malheur aux prêtres qui, dans l'espoir sans doute de désarmer l'ironie des philosophes, coiffent ces Vertus du bonnet carré, avec une paire de lunettes sur le nez. À force de vouloir justifier la chasteté aux yeux des bêtes à morale, ou des hygiénistes, des économistes, des médecins et des professeurs de culture physique, ils ont fini par la rendre ridicule. Je crois que nous leur devons le nom de « continent » – pardonnez-moi si je me trompe. On leur doit sûrement celui de Personnes du Sexe – qui n'est pas mal non plus. Il n'y a pas un paroissien français qui souhaite d'être appelé continent, à l'image de l'Afrique ou de l'Océanie. Les pions politiques rendent odieux, par les mêmes méthodes, le mot de liberté. Dès qu'on articule ces trois syllabes en présence d'un jeune réaliste, quelque chose se déclenche dans son larynx et il riposte d'une voix de Polichinelle : « La Liberté n'existe pas. Nous ne connaissons que les libertés. » Telle est la maxime qu'il a recueillie pieusement aux gencives de ses maîtres centenaires, et il ne se demandera jamais à quoi pourront bien servir les libertés lorsque aura disparu l'esprit de liberté qui seul les rendait fécondes. Enfin, pour le mot de justice, s'il m'arrive encore de l'employer par étourderie, j'ai beau le prononcer *ustice* de peur qu'on ne m'accuse de l'écrire avec une majuscule, faute inexpiable aux yeux des Machiavels gâteux, il fait rigoler tout le monde. La justice est un truc dans le genre de la Société des Nations, une blague. Mes pauvres petits enfants, vous croyez ainsi vous montrer de véritables affranchis. Mais les vieux magistrats effrontés ne croient pas non plus à la justice, et les vieux financiers pas davantage. Le scepticisme des tôliers et des tôlières égale ou dépasse le vôtre sur ce point important. Vous vous fichez de la justice, mes enfants, soit. Sacrés gaillards ! Alors, soyez réguliers. Les gens du Milieu font profession d'ignorer la justice, mais ils n'estiment guère plus les hommes de justice, au lieu qu'on vous voit toujours du côté des gendarmes, mes mignons. C'est très joli d'étonner sa maman par des paradoxes incendiaires sur la force qui prime le droit et autres calembredaines. La brave femme se réjouit en son cœur de votre bonne mine, parce qu'elle sait d'avance que le gentil autocrate, après une carrière honorable, ira paisiblement toucher sa retraite aux guichets de l'État. Dieu veuille néanmoins garantir ce précieux produit contre les rigueurs de la crise menaçante ! Lorsque le navire s'enfonce, il faut jeter du lest, et qu'est-ce qui pèse le plus dans les soutes de la Société moderne, bien que sans valeur réelle ? Les scrupules. Car l'État sera toujours assez puissant et assez riche pour assurer la protection de l'Ordre et de la Propriété, si les jeunes classes dirigeantes l'aident à se décharger d'accablantes responsabilités morales, héritées du régime chrétien, et que les démocraties faisaient encore semblant d'assumer, par pudeur. Vous jouez votre rôle à merveille, chers farceurs. Il est d'ailleurs très facile à tenir, on ne vous demande que de rigoler. Rien de plus simple. Vous ne valez ni plus ni moins que vos grands-pères, et lorsqu'il s'agit d'affaires sérieuses, de défendre vos sous, par exemple, vous vous inspirez comme eux des principes d'un pharisaïsme modéré. Je ne parlerai donc que de votre attitude publique, du personnage qui dîne en ville, joue au bridge, pérore à son cercle, préside les conseils d'administration, bref, du personnage qu'un certain nombre de messieurs cravatés de noir reconduiront poliment un jour jusqu'au cimetière, et qui est rarement celui avec lequel une pauvre femme couche tous les soirs, ou celui que Dieu jugera. Au prix de quelques années d'entraînement, ce personnage éminemment social réussit à acquérir une espèce d'automatisme qui lui permet de participer sans fatigue aux conversations lorsqu'elles s'égarent, c'est-à-dire prennent leur essor vers les idées générales, les cimes. Cet automatisme est le même chez vous que chez vos grands-pères, et il a le même mécanisme. Certains vocables commandent aussitôt le réflexe correspondant. C'est ce réflexe qui diffère, voilà tout. Vos grands-pères abusaient, je dois l'avouer, de la main sur le cœur et de la larme à l'œil. Il suffisait, par exemple, de prononcer le mot « chiffon de papier » pour faire éclater en sanglots une tablée entière de requins des lettres, du commerce ou des finances, voire d'huissiers. Aujourd'hui, ce même mot provoque chez les sportifs citoyens issus de leurs génitoires un spasme irrésistible de l'arrière-gorge, qui s'achève en rire hystérique. Et la dépêche d'Ems, et les coups de poing sur la table ! À cette évocation l'huissier patriote, jadis, accablé de désespoir, finissait par se moucher dans la nappe. Le produit de cet homme de loi s'écrie maintenant, chaque fois qu'un diplomate reçoit un coup de pied au cul : « Quelle bonne blague ! La diplomatie, n'en faut plus. C'est des bêtises ! » Il y avait aussi la guerre sous-

marine, peuchère ! Le canonnier boche qui, à 120 kilomètres, faisait exprès de tuer les petits chanteurs de
Saint-Gervais, et le bombardement de Strasbourg, et
l'incendie de Louvain, et les exécutions de civils, saletés de Boches qui ne respectent pas les femmes !
Depuis que ces horreurs-là s'observent en Espagne, en
Éthiopie ou à Shanghai, oh ! mes enfants… Le malheureux qui oserait élever la plus timide protestation au
nom de l'humanité – hi ! hi ! hi ! – se ferait traiter aussitôt de jobard et d'impuissant par de grosses dames,
terriblement juteuses, décidées à en finir, une fois pour
toutes, avec les ouvriers qui depuis l'avènement du
Capitalisme en font voir de toutes les couleurs aux malheureux patrons, se sont engraissés de leurs sueurs, les
cochons ! D'abord ces Éthiopiens ne sont que des
nègres, des sauvages. Et les Chinois ? Les Chinois sont
civilisés depuis trop longtemps, place aux jeunes ! Et la
France ? Quelle France ? On n'ose plus la montrer, elle
inspire du dégoût aux vertueux dictateurs. Si du temps
que M. Jaurès se faisait traiter d'avocat de l'Allemagne
au Parlement français, l'empereur Guillaume avait prétendu décider quelle était la vraie France, la France
authentique, vous auriez entendu d'ici les orateurs
patriotes. Aujourd'hui, le général Franco, entre deux
bombardements de Madrid, donne aux royalistes dégénérés qui l'étrillent respectueusement de la langue sa
consultation motivée sur le passé, le présent et l'avenir
de mon pays. Les royalistes français donnent congé à
leurs princes, suspects d'avoir perdu le sens de l'intérêt
national, mais ils croient dur comme fer à la sollicitude
désintéressée de M. Mussolini pour notre grandeur et
notre honneur. Il tombe en effet sous le sens que celui-

ci fait chaque soir, à nos intentions, une prière à saint Nicolas Machiavel, car vous ne doutez pas qu'il obtienne plus aisément notre empire colonial d'une France unie et puissante que d'une France déchirée par les factions. Sur ce point capital, nos jeunesses dirigeantes n'admettent pas la moindre controverse. Les dictatures veulent le salut de la France, la Société des Nations veut sa ruine. Au temps où la presse bien-pensante menait contre cette dernière une campagne de slogans, comparable à celle des chansonniers montmartrois contre Cécile Sorel, j'avais beau ne nourrir aucune tendresse pour cette Académie, je me disais : « Qu'est-ce qui les prend comme ça chaque matin, quelle mouche les pique ? À les en croire l'Europe n'a pas d'autre ennemi que cet Institut. Si le traité de Versailles avait été conclu à nos dépens, et que Genève fût chargé d'en garantir l'exécution intégrale, la chose pourrait se comprendre, mais le *statu quo* nous est favorable, nous n'avons absolument aucun avantage à tourner en dérision le respect des signatures. » Que voulez-vous ? J'ignorais que le futur Empire préparât l'opinion à la conquête de l'Abyssinie, on ne peut pas tout savoir... Lorsque M. Mussolini accumulait sur les bords de la mer Rouge un matériel énorme, indénombrable – deux canons par tête de nègre –, les jeunes réalistes français se relayaient pour tenir en scène jour et nuit : « Le droit international, hou ! hou ! M. Jèze au poteau ! » De temps en temps, nous entendions un bruit argentin. C'était M. Laval qui faisait sa caisse. Sacrés nationaux ! Ils ont toujours le mot pour rire. M. René Benjamin passe les Alpes. Que découvre là-bas cet observateur ? Des autostrades fleuries, des écoles, des inscriptions, des fontaines et des jolies femmes – le tout de pur style fasciste. Il a découvert aussi l'Enchanteur, auquel il a demandé pardon pour la France et qui a bien voulu promettre de patienter encore un peu, de retenir sa droite puissante. Par un raffinement de délicatesse, M. Mussolini n'a rien voulu dire des vues impérialistes de mon pays sur Nice, la Corse, le Maroc et la Tunisie, que son Invincible Armée suffirait d'ailleurs à défendre contre les sbires de M. Thorez. C'est drôle, tout de même, de pouvoir aller et venir dans un pays mobilisé du premier au dernier homme sans penser une fois à la guerre, vous ne trouvez pas ? Moi, je trouve. Oh ! oui, sacrés nationaux ! Avec eux, pas moyen de s'ennuyer une seconde. Quand le Kronprinz parlait en 1914 de la guerre fraîche et joyeuse, ils l'appelaient Kon de Prince. Toutefois si le chef du Nouvel Empire Pacifique et Civilisateur répète la même chose dans un langage d'instituteur sorélien, ils trépignent d'aise. Je ne sais pas si la guerre mussolinienne sera joyeuse, mais étant donné l'enrôlement des gamins balillas, elle sera sûrement fraîche, elle sera faite avec du bétail frais. Sacrés, sacrés nationaux, toujours le mot pour rire, toujours le mot pour mourir !

II

Je ne suis pas, je n'ai jamais été, je ne serai jamais national, même si le gouvernement de la République m'accorde un jour les obsèques de ce nom. Je ne suis pas national parce que j'aime savoir exactement ce que je suis, et le mot de national, à lui seul, est absolument incapable de me l'apprendre. J'ignore même son inventeur. Depuis quand les gens de droite s'appellent-ils nationaux ? C'est leur affaire, mais ils me permettront de leur dire qu'ils devancent ainsi le jugement de l'histoire. Il n'y a déjà pas tant de mots dans le vocabulaire auxquels un homme puisse confier ce qu'il a de précieux, pour que vous fassiez de celui-ci une sorte de garni ou de comptoir ouvert à tout le monde. – « Alors vous préférez sans doute le mot international ?... » Nullement. Je n'ai rien à confier de précieux au mot international, il a été formé au dernier siècle, je trouve parfaitement légitime qu'il serve aux socialistes qui, l'ayant inventé, en sont les premiers occupants. Celui d'universel suffit à mes besoins, celui de catholique n'est pas mal non plus. Ça ne vous fait pas honte, non, d'exploiter contre d'autres Français, même égarés, un nom qui appartient à chacun de nous, que je ne recevrai pas de vos mains. Qu'est-ce que c'est que cette main-là qui me le tend ? Celle de M. Tardieu. – Non, merci. Oh ! naturellement un mot ne peut pas se défendre. Il arrive pourtant qu'il se venge, qu'il se venge par des calembours. Depuis que vous avez trouvé bon d'échanger celui de patriotes – que votre propagande de guerre, en 1914, avait d'ailleurs ridiculisé jusqu'au trognon –, il vous est impossible de l'employer sans risquer d'offenser, avec la raison, l'esprit de la langue. Victor Hugo, par exemple, est un poète national. Mais prenant le terme dans son nouveau sens, M. Pestour, M. Pierre Tuc sont des écrivains nationaux. Nous autres, nationaux... Il y a de quoi faire rire les enfants. Malheureusement, il n'y a pas d'enfants ! Deux ou trois siècles n'ont pas été un trop long délai pour justifier aux yeux des Français la politique de Louis XI, faire reconnaître de tous les Français son caractère national. Au lieu que la politique des nationaux ne peut être, par définition, que nationale, on épargne ainsi du temps, c'est bien commode. Et par exemple M. Recouly. M. Recouly expliquait gravement hier aux lecteurs de *Gringoire* que les États menaçants pour la paix ne sont pas ceux qui se privent de blé pour acheter du fer et complètent l'enseignement du catéchisme élémentaire par un cours sur le maniement des armes automatiques. Le trouble-paix c'est la France qui devient d'ailleurs « l'ilote ivre dont parlait d'une manière si méprisante Bismarck ». Je vous le demande, à quoi bon répéter en français ce qui s'écrit tous les jours en allemand ou en italien ? Lorsque les dictatures auront débarrassé l'Europe de mon ignoble pays, il est peu probable que les exécuteurs devront se justifier à la barre d'un tribunal quelconque. Mais dans une telle hypothèse, ils n'auraient qu'à faire citer une douzaine d'écrivains nationaux qui prouveraient bien volontiers que la vieille garce, sourde à tous les avertissements, ne l'avait certainement pas volé. « Il ne s'agit que d'un accident dû à l'ivresse, expliquera probablement M. Recouly. La victime s'était, comme d'habitude, abominablement saoulée avec la vodka de M. Staline. Elle est tombée sur le canif dont M. Mussolini se servait pour découper la mortadelle. Si la blessure s'est envenimée, nous établirons que la malheureuse avait la vérole. » Oh ! naturellement, on m'objectera que les hautes consciences n'éprouvent du dégoût, à l'exemple de M. Franco, que pour une France dégénérée. Bien sûr. Mais quelle est la France des nationaux ? Dans le même article, M. Recouly la définit ainsi : « cette terre de liberté, le pays de Voltaire, de Rousseau, de l'Encyclopédie et de la Déclaration des Droits de l'Homme ». Diable ! Les États fascistes mobiliseraient donc pour sauver la France de Voltaire et des Droits de l'Homme ? Il est vrai qu'à la colonne voisine, M. André Tardieu s'écrie : « La seule idée du radicalisme est de déchristianiser la France. » Combien de maux sont venus de là, conclut l'ancien professeur d'optimisme, en sanglotant. Ne croyez pourtant pas une seconde que ces deux écrivains nationaux défendent ici une opinion. Il s'agit d'arguments, ce n'est pas la même chose. M. Recouly pense qu'en dressant contre le Front populaire la France des Droits de l'Homme, il fermera le bec aux radicaux. Mais, soyez tranquilles ! La prochaine fois il en prendra une autre, de France, celle, par exemple, qui vient de servir à M. Tardieu. Car enfin si ces messieurs honorent de leurs faveurs jusqu'à la France des Droits de l'Homme, que de Frances, Seigneur, que de Frances ! – à l'exception, bien entendu, de celle du Front populaire. La France de Rabelais, de Pascal, de Bossuet, de Calvin, la France classique, néo-classique, romantique, naturaliste, claudélienne et valéryenne, latine, gréco-latine, impériale et démocratique, déroulédiste et clemenciste, grasse ou maigre, mystique ou tétonnière – tant de Frances, tant de Frances… Toutes les Frances au salon ! – « Vous n'aurez que l'embarras du choix, à condition de patienter quelques minutes parce qu'en ce moment les pauvres filles sont couchées un peu partout, avec un national dessus. Au cas où vous trouveriez le temps long, n'encombrez pas l'antichambre, allez faire un petit tour en ville. » Ma foi, le conseil vous semble bon, et vous marchez vers le Pont-Neuf, histoire de vous dégourdir les jambes. Si vous rencontrez là-bas un jeune homme, debout dans la nuit, au pied de la statue d'Henri IV, ne l'interrogez pas, il vous répondrait : « Je m'appelle Henri de France, et il n'y a plus que moi qui n'ai pas de France. M. Charles Maurras vient de me la retirer, avec le droit de m'appeler national. »

III

Je relis, non sans mélancolie, la première page de ma préface. « J'irai jusqu'au bout de ma tâche », disais-je. Eh bien ! c'est vrai, j'y suis allé. J'ai été jusqu'au bout de mon livre. Je suis content.

Le secret de ce contentement est fait sans doute pour échapper à beaucoup de gens. J'aurais voulu ne pas parler de ceux qui n'ont cru entendre, tout au long de ces pages, qu'un cri de colère ou de défi. Le jugement de tels êtres ne saurait m'occuper beaucoup, parce que ce n'est pas à leur jugement que je pense, c'est eux que je vois. Je les vois. Je n'ai pas envie de les railler. Ils appartiennent tous à cette part d'humanité qui fait les citoyens dociles. Dans un monde réellement organisé, à l'exception de leur famille, de leurs supérieurs ou de leurs subordonnés, nul ne les voit. Ils passent complètement inaperçus. Ils ne deviennent ridicules qu'en un temps comme le nôtre parce qu'ils ne sont pas nés pour ces conjonctures tragiques. C'est la brusquerie du contraste qui fait naître le rire. Vous voyez un dimanche, autour du kiosque à musique de Brignoles ou de Romorantin, tel vieux monsieur vêtu d'une jaquette d'alpaga et d'un pantalon damier, coiffé d'un chapeau de paille, vous n'en ressentez nul émoi. Transportez-le, après un dernier coup de brosse, au milieu des ruines de Shanghai, le pauvre type vous paraîtra grotesque ou sinistre – selon votre humeur. Les Ligues patriotes sont ainsi encombrées de fonctionnaires militaires ou civils, auxquels des journalistes roublards proposent chaque matin de sauver la France. Jadis ces innocents s'excitaient contre les Boches. L'ouvrier syndiqué a pris aujourd'hui la place du Boche. Que diable voulez-vous que pensent des réformes sociales les plus légitimes des personnages inoffensifs qui ont toute leur vie tremblé devant leur chef de bureau, leur colonel ou leur inspecteur, et qui arborent à leur boutonnière avec une naïve fierté, pour prix de quarante ans de coliques, la même Légion d'honneur que le plus grand des hommes de guerre, au camp de Boulogne, tendait jadis à ses vieux soldats, dans le casque de François Ier ? S'ils ne sont pas sensibles à cette bouffonnerie colossale, comment espérer qu'ils aient, même au degré le plus bas, le sens de l'honneur, de la justice et de l'histoire ? Pour ces malheureux, l'ouvrier mécontent est « dans son tort » parce qu'il réclame. Quiconque risque de porter atteinte au prestige des commerçants et des propriétaires offense mortellement le bon Dieu. Le scandale de ma vie a été certainement de voir un certain nombre de ces respectueux chroniques devenir royalistes. C'est qu'on avait répété à ces têtes frivoles que la monarchie était bien-pensante. Grâce au Ciel, ils tiennent maintenant les princes pour socialistes. Tout permet d'espérer qu'ils redeviendront républicains.

Encore un coup, je ne souhaite pas la disparition de cette espèce d'hommes. Je voudrais simplement les écarter de nos débats un moment, le temps nécessaire à la réconciliation des Français. Ils peuvent souhaiter de bonne foi cette réconciliation. Bien loin d'être capables de la réaliser, ils ne sauraient pas même la concevoir. Ce n'est pas le désordre qu'ils réprouvent, c'est le bruit que fait le désordre, et ils crient : Silence ! Silence ! de leurs pauvres voix tantôt plaintives et tantôt menaçantes. Si les revendications ouvrières les jettent hors d'eux-mêmes, c'est parce qu'elles agacent leurs nerfs. Le chef d'une puissante industrie qui, depuis cinq ans, pratique l'ajustement des salaires m'avouait aujourd'hui qu'à chaque augmentation de 5 pour 100, les détaillants répondaient sur-le-champ par un enchérissement de 10 pour 100 du prix des denrées. Ces hideuses ventouses épuisent ainsi peu à peu la substance de notre peuple, mais les journaux de droite s'accordent à taire un fait pourtant connu de tous. Il y a sans doute à cette réserve plus d'une raison. Je ne retiendrai que la principale : les ventouses opèrent silencieusement. C'en est assez pour les hommes d'ordre. Au lieu qu'ils appellent de leurs vœux la répression qui fera taire les braillards. Qui braille quand on le saigne est un anarchiste et ne mérite nul pardon.

Lorsqu'on a les nerfs si sensibles, il est préférable de rester chez soi. Il est absurde de prétendre jouer le rôle d'arbitre. Je comprends parfaitement que l'ouvrier syndiqué mette leur patience à l'épreuve. Qu'ils laissent donc à d'autres le soin de traiter avec lui ! Au point où en sont ces malheureux, dès les premiers mots échangés, ils tombent en transe. Ils ressemblent à ces femmes incomprises qui accepteraient tout, même les coups de trique, pourvu qu'entre deux raclées on leur affirme qu'elles ont raison – raison – raison. Je parle là d'un phénomène psychologique très facile à vérifier. Je vous défie de risquer la plus discrète, la plus timide approbation d'un article quelconque du programme ouvrier sans voir ces femmelins se recroqueviller sous vos yeux ainsi que la fleur nommée sensitive. Alors ! vous êtes communiste ! s'écrient-ils de la même voix que les héroïnes de Courteline répliquent : Alors, je suis une imbécile ?… Comment de jeunes Français prêtent-ils encore l'oreille aux propos de ces anxieux, de ces angoissés ? Je ne songe pas à nier le péril que le communisme totalitaire fait courir à la France. Fût-il encore plus pressant que je ne l'imagine, le besoin ne s'en ferait pas moins sentir, au contraire, de débarrasser la garnison de malheureux déprimés, dont la place est à la cave. Je répète que la Maison de France elle-même n'est pas à l'abri de leurs soupçons hystériques. Vais-je être obligé de demander un brevet de royaliste à M. Pozzo di Borgo ou à M. Taittinger ? Pourquoi ferais-je aujourd'hui confiance à des campagnes de presse, d'un caractère convulsif, qui n'aboutissent qu'à des échecs retentissants ? Je n'ai encore jamais écrit un mot sur le procès du colonel de La Rocque. Je me permets de trouver simplement comique que les mêmes gens qui approuveraient volontiers, s'ils l'osaient, l'attentat provocateur de l'Étoile, se mettent à pousser des cris parce qu'un Colonel National (pour employer leur ridicule langage) aurait accepté d'un Ministre National une Subvention Nationale pour une Organisation Nationale. Comment ! Au temps de l'affaire Dreyfus, ces patriotes n'auraient pas souffert qu'on mît en cause un capitaine d'habillement, et ils déshonorent publiquement un colonel, ils le dénoncent à l'étranger, ainsi qu'un escroc, qui a volé jusqu'à ses citations de guerre ! Consciences ! Consciences ! Est-il un de ces cocos qui, dès qu'on l'interroge sur le seul chapitre de l'histoire contemporaine capable de l'émouvoir, la guerre d'Abyssinie, ne soit prêt à diffamer, pour l'amour de Mussolini, nos campagnes coloniales ? « Oui, monsieur, nous avons massacré beaucoup plus de nègres que le Duce ! Qu'est-ce que les nègres, d'abord ? À bas les nègres ! » Consciences ! Consciences ! Consciences ! Lorsque des imbéciles montrent assez peu d'honneur pour oser comparer l'œuvre d'un Gallieni ou d'un Lyautey à l'écrasement massif de l'Éthiopie obtenu à coups de milliards, je puis bien leur dire que je me méfie de leur conception particulière de la défense sociale et qu'en deux mots comme en cent j'aime mieux crever que de vivre à l'abri de leurs mitrailleuses carottées dans les arsenaux. Oui ou non, ai-je le droit de parler ainsi ? Oui ou non, la qualité de national sera-t-elle déniée à quiconque refuse de confondre les ouvriers français – nés de père et mère français – dont beaucoup, par le jeu des cousinages ignorés, ont dans les veines un sang autrement précieux que celui de tant d'aristocrates enjuivés – avec des moujiks abrutis par mille ans de servage, sous prétexte qu'ils préfèrent le marxisme au capitalisme, ce dernier n'étant d'ailleurs qu'une forme du marxisme ? Cesse-t-on instantanément d'être français parce qu'on repousse toute complicité dans l'entreprise ignoble de rendre les ouvriers français seuls responsables de la faillite d'un régime économique et social qui était déjà mort bien avant M. Jouhaux, qui aboutissait déjà, en 1914, à une guerre suspecte que personne n'ose plus justifier ni même défendre, et dont le moins qu'on puisse dire est que le panslavisme et le pangermanisme en sont également les auteurs, que la France seule y est entrée les mains pures, la France – je dis la France – y compris la France ouvrière et paysanne ? Dois-je perdre ma nationalité parce que je vous dis en face, tranquillement, que je n'aurais probablement jamais parlé du général Franco, si vous n'aviez prétendu faire d'un Galliffet de cauchemar une sorte de héros chrétien à l'usage des jeunes Français ? Dans une récente conférence, M. Benjamin a osé dire qu'il était allé chercher à Burgos une leçon de grandeur. Avouez que j'ai bien le droit de ne pas me fournir de grandeur au même endroit que l'auteur de *Gaspard*. Quoi ! supposez que j'aille interroger demain n'importe quel roi exilé, Mgr le duc de Guise comme Alphonse XIII, le prince Otto de Habsbourg comme l'empereur Guillaume, que je lui dise : « Sire, envisageriez-vous, le cas échéant, une restauration de la Monarchie effectuée selon les méthodes que M. Benjamin, d'accord avec l'épiscopat espagnol, juge excellentes ? » Ces majestés me riraient au nez. Pourquoi diable exigerait-on de moi que j'admire une sorte de général qui se fait de sa légitimité personnelle une idée d'autant plus féroce et bornée qu'il s'est parjuré lui-même deux fois envers ses maîtres ? Oh ! je sais bien ! Vous me répondrez : « Jouhaux ou Gignoux, il faut choisir ! » Eh bien ! ni Jouhaux ni Gignoux ! À vous entendre, le monde ouvrier a seul ses exploiteurs politiciens, sa presse stipendiée. Comme c'est drôle ! Le régime capitaliste vit de publicité. N'importe ! L'Union des intérêts économiques, ou telle entreprise de même espèce, rougirait d'exercer la moindre pression sur le directeur de *l'Écho des Bons Riches*. Vous pouvez même imaginer le dialogue : « Messieurs, dirait le directeur, j'ai résolu de soutenir un certain nombre de réformes sociales auxquelles votre égoïsme s'oppose. – Très bien, monsieur le directeur, nous nous refusons d'inquiéter votre haute conscience. Bien plus : désireux d'encourager la vertu, nous doublons notre subvention. »

Évidemment, la guerre de classe a ses nécessités, comme l'autre. Je ne vous reproche d'ailleurs pas de la faire. Je refuse simplement à M. Gignoux comme à M. Jouhaux de jouer les arbitres. « Mais nous réprouvons la violence, nous autres ! » Voire. L'évasion des capitaux est contre mon pays un chantage aussi efficace que les grèves. « Quoi ! n'aurions-nous pas le droit de mettre en sûreté le patrimoine de nos enfants ? » Dispensez-vous donc de le faire au nom de la Patrie. Tous vos patrimoines ensemble ne font pas encore la Patrie.

Je puis parler ainsi parce que je ne suis pas démocrate. Le démocrate, et particulièrement l'intellectuel démocrate, me paraît l'espèce de bourgeois la plus haïssable. Même chez les démocrates sincères, estimables, on retrouve cet inconscient cabotinage qui rend insupportable la personne de M. Marc Sangnier. « Je vais au Peuple, je brave sa vue, son odeur. Je l'écoute avec patience. Faut-il que je sois chrétien… Il est vrai que

Notre-Seigneur m'a donné l'exemple. » Mais Notre-Seigneur ne vous a pas donné cet exemple ! S'il a fait sa société d'un grand nombre de pauvres gens – pas tous irréprochables – c'est parce qu'il préférait, je suppose, leur compagnie à celle des fonctionnaires. Libre aux personnes distinguées de s'en tenir à l'hypothèse, évidemment plus flatteuse, d'une volontaire mortification du Divin Maître. Pour moi, je souhaiterais m'asseoir tous les jours à la table de vieux moines ou de jeunes officiers amoureux de leur métier. La conversation d'un brave châtelain-paysan ne me déplaît pas non plus, parce que j'aime les chiens, la chasse, l'affût des bécasses au printemps. Quant aux potentats du haut commerce, discutant du dernier Salon de l'automobile ou de la situation économique du monde, ils me font rigoler. Au large ! Au large ! Ce qu'on appelle aujourd'hui un homme distingué est précisément celui qui ne se distingue en rien. Comment diable peut-on les distinguer ? Après quinze jours de vie commune, sur le *Normandie* par exemple, et pourvu qu'on ait dans sa jeunesse convenablement dressé l'animal, impossible de savoir si son papa vendait des cravates à la sauvette, ou administrait Le Creusot. Bref, n'importe quel brave homme, ouvrier ou paysan, qui ose être ce qu'il est, parle à sa guise, se tait s'il n'a rien à dire, me paraît beaucoup plus digne d'être distingué que ces pauvres ombres qui savent leur rôle sur le bout du doigt, mais qui seraient incapables d'y changer le moindre mot sans risquer de recevoir une paire de claques. Ce n'est pas de vieux pions qui me feront prendre ça pour une humanité précieuse dont le raffinement est une part de l'héritage national, avec la poésie de Jean Racine. Malheureux pions… Ils tenaient jadis M. Anatole France pour un génie, et M. Gabriele D'Annunzio pour un seigneur de la Renaissance, aïe, aïe, bonne mère ! Les véritables aristocraties sont ce qu'elles sont. Il serait inutile d'en discuter, puisqu'elles ne sont plus. Nul ne met en doute que l'une et l'autre classe compte des individus remarquables. Nous devons travailler à les rassembler. Tout le reste est vain.

On ne saurait espérer de la Presse de droite ou de la Presse de gauche qu'elle favorise une telle entreprise. Le plus effrayant des symptômes sociaux, c'est que les clientèles de ces deux presses rivales finissent par être seules en cause. La lutte est entre deux clientèles. Il ne s'agit donc même plus de préjugés de classe, mais d'une inimitié beaucoup plus profonde, approfondie chaque jour et non seulement approfondie, élargie chaque jour à la dimension de l'univers, qui se trouve ainsi associé aux plus ridicules malentendus. Ainsi l'abjecte concurrence des feuilles imprimées règle le destin des grands peuples. À quoi bon parler de luttes sociales ? Une telle écume de haine est trop gluante, trop épaisse, elle sent son fruit. Si les gens de France sécrètent cette bave, c'est qu'ils sont malades, voilà tout. J'apprenais ce matin l'entrée à Vienne des troupes hitlériennes. « La droite va être contente », me dit le vendeur de *Ce soir*. Et cinq minutes plus tard, un brave homme m'arrête dans la rue : « Voilà où nous mène le Front populaire !… » Nous regardions ensemble défiler, ainsi qu'une cour des miracles, des vieux et des vieilles réclamant la retraite tant de fois promise et tant de fois différée. « Salauds ! » s'écrie mon compagnon, en montrant le poing à ces épaves. – Oh ! mon pays !...

*

Il n'y a plus de classes. Une classe vivante élimine ses poisons, ses haines. Nos partis n'éliminent plus rien. On peut traiter avec une classe vivante, organisée, car ses intérêts eux-mêmes sont vivants, elle leur sacrifie parfois ses rancunes. Quelle chance de faire entendre, au milieu de ce chaos, une parole libre ? À en croire les bien-pensants, l'ouvrier français, comblé, crèverait de bien-être. Je leur conseille de lire l'article publié récemment par M. Louis Gillet dans *Paris-Soir*. M. Louis Gillet, gendre d'un académicien, académicien lui-même, ne saurait passer pour un bolchevique : *Savez-vous,* écrit-il, *que 18 pour 100 des familles françaises, c'est-à-dire UNE famille sur CINQ, vit pêle-mêle dans une seule pièce ? Ce sont naturellement les plus pauvres, c'est-à-dire les plus nombreuses. Une seule pièce où l'on s'entasse à huit ou dix pour manger, faire le fricot, la vaisselle et le reste, pour s'habiller et pour dormir. Une seule pièce prenant le plus souvent jour sur l'escalier, ce tuyau qui sert à toute la maison d'appareil de respiration, où séjournent les relents de toutes les cuisines et où, faute de place, chaque ménage, pendant la journée, entasse sur la rampe, afin de les aérer, la literie et les paillasses.*

Les petits mufles de la nouvelle génération réaliste trouveront sans doute cela très normal. Ils trouveront aussi parfaitement naturel qu'à la prochaine guerre ces ilotes paient de leurs misérables carcasses la maternelle sollicitude que n'a cessé de leur témoigner la nation. Ils ne pourront probablement pas lire ces lignes sans crier au sacrilège. Et cependant Dieu sait comment les papas de ces messieurs parlent de la France depuis que les « affaires vont mal » ! Ils la traitent exactement comme les souteneurs la fille qui ne rapporte plus. La propagande ennemie tire un prodigieux parti de ces bégaiements d'imbéciles terrorisés. Il y a quelques mois, la presse argentine, ensemencée par le général Franco, annonçait que les communistes français venaient de faire sauter la grotte de Lourdes. Quelque temps avant la venue en France du légat Pacelli, Mgr Pizzardo, de passage à Paris, s'étonna publiquement d'être reçu à la gare par des ecclésiastiques en soutane : « Quel courage, messieurs, mais quelle imprudence ! Vous risquiez votre vie ! » Que voulez-vous ? L'erreur des modérés est d'avoir espéré faire une politique des classes moyennes. La classe moyenne a des vertus, elle ne saurait avoir une politique. Jetée dans l'opposition, elle y a perdu cette sécurité pour elle inséparable de l'obéissance au pouvoir établi, quel qu'il soit. Au premier signe d'un maître étranger, elle se couchera sur le dos, écartera les jambes : « Prenez-moi, rendez-moi heureuse ! » J'espère encore une autre fin pour mon pays.

Tandis que j'écris ces pages, les troupes de M. Hitler défilent à Vienne, et les nationaux vont répétant : « Que n'avons-nous cédé à M. Mussolini. » Cédé qui ? Cédé quoi ? En Méditerranée, il n'y a pas de place pour deux

Empires. Dès le premier coup de canon tiré en Éthiopie, nous savions que le choix de M. Mussolini était fait, la démonstration sur le Brenner ne pouvait plus qu'appuyer la campagne des journaux de M. Laval, elle a été exigée par lui. Que le sang français, demain, l'étouffe !

C'est au nom de l'ordre européen menacé par les communistes que les nazis ont pris possession de l'héritage des Habsbourg. Mais ne l'avions-nous pas déjà sacrifié, en 1917, cet héritage, à l'Italie ? L'empereur Charles offrait la paix. Nous avons prolongé d'un an la guerre, pour une espèce d'entité géographique, une nation paradoxale, une nation sans tradition nationale, la plus pure création, au dix-neuvième siècle, de la maçonnerie universelle. L'opinion que j'émets ici, je ne la tiens pas seulement des miens, mais des prêtres qui m'ont instruit. Pas un petit chrétien de ma génération auquel on n'ait appris, avec le catéchisme, que la confiscation des États pontificaux était une menace pour la liberté de l'Église. Aujourd'hui l'opinion catholique accepte joyeusement qu'entre les fils et le Père se dresse une forêt de baïonnettes. Remarquez que je ne mets nullement en cause le Souverain Pontife, qui ne répondra qu'à Dieu de ses actes de gouvernement. Je n'en veux qu'aux imposteurs qui pleurnichent et se rassurent au commandement. L'observation du vœu de chasteté ne doit guère coûter à de tels hommes.

*

« Vous ne vivrez pas vieux, jeunes gens français ! »
Voilà ce que j'écrivais à la fin de *la Grande Peur*. Je
crains plutôt qu'ils ne vivent vieux. Je crains qu'ils
n'aient déjà trop vécu. Les vastes cimetières de la dernière guerre ont vu leurs premiers pas, leurs premiers
jeux. Parfois les survivants venaient les épier à travers
la grille, hochaient la tête, retournaient discrètement
vers leurs maisons, en remportant le petit bouquet
qu'ils n'avaient pas osé aller déposer sur les tombes,
de peur d'attrister ces joyeux bambins. Ils mettaient le
bouquet à rafraîchir dans leur cuvette, ils le regardaient
mourir, lui aussi… D'année en année, les enfants gran-
dirent. Nous vieillissions, nous, ce n'est pas la même
chose. Les épreuves nous avaient rendus humbles. Il
est certain qu'un très grand nombre de héros furent, de
1914 à 1918, cocus. Mais enfin, c'était encore là des
infortunes individuelles. L'abjecte noce de l'après-
guerre emportant pêle-mêle, à la queue de l'immense
farandole, les manchots, les béquillards, les culs-de-
jatte, les gazés aux pommettes en fleurs, qui allaient,
entre deux danses, cracher leurs poumons dans les
lavabos, nous marqua tous du même signe sganarel-
lien. C'est la France qui nous faisait cocus, il n'y a pas
de déshonneur à ça ! Mais enfin, nous nous sentions un
peu ridicules, nous n'approchions plus des cimetières.
Nous écoutions seulement monter de loin vers nous,
de ces paysages austères, un bourdonnement de ruche
au travail. « Qu'est-ce qu'ils foutent là-dedans, les
gosses ? » Qu'importe ! Les morts n'étaient-ils pas
morts pour eux ? « Ils doivent bien rigoler, pensions-
nous. C'est de leur âge. À présent que les camarades
sont bien secs, bien propres sous la terre, l'endroit est

salubre, et comme ces gosses ont toujours aimé le grand air, mieux vaut qu'ils fassent l'amour là-bas que dans les bordels. – Ils ne font pas l'amour, disaient les grincheux. La nuit, nous entendons grincer les pelles et les pioches. Ils doivent même travailler dur. » Eh bien ! ces grincheux avaient raison. Les gosses travaillaient dur, en effet. Un beau jour, nous sommes allés les voir – un beau jour, un jour de fête. Sacrés gosses ! Sacrés salauds ! Ils avaient arrangé la chose à leur idée. Des anciennes tombes que nous avions connues, plus trace. Plus d'arbres, plus de fleurs, pas un brin d'herbe, rien que la terre fraîche qui nous rappelait l'offensive de la Somme, vous souvenez-vous ? Deux énormes tumulus, face à face, pareils à des collines de boue. Oui, tous les copains ramassés en deux tas, le tas de gauche et le tas de droite : Front populaire et Front national, séparés par des barbelés.

*

Pauvres gosses ! Ils avaient cru bien faire, ils avaient dû se donner beaucoup de mal, car ce lugubre triage, et tous ces os à remuer, ce n'était pas rien, certes ! Ils en sont venus à bout quand même. Ils n'en seraient d'ailleurs pas venus à bout seuls, bien sûr. Ils avaient mis leurs bras au service de haines implacables, inexpiables, impuissantes, des haines de vieux. Si la France de 1918, arrêtée court en plein essor de production industrielle de guerre, s'est trouvée encombrée d'un matériel désormais inutilisable, elle disposait de plus vastes réserves de haine. De 1914 à 1918, les hommes de l'avant ont vécu d'honneur, ceux de l'arrière de haine. À quelques exceptions près, tout ce qui n'avait pas combattu s'est retrouvé pourri, pourri sans remède, pourri sans retour, au bout de ces quatre années sanglantes. Tous pourris, vous dis-je ! Ce ne sont pas là des paroles en l'air. Les témoignages subsistent. Je défie, je mets au défi un garçon normal d'écrire, par exemple, une thèse sur l'espèce de littérature d'où ces malheureux tiraient la substance de leur patriotisme sédentaire, sans risquer de sombrer aussitôt dans le désespoir. Mensonge et haine. Haine et mensonge. L'opinion de ce noble peuple qui s'est battu tout au long de son histoire, avec des chances diverses, s'est trouvée aux mains d'un tas de bavards plus ou moins latinisés, fils d'esclaves grecs, juifs ou génois, pour lesquels la guerre ne fut jamais qu'un pillage ou une vendetta, rien d'autre. Si mal nés que le respect de l'ennemi leur paraît un préjugé absurde, capable de démoraliser les soldats. C'est vous qui nous eussiez démoralisés, chiens ! si du moins nous avions daigné vous lire. Plût à Dieu qu'au retour nous ayons fermé à coups de trique vos bouches intarissables ! Mais vous criiez si fort, vous écumiez avec tant d'abondance, que nous nous sommes trouvés un peu honteux avec nos béquilles et nos croix, nous avons eu peur de paraître moins patriotes que vous, imposteurs. Votre énorme impudence suffirait à expliquer, sinon justifier, la timidité des anciens combattants. Quoi ! nous eussions rougi de tendre la main à n'importe quel loyal ennemi avec lequel nous avions échangé des coups, et nous prenions vos consignes, nous subissions vos louanges ! Car l'armistice ne vous a pas fait taire et la paix pas davantage. Vous aviez tellement eu peur pour vos peaux, Tartarins ! Oui, je jure que nous n'aurions pas demandé mieux, assuré le légitime prix de notre victoire, de rendre l'honneur à un peuple affamé, nous nous serions souvenus qu'il avait fait face contre tous, sacrifiant jusqu'à sa misérable enfance, élevée sans lait. Nous eussions pensé à tant de femmes allemandes, tant de femmes de soldats, mortes un jour, le sein tari, auprès d'un nouveau-né spectral, nourri d'un pain noir et gluant. Nous vous aurions dit : « Méfiez-vous, Tartarins… Nous les avons vaincus, ne les humiliez pas. Assez d'histoires de mitrailleurs enchaînés à leur pièce, de Boches conduits au feu à coups de bâton. Assez de phrases sur les barbares. Vous ne tiendrez pas soixante millions d'hommes sous la perpétuelle menace d'une occupation préventive, derrière des frontières ouvertes. » Hélas ! Ils ne cessaient d'injurier que pour suer d'épouvante. Ils criaient : Sécurité… Sécurité… d'une voix si perçante que l'Europe envieuse, déjà secrètement ennemie, feignait de se boucher les oreilles, parlait avec tristesse de nos obsessions morbides. Nous n'étions nullement obsédés, nous autres. Nous aurions donné beaucoup – même la légendaire part du combattant – pour sécher votre flux d'entrailles. Mais rien n'arrête les diarrhées séniles. Nous aurions dû prévoir qu'à mesure que se redressait l'Allemagne – un genou, puis l'autre – la suppuration de haine ne s'arrêterait pas pour autant, qu'elle allait refluer peu à peu jusqu'au cœur du pays. Les maniaques qui furent sans pitié pour l'Allemagne vaincue, exsangue, l'honorent maintenant. Ils finiront sans doute par l'aimer. Le redoutable Orient qui commençait hier encore à Sarrebruck a pris position au centre même de Paris, rue Lafayette. Que voulez-vous ?

Ces vieux ont encore pris de l'âge. Ils préfèrent avoir la barbarie tout près, à une étape de chaise roulante. La défense de l'Occident se trouve ainsi grandement facilitée. La guerre entre les partis se poursuit selon les anciennes méthodes de la guerre du Droit. Sans doute, le chantage au « défaitisme » ne sert plus désormais, car le jour même où M. Mussolini a jeté son dévolu sur l'Éthiopie, clef de l'Afrique, tous les guerriers honoraires sont devenus pacifistes. Le chantage au « communisme » succède à l'autre. Des milliers de braves gens qui ne demanderaient pas mieux que de se rendre compte avant de rejeter définitivement de la communauté nationale une part importante du prolétariat français n'osent plus ouvrir la bouche, de peur qu'on les accuse de faiblesse envers M. Jouhaux, comme on les eût convaincus jadis de complicité avec M. Joseph Caillaux, maintenant champion sénatorial des Bons Riches.

Il est peu probable qu'un jeune homme perde aujourd'hui son temps à relire les journaux de la guerre. Il ignore d'ailleurs tout de la guerre, il n'en veut rien connaître. Il ne saura donc jamais que la France s'est alors coupée en deux, que l'héroïsme prodigué sur les fronts n'a sans doute pas réussi à compenser surnaturellement la démoralisation accélérée de l'arrière, son avidité, son indignité, son cynisme, sa niaiserie. Le 11 Novembre, la France guerrière est comme tombée d'un seul coup, face contre terre. L'autre – mais peut-on lui donner le nom de France ? –, les poches pleines, le cœur vide, les nerfs brisés, derrière ses politiciens, ses journalistes, ses financiers, ses gitons funèbres, ses cabotins et ses nègres, s'est emparée de notre opinion publique. Elle l'a gardée.

*

Les dictateurs font de la force le seul instrument de la grandeur. L'usage systématique de la force ne va pas sans cruauté. L'héroïsme et le désintéressement des jeunesses nouvelles auront bientôt fait de cette cruauté une vertu virile. Dès lors, la miséricorde leur paraîtra aussi bête que jadis à nos jeunes bourgeois français la vertu de chasteté. Que les particuliers continuent éternellement d'honorer leurs signatures lorsque les maîtres du monde renient la leur, il faut l'immense frivolité des bien-pensants pour le croire. Est-il utile de prétendre réprimer l'anarchie politique ou sociale par des moyens tels que, ridiculisant tout scrupule, ils favorisent une espèce d'anarchie morale d'où sortira tôt ou tard une anarchie politique et sociale pire que la première ? Nous savons déjà ce qu'est la guerre totale. La paix totale lui ressemble, ou plutôt ne se distingue nullement d'elle. Dans l'une comme dans l'autre, les gouvernements se montrent, à la lettre, capables de tout. Est-ce là ce que M. de Jouvenel appelle « l'école de la Force » à laquelle « s'est réveillée l'Europe » ? « L'état de l'Europe au siècle prochain, conclut ce gentilhomme après Nietzsche, nécessitera la sélection des vertus viriles, car on y vivra dans un danger perpétuel. » Évidemment, les traités n'ayant plus aucune valeur, il deviendra difficile de couper une tartine de pain à ses gosses sans se demander anxieusement si les services de préparation à la guerre bactériologique n'y ont pas semé les bacilles de la paralysie infantile. Lorsque nos grands-pères souhaitaient trouver des conditions de vie pareilles, ils laissaient là prudemment leurs familles et allaient passer un bout de temps chez les cannibales. Pour ne pas trouver la chose à mon goût, on m'accusera sans doute de manquer de virilité. C'est possible. Tout est possible. Tout arrive, même de recevoir de certains journalistes experts, dont le nom est sous ma plume, des leçons de virilité.

Aucune équivoque, aucun mensonge ne saurait prévaloir contre l'évidence. Si les nations s'arment furieusement, c'est pour une raison très simple. ELLES NE PEUVENT PLUS TRAITER ENTRE ELLES, parce que leurs signatures sont absolument sans valeur. Je ne crois pas qu'une société humaine ait jamais connu cette honte. Il est certain qu'il y a là de quoi réjouir les anarchistes. Mais les hommes d'ordre ? Ne les interrompez pas. Ils n'ont pas fini d'applaudir à la ridicule faillite de la Société des Nations. Chaque fois qu'en Chine, en Abyssinie, en Espagne ou ailleurs, on entend le bruit du papier qui se déchire et celui de la chasse d'eau qui l'entraîne vers la fosse septique, les malheureux trépignent d'aise, font de grands éclats de rire. Si vous leur représentez qu'au réalisme des hommes d'État va s'ajouter le réalisme des hommes de guerre, qu'il n'est déjà plus une forme de la guerre, si atroce qu'on l'imagine, qui ne soit désormais possible et n'excitera demain qu'un monstrueux sentiment d'émulation dans l'horreur, ils redoublent de gaieté. Lorsque au nom de la primauté de l'intérêt national les dictateurs, par mesure d'économie, feront manger les prisonniers à leurs soldats, un brave gros garçon tel que M. de

Jouvenel dira sans doute : « Que voulez-vous, mon cher camarade, soyez mâle ! » Et nous lirons dans *l'Osservatore romano* une note prudente et mesurée invitant les éminents chefs d'État catholiques, dans une pensée de filiale déférence envers le Saint-Siège, à interdire au moins l'usage de ces conserves le jour du Vendredi saint. Soyez mâles ! Soyez mâles ! Mais dites donc, l'êtes-vous plus que moi, farceurs ? Après tout, je vois parmi vous un certain nombre de personnages dont la virilité vaut le patriotisme, et vous n'allez quand même pas me forcer à crier : Vive la France ! chaque fois qu'une Tante Nationale s'applique un pansement tricolore sur le fondement. Ce n'est pas à vos principes que j'en ai, hommes d'ordre. Le parti de l'ordre – fût-il jamais un parti de l'ordre ? – reste encore à former. Ce que vous appelez de ce nom n'est qu'un amalgame. Il ne peut-être autre chose, dites-vous. Hélas ! encore faudrait-il que les chefs qui se sont tant de fois convaincus les uns les autres de n'être que des traîtres ou des imbéciles fussent morts ! Je m'excuse d'écrire toujours les mêmes noms, mais quoi ! Doriot, Taittinger, Jean Renaud, Tardieu, Laval, Flandin ? Auprès de ces gens-là, M. Waldeck-Rousseau eût passé pour un seigneur. – « Quelle légitimité représentez-vous ? – Nous ne représentons pas de légitimité. – Alors, quelle doctrine ? – Nous n'avons pas de doctrine. Sus au pire ! Voilà le mot qui nous rallie ! – C'est bien ce que je pensais, vous opposez le Médiocre au Pire, voilà votre raison d'être. Eh bien ! la France ne veut pas de médiocres. – Nos adversaires ne sont pas moins médiocres que nous, mais plus dangereux. – Justement. La France les préfère dangereux. » Avec eux, elle espère toujours que ça changera – touchante illusion d'ailleurs, car les médiocres ne changeront jamais rien. Hommes d'ordre, le peuple n'est pas si facile à séduire que les innocents paroissiens de vos Ligues. Lorsque vous parlez d'ordre aux classes moyennes, elles comprennent tout de suite, car depuis cent cinquante ans, sous n'importe quel régime bourgeois, ce mot a toujours signifié pour elles prospérité du commerce et de l'industrie. Mais il ne sonne pas de même aux oreilles populaires. Vous dites : « Le soin de l'ordre nous regarde. » Quel ordre ? L'ordre libéral était un ordre. Il a régné plus d'un siècle sur la France. En ces temps bénis, les ouvriers normands, au témoignage de la Chambre de commerce de Rouen, « ne gagnaient pas de quoi nourrir leurs familles, bien que travaillant dix-huit heures par jour ». Achille Tenot, le baron de Morogues, Alban de Villeneuve Bargemont rapportent que la plupart des ouvriers vivaient de trois ou quatre sous de pain et de quatre sous de pommes de terre. Des enfants de huit ans, mal nourris, employés comme dévideurs de trames ou comme porteurs de bobines dans les filatures, restaient seize heures debout. Les rapports de M. Augustin Cochin à l'Académie des sciences morales en 1862 et en 1864 confirment ce que je viens d'avoir l'honneur d'écrire. À Mulhouse, comme à Lyon, la moyenne générale de la vie humaine pour les enfants de manufacturiers et de commerçants était de vingt-huit ans, celle des enfants de tisserands ou d'ouvriers des filatures, d'un an et demi. Oh ! je sais bien, vous ne désirez nullement restaurer un tel ordre. Les classes moyennes de ce temps-là ne l'appelaient pas moins *L'ORDRE*. Les généraux, les fonctionnaires, les gens d'Église eux-mêmes, ne parlaient de lui qu'avec des trémolos dans la voix, déploraient qu'il fût menacé. Dans ces conditions, la méfiance des ouvriers à l'égard des hommes d'ordre est parfaitement naturelle, d'autant que ces derniers ne se sont jamais montrés très chauds pour les réformes sociales, avouez-le. Il faut vaincre cette méfiance, coûte que coûte, et pour la vaincre il faut d'abord vous réformer, briser vos cadres. Vos cadres sont des cadres politiques. Vos chefs sont des politiciens, et de la pire des politiques, de la politique d'opposition. L'habitude de l'opposition les a taris jusqu'aux moelles. Ils pensent, sentent, agissent toujours en opposants. Le vice critique a détruit chez eux toute sincérité profonde, toute imagination créatrice. « Autant ceux-là que d'autres ! » direz-vous. Et peut-être auriez-vous raison, en effet, si de surenchère en surenchère vous n'en étiez venus à vous prétendre l'ordre et la France, la France de l'ordre, et même la France tout court. Dès lors, n'importe quel Français tient de naissance le droit de vous demander compte d'une si ahurissante prétention. Je vous dis cela tranquillement. Je ne suis inscrit à aucune ligue. Je ne brigue aucune académie, pas plus la Goncourt que l'autre. Si j'appartiens, en quelque sorte, aux classes dirigeantes, ce n'est pas à titre de capitaliste, Seigneur ! La condition actuelle d'un écrivain français se rapproche beaucoup de celle d'un prolétaire. Évidemment, la valeur marchande d'une œuvre ne saurait renseigner sur sa valeur réelle. M. Georges Ohnet ne s'est-il pas énormément vendu ? Voilà pourquoi je ne puis dire sans ridicule que je suis un des écrivains français qui doit le plus à la bienveillance du public. Il n'en est pas moins vrai que de 1926 à 1936 mes livres, traduits dans toutes les langues, ne m'ont guère rapporté plus qu'un bénéfice moyen de trente-cinq mille francs par an. Ayant néanmoins réussi à élever six enfants, je me crois quitte envers ma classe, et même envers mon pays. Ne possédant rigoureusement rien au monde, pas même un lit pour y mourir, j'espère qu'on ne me reprendra pas le titre envié d'homme d'ordre. Eh bien ! hommes d'ordre, j'ai connu un temps où vous vous lamentiez de votre impuissance. Vous n'aviez pas de presse, disiez-vous. « Ah ! si nous avions la Presse ! » Vous l'avez ! La grande Presse vous appartient presque tout entière. Des millions de pauvres gens, qui doutent de la France et n'ont jamais connu son histoire qu'au travers de manuels scolaires où la haine partisane gicle à chaque page, que l'ignorance rend parfaitement incapables d'apprécier la valeur d'une culture à laquelle ils ne communient qu'à leur insu, qui ne liront jamais Corneille ou Rabelais, entendent chaque jour les puissants haut-parleurs de vos journaux répéter à tous les carrefours : « Ici, la France ! Qui veut voir la France n'a qu'à regarder le Front national. » Je dis que, consciente ou non, une telle équivoque est un crime contre la Patrie. Rien ne vous donne le droit d'imposer à mon Pays cet insolent ultimatum : « Le communisme ou nous ! » Cinquante ans d'expérience ont assez démontré que vous ne parlerez jamais au peuple un langage digne de lui, de son passé. De l'ancien Parti clérical, heureusement détruit, vous avez retenu le vocabulaire, les méthodes, et jusqu'à son accent d'insupportable condescendance, d'onction rancie, d'enthousiasme oratoire, qui répugne le plus à notre esprit. Vous n'avez aucun sens du ridicule. Alors que M. Briand présidait aux destinées de la Société des Nations, en pleine ferveur de désarmement, vous flétrissiez les ouvriers qui criaient : « À bas la guerre ! » Aujourd'hui, quand la France essuie tous les jours les crachats des dictateurs, vous affichez un pacifisme utilitaire et vous croyez être très malins. Après avoir ridiculisé la Pactomanie, vous prétendez nous tranquilliser sur l'avenir de l'Espagne, parce que vous rapportez pieusement de Burgos, ainsi qu'un caniche la boîte au lait de son maître, une déclaration du général Franco, sur laquelle aucun homme de bon sens n'accepterait de prêter dix sous. Je ne souhaite nullement une intervention en Catalogne. Je dis simplement que, même cyniquement exploité par la propagande russe, le mouvement de solidarité qui porte les ouvriers français vers les copains d'Espagne dans le malheur s'inspire d'un sentiment noble, que vous avez tort de bafouer par des niaiseries. Ces niaiseries sont justement celles que le peuple ne pardonne pas. Au beau temps de l'Action catholique en Espagne, les grandes dames de Palma, sur le conseil de leurs confesseurs, choisissaient systématiquement leurs pauvres parmi les malheureux soupçonnés d'appartenir aux partis avancés. « Nous ne faisons pas de politique, disaient ces dames. Fi de la politique ! C'est au nom du Christ que nous venons à vous… Le Christ ne connaît ni rouges ni blancs… (ici un petit rire)… Voilà toujours du tabac pour votre pipe ! » Quelques mois plus tard, comme je demandais à l'une de ces charitables visiteuses des nouvelles de ses protégés : « Ne m'en parlez pas, dit-elle. Je n'ose pas me renseigner. Ils doivent être tous fusillés. »

IV

Il faut expier pour les morts. Il faut réparer pour les morts afin qu'ils nous délivrent à leur tour. La réconciliation des vivants n'est possible qu'après la réconciliation des morts. Ce ne sont pas tant les erreurs ou les fautes des morts qui empoisonnent notre vie nationale, que les rancunes ou les dégoûts qui leur survivent, qu'exploitent un petit nombre de chefs partisans que nous pourrions compter sur les doigts de la main. Nous regardons une fois de plus en face, avant de les quitter pour un autre livre, ces ennemis de la patrie. Elle ne mourra pas de leurs mains !

M. Léon Daudet a sans doute été le seul à donner son vrai nom à la Révolution hitlérienne. Il l'appelle la seconde Réforme allemande. L'auteur du *Voyage de Shakespeare* est né sous le signe du plus grand des tragiques, seul héritier légitime d'Eschyle et de Sophocle, en face de la pesante, rampante, féroce et puissante Latinité. Il y a dans le destin de cet homme étrange du Caliban et de l'Ariel. Je dis le destin – non la personne ou le génie –, le destin, *fatum*, la destinée surnaturelle. On ne saurait faire le compte de ses injustices, du moins les porte-t-il sur sa figure, elles s'y inscrivent ainsi que les cicatrices au torse d'un vieux gladiateur. Certes, quiconque a aimé le visage humain ne peut regarder sans frémir cette face terrible dont l'énorme sensualité dévorerait jusqu'aux larmes et qui, à je ne sais quelle audience du procès La Rocque, surgit tout à coup barbouillée d'écarlate, ainsi que le masque d'un acteur grec. Qu'importe ! Ce n'est pas là le visage du Pharisien. Il est tout ce qu'on voudra, sauf un sépulcre et moins encore un sépulcre blanchi. Plus qu'aucun des nôtres, au contraire, il est fait pour la sueur d'angoisse, pour cette autre espèce de larmes purificatrices, plus intimes et plus profondes, que virent couler, une nuit entre les nuits, les oliviers prophétiques. Certains êtres que rien n'assouvit ne sauraient trouver leur rafraîchissement dans l'eau vive promise à la Samaritaine, il leur faut le fiel et le vinaigre de la Totale Agonie.

Vous avez parfaitement le droit de dire qu'il est prétentieux ou ridicule de parler en de tels termes de M. Léon Daudet. Je parle de M. Daudet comme s'il était mort depuis longtemps, voilà tout. Peut-être est-il mort, en effet ? Peut-être n'a-t-il jamais vécu, au sens que les imbéciles qui l'imbibent de salive et cherchent en vain à le déglutir donnent à ce mot ? Il a beau nous parler du vin, des femmes, des fleurs, écrire des romans impossibles, où pleure à petits coups une luxure encore impubère sous les cheveux blancs, quelque grave parole qui lui échappe tout à coup, sa voix hennissante, son regard brûlant et glacé semblent nous apporter parfois le message d'un autre monde. Qu'est-ce qu'il fiche à l'académie Goncourt, Seigneur !

Il est probable que M. Mussolini lit chaque jour *l'Action française*. Il doit même s'y croire chez lui, comme jadis un prince étranger dans son entresol parisien. Les meubles y sont à son goût, gentiment désuets. Il y peut accrocher dans l'antichambre sa pourpre impériale, chausser les pantoufles d'un réalisme modéré, tendre ses mains consulaires au petit feu de bois d'une sagesse dont les bûches champenoises voisinent avec le vin des coteaux de Château-Thierry, dans la cave de La Fontaine. Bref, il ouvre les portes, même la nuit, sans appréhension, sûr de n'y rencontrer aucun spectre shakespearien. Il a dû être bien surpris, lorsque à la fin d'un repas intime M. Léon Daudet, tout illuminé par le blanc de blanc, lui a dit de sa voix la plus cordiale, en reposant son verre : « La seconde Réforme allemande veut tenir les âmes comme les corps et c'est vrai qu'on ne fait rien de durable ici-bas quand on ne tient que les corps, mais toutes les associations sportives du monde ne pèsent ni ne peuvent rien contre les écrits du philosophe mort fou qui posait à Sils Maria les bases du Retour Éternel – *Wiederkunft des Glücken*. »

À la fin du même article – « La croix gammée contre la Croix » – M. Léon Daudet parle de « l'étrange profondeur du mouvement hitlérien ». Quelques jours plus tôt, un jeune moine d'origine autrichienne me disait aussi : « Tant de siècles après la mort de Luther, nous savons ce que c'est que l'esprit luthérien. Dans autant de siècles, nos successeurs sauront probablement bien mieux que nous la vraie nature de l'esprit hitlérien. »

Je n'espère nullement des petits-bourgeois français qu'ils se fassent la moindre idée de l'un ou l'autre esprit. Pour ces imbéciles, Hitler, Staline ou Mussolini sont des roublards, rien de plus, « des Doriot qui ont réussi ». Ce grand ébranlement de la conscience occidentale qui ne saurait plus s'assimiler un christianisme dégénéré, qui l'élimine peu à peu comme un poison, n'éveille chez les nationaux que des images frivoles, accordées à leurs monotones soucis. M. Didier Poulain rapportait l'autre jour dans *Candide* sa conversation avec un catholique autrichien : « Vous avez votre Führer, nous avons le nôtre, hélas ! c'est M. Blum, et je vis au sourire douloureux de mon interlocuteur, ajoute-t-il, qu'il pensait qu'un malheureux trouve toujours plus malheureux que lui. » On ne saurait sauver de tels hommes. Ils croient pouvoir « utiliser » Hitler contre Staline, sans penser une seconde que la rivalité des deux réformateurs est justifiée par l'identité des méthodes, le premier exploitant la mystique de race, l'autre celle de classe, à des fins communes : l'exploitation rationnelle du travail et du génie humains mis au service de valeurs purement humaines. Réforme immense, d'une portée incalculable, si l'on veut bien songer que la recherche, la défense, l'illustration des valeurs spirituelles ont absorbé jusqu'ici le meilleur de l'effort commun. Des millions d'hommes se sont entre-tués pour des métaphysiques auxquelles des milliers d'hommes consacrèrent leur intelligence et leur cœur. Une petite part de l'héroïsme dépensé à la conquête de la vie éternelle eût suffi à fonder cent empires. Certes, de telles vues ne sont pas encore familières à beaucoup de gens. Un commencement de réalisation les propagera dans les esprits avec la rapidité de la foudre. Il suffit de penser que les réussites, après tout modestes et surtout partielles, de la science expérimentale ont prodigieusement affaibli l'instinct religieux. Encore le matérialisme purement utilitaire du dernier siècle avait-il de quoi rebuter les âmes nobles. Nos modernes réformateurs y intègrent l'idée de sacrifice, de grandeur, d'héroïsme. Ainsi les peuples rompent avec Dieu sans angoisse, et presque à leur insu, dans une ferveur qui ressemble à celle des saints et des martyrs. Rien ne saurait les prévenir que la haine universelle est au bout d'une telle expérience.

Tandis que nous voyons surgir du sol ces monstres encore vacillants sur leurs jambes, au frémissement de l'immense forêt de baïonnettes qui est en train de recouvrir la terre, les imbéciles furieux délibèrent d'apprivoiser l'éléphant fasciste pour qu'à l'issue du dressage, ayant mis à la raison le monstre hitlérien, ils aillent ensemble soumettre le troisième éléphant, le solitaire enragé qui galope et barrit de Moscou à Vladivostok, faisant voler la neige sous ses pieds énormes. Je n'exagère nullement. Les quelques bien-pensants que tient éveillés un pressentiment obscur du péril couru par tous se rendorment en se disant qu'au pis aller, M. Maurras, muni de son *Dictionnaire*, ira mettre au point les conceptions politiques du Duce, et si M. Maurras n'y suffit pas, on dépêchera au réfractaire l'autocrate portugais dont le nom m'échappe encore une fois, sacrebleu ! – le distingué professeur végétarien qui a rédigé, comme Dollfuss, la Constitution d'un inoffensif État corporatif et qu'attend sans doute, tôt ou tard, le même destin que son pauvre petit confrère…

Ainsi la nouvelle Réforme n'éveille chez les élites françaises qu'une trouble et ridicule excitation nerveuse, dégoûtante à regarder. Ils sentent le sol qui tremble et rassemblent leurs dernières forces pour protester contre la semaine de quarante heures, cause de tout le mal. « Si M. Hitler et M. Mussolini ne sont pas bien-pensants comme nous, ne le dites pas ! Le Front populaire serait trop content ! » Il faut d'ailleurs convenir que ces guignols ont bien rempli le rôle modeste qui leur avait été confié, à la mesure de leur intelligence et de leur énergie. En aboyant contre le dictateur rouge, ils couvrent le bruit que font les deux autres. Ils dénoncent l'alliance franco-soviétique, et donnent à celle de M. Hitler et de M. Mussolini des raisons purement sentimentales. Ces messieurs suivent leurs humeurs, voilà tout. Si l'on avait été plus gentil pour le général Franco, ce militaire se serait sûrement opposé à l'Anschluss. Loin de chercher un appui à Berlin, le Duce eût volontiers joint ses vaillantes troupes aux nôtres, elles eussent conquis ensemble la Corse et la Tunisie. Bref, tous ces autocrates vendraient leur grand sabre à la France pour une grosse bise.

*

Jeunes gens qui lisez ce livre, que vous l'aimiez ou non, regardez-le avec curiosité. Car ce livre est le témoignage d'un homme libre. Peut-être, avant que vos

315

cheveux n'aient blanchi, l'entreprise paraîtra insensée, d'élever la voix contre les Maîtres. Je dis insensée, non pas héroïque, ni même honorable. Les libertés dont on n'use plus depuis longtemps deviennent ridicules. Un chimiste roumain vient de découvrir, dit-on, un gaz qui mêlé à l'air, même dans des proportions insignifiantes, est capable d'endormir presque aussitôt quiconque le respire. J'imagine très bien les maîtres de demain disposant ainsi dans chaque ville d'une canalisation perfectionnée d'un tel gaz. Quelques robinets qu'on tourne et la population tout entière plongée dans le sommeil, la police n'aura plus qu'à choisir tranquillement les mécontents, qui se réveilleront sur la chaise électrique. Évidemment, le fou qui prétendrait, dans ces conditions, opposer sa volonté à la volonté totalitaire n'exciterait plus que la pitié.

Les Réformateurs ne se soucient nullement de moi, et ils ont bien raison. Je n'en suis que plus à l'aise pour les regarder, à contre-jour, du fond de mon obscur destin. Je les regarde sans haine. Quiconque ne voit en eux que les instruments conscients d'une politique est bien aveugle. Que de malentendus s'éclairciraient demain pourvu qu'on substituât au nom absurde de dictateurs celui de réformateurs ! La première Réforme, celle de Lénine, exécutée dans les conditions les plus défavorables, gâtée par la névrose juive, perd peu à peu son caractère. Celle de M. Mussolini, d'abord unanimiste et sorélienne, aussi diverse d'aspect que le puissant ouvrier qui en avait poursuivi si longtemps l'image à travers les manuels élémentaires de sociologie, d'histoire, d'archéologie, toute clinquante d'une antiquité de bazar, avec son air de farce héroïque, sa gentillesse populaire, coupée d'accès de férocité, son exploitation cynique et superstitieuse d'un catholicisme d'ailleurs aussi vide et somptueux que la basilique de Saint-Pierre, n'était sans doute que la réaction d'un peuple trop sensible aux premiers symptômes de la crise imminente. Quelques années plus tôt, à travers des lieues et des lieues, la tempête russe ne l'avait-elle pas jeté dans les convulsions ? L'orage wagnérien qui se formait au centre de l'Europe devait exciter plus gravement encore ses nerfs. Que peut un Érasme devant Luther ? Quel homme de bon sens eût parié pour les Girondins humanistes, ou même pour Danton, contre Robespierre et Saint-Just ? Le comportement de l'Italie nouvelle devant le terrible Enchanteur est exactement celui de l'inverti en face du mâle. Il n'est pas jusqu'à l'adoption du pas de l'oie, par exemple, qui n'évoque irrésistiblement certaines formes du mimétisme freudien. Que dire ? Lénine ou Trotski ne furent que les prophètes juifs, les annonciateurs de la Révolution allemande, encore dans les nuées du Devenir. Mussolini lui ouvre les portes dorées de la Mer. Au roulement des camions et des tanks, toute l'enfance de l'Europe vient de mourir à Salzbourg, avec l'enfant Mozart. Il n'est qu'une Réforme et qu'un Réformateur : le demi-dieu germanique, le plus grand des héros germains, dans sa petite maison des montagnes, entre sa vierge allemande, ses fleurs et ses chiens fidèles.

On ne peut mépriser la grandeur d'un tel homme, mais cette grandeur n'est pas barbare, elle est seulement impure, la source de cette grandeur est impure.

Elle est née de l'humiliation allemande, de l'Allemagne avilie, décomposée, liquéfiée de 1922. Elle a le visage de la misère allemande, transfigurée par le désespoir, le visage de la débauche allemande, lorsque les innommables, les intouchables reporters des deux mondes se donnaient pour un louis le hideux plaisir de voir danser entre eux, fardés, poudrés, parfumés, jouant des hanches et le ventre vide, les fils des héros morts, tandis que M. Poincaré, le petit avoué aux entrailles d'étoupe, au cœur de cuir, faisait grossoyer les huissiers. Elle est le péché de l'Allemagne, et elle est aussi le nôtre. Sur sa face d'archange sans pardon, elle n'a pas daigné essuyer les crachats. Notre ancienne haine resplendit dans ses yeux, nos anciennes injures font à son front cette ombre ardente. Elle n'a rien oublié. Elle n'oublie rien. Ni ses crimes ni les nôtres. Son orgueil assume tout. Plût à Dieu qu'elle se fût inspirée de l'esprit de vengeance ! Il n'y a pas de vengeance assez profonde pour y enterrer le secret de sa honte passée. Elle a connu toutes les formes de l'opprobre, même la pitié. Cette force allemande que le monde maudit va racheter le monde. Elle croit cette tâche immense à sa mesure, elle lui paraît mille fois moins lourde que l'oubli.

Ce rêve n'a rien d'étrange. Il n'est d'autre rédemption charnelle que la rédemption par la souffrance. « Je te force à souffrir, dit la Race Élue, mais je souffre avec toi. Tu m'appartiendras si je sais souffrir mieux que toi, si je souffre plus longtemps que toi. Tel est le sens du mot de conquête, dont les peuples bâtards ont horreur, parce qu'ils ne souhaitent que jouir. Un de nos grands hommes, un saint de la patrie allemande, Bismarck, a dit que la Force crée le Droit. Il est juste qu'elle le crée, car elle l'a payé de l'immolation du faible et de sa propre immolation, le vainqueur et le vaincu confondus dans le même holocauste. C'est le feu du ciel qui vient frapper la victime encore saignante sur la pierre sacrée, propitiatoire. Pour oser opposer cette conception allemande du Droit à vos légistes et à vos prêtres, vous nous traitez de Barbares. Nous vous traitons de dégénérés. La plus vénérable des traditions humaines témoigne pour nous. Deux mille ans de christianisme vous ont si parfaitement dégradés que vous êtes toujours pour l'esclave contre le Maître, pour la victime contre le Sacrificateur aux mains consacrées. La grande Allemagne ne discute pas avec vous. Elle vous ouvre, avec une fraternité virile, l'étang de sang et de soufre dont vous sortirez purifiés. »

*

Charmants petits mufles de la nouvelle génération réaliste, ces propos ne vous sont point destinés. Le mot de paganisme n'évoque en vous que des souvenirs scolaires. Vous vous fichez parfaitement de la chrétienté, elle n'en veille pas moins encore sur vous, sur vos chétifs destins. Elle a formé votre jugement. Votre imagination est chrétienne. C'est bien pourquoi vous recréez M. Hitler à votre ressemblance, vous en faites l'homme à poigne dont rêvaient innocemment vos pères. Pour un peu, vous le compareriez à M. Georges Clemenceau. De la terrible symphonie dont le rythme s'enfle chaque jour, emporte les peuples dans son irrésistible crescendo, vous n'entendez pas grand-chose. Si vous l'entendiez, d'ailleurs, vous ne la comprendriez pas plus que vos grands-papas celle de Wagner. Ses thèmes n'ébranlent nullement vos imaginations. C'est parce que ces imaginations sont chrétiennes, je le répète. Vous ne reconnaissez pas certaines voix, elles sont pourtant les voix de la terre, des dieux de la terre, que le christianisme n'a étouffées qu'un moment – vingt siècles à peine, une misère. Les voix de la terre proclament aussi leurs Béatitudes, mais ces Béatitudes ne sont pas celles que vous lisez dans vos paroissiens. Les voix disent : « Malheur aux faibles ! Malédiction sur les infirmes ! Les forts posséderont la terre ! Ceux qui pleurent sont des lâches et ne seront jamais consolés. Qui n'a faim et soif que de justice pêche la lune et pâture le vent. » Il est facile de donner un tour cynique à de telles maximes. Le miracle est que presque à votre insu, même si vous y conformez plus ou moins votre vie sociale, elles révoltent votre conscience. C'est que votre conscience est chrétienne. Il vous paraît naturel que Dieu n'ait pas béni la sagesse du monde, celle qui confère honneurs, fortune, richesses. Vous oubliez qu'au cours des siècles les hommes ont considéré la conquête de ces biens, fût-ce par la force, l'injustice ou la ruse, comme légitime, et leur possession ainsi qu'une faveur du Très-Haut. La plupart des grands rois d'Israël, à commencer par Salomon, se firent de la puissance une idée très comparable à celle que s'en fait présentement le docteur Rosenberg. C'est même pourquoi les peuples totalitaires élimineront fatalement leurs juifs, car chacun d'eux se croit élu et il n'y a pas de place dans le monde pour deux peuples élus. Un fait, un simple fait devrait vous ouvrir les yeux : le sacrifice du faible, de l'innocent, a longtemps passé pour être le plus agréable à Dieu. Partout, à tout âge, en des milliers de siècles, l'idée de prière, de grâce, de purification, de pardon, s'est trouvée liée à la dégoûtante image de bestiaux égorgés par des prêtres tout fumants du sang lustral. Les hommes du Moyen Âge n'étaient ni très pitoyables ni très chastes, mais il ne serait venu à l'esprit d'aucun d'entre eux d'honorer la luxure ou la cruauté à l'exemple des Anciens, de leur dresser des autels. Ils assouvissaient leurs passions, ils ne les divinisaient pas. Ils étaient rarement capables peut-être d'imiter Saint Louis ou même le bon sire de Joinville, et cependant le plus grossier, si dur que fût son cœur, n'eût point douté qu'un roi juste fût supérieur à un roi puissant, que le service de l'État ne saurait justifier aucun manquement à la loi de l'honneur commune aux chevaliers comme aux princes et qu'un seul misérable, pour les basses besognes indispensables, jouit d'une espèce d'abjecte immunité : le bourreau. Sérieusement, on ne voit pas très bien la place d'un Saint Louis ou d'un Joinville dans l'Europe totalitaire. Ni celle de la France.

« Je ne la vois pas non plus, répondra sans doute M. Hitler. Si notre loi est encore trop dure pour elle, nous la laisserons d'abord romaniser par un nouveau César. Les circonstances ne sont pas moins favorables qu'il y a deux mille ans. La Gaule, déchirée par les factions, attend son maître. Comme alors, les classes dirigeantes, tourmentées par la populace, souhaitent ardemment une restauration de l'ordre, même à ce prix, sûres qu'elles sont, ou croient l'être, d'absorber leur vainqueur. Certes, l'entreprise n'ira pas sans traverses.

Le Pacificateur, venu pour mettre à la raison la canaille au nom de l'intérêt général, découvrira tôt ou tard ses desseins. Peut-être se trouvera-t-il un jour en face d'un nouveau Vercingétorix, d'un jeune prince français, qui jettera, en pleurant de rage, sur les armées motorisées du conquérant, les hommes de rien, ramassés dans les bourgs et les faubourgs. Mais la paix du Pacificateur aura déjà poussé de trop profondes racines dans un sol disposé à la recevoir. Les sages diront une fois de plus que le désespoir en politique est une sottise absolue. À ce Vercingétorix comme à l'autre les riches couperont les vivres, et il sera, peut-être, comme l'autre, assez simple pour se laisser prendre vivant par le vainqueur. Quelques femmes le pleureront, quelques patriotes, en secret, donneront à leur fils, inscrit à l'état civil sous celui de César-Auguste, le prénom du héros mort. À ces timides protestations de fidélité, de l'honneur, répondra l'insurrection des cuistres, ivres de l'antique, comme les bonshommes de 1793, et qui graissés d'onguent contre les rhumatismes, les pieds au chaud, pissent du Plutarque jour et nuit. Plaise au dieu de la Grande Allemagne que la Romanité vous dépêche, cette fois, non pas seulement une poignée de fonctionnaires, mais le surplus de son peuple grouillant, des colons par centaines de mille ! Plaise à ce dieu qu'elle exporte aussi ses curés, ses petits prélats fascistes, ses prêcheurs d'opéra-comique et ses casuistes épilés, parfumés, semblables à des croupiers de casino ! La tradition chrétienne est encore si forte chez vous que vingt ans de ce régime vous rendront mûrs pour une seconde Réforme et celle-ci ne vous ratera pas comme la première. Mes services de propagande trouveront quelque nouveau Calvin, capable de gagner au futur luthéranisme vos têtes frivoles d'incorrigibles moralistes. Ce qui restera chez vous d'hommes de guerre, honteux de servir sous des généraux rodomonts aux cheveux crépus, viendra se jeter dans les bras des nobles chefs germaniques. Ils nous donneront leurs femmes, puiseront aux flancs des nôtres, pour leurs fils, le sang des reîtres saxons. Et dans vingt siècles le nom du César allemand, de la Culture allemande, de l'Ordre allemand, de la Paix allemande, remplira vos cœurs de la même gratitude que vous sentez encore pour la Romanité. Notre rôle, alors, sera rempli. Le génie hellénique que nous désespérons de forcer jamais, dont votre peuple avait le dépôt, bien qu'il ait toujours paru l'ignorer, ne posera plus au monde une question que vous avez laissée sans réponse. La grande aile de la Victoire aura cessé de battre, enflée au vent des cimes, où la liberté grecque a tendu si longtemps vers le Dieu Inconnu sa face ardente. Nous l'enfermerons dans une carapace de béton, ainsi qu'une dangereuse idole étrangère conquise par les armes et que nos prêtres ne sauraient séduire ni même apaiser. Nous bâtirons dessus un temple colossal et il n'y aura vraiment plus en Europe qu'un seul peuple et qu'un seul maître. »

*

Cher monsieur Hitler, nous entendons ces graves paroles. Nous croyons pénétrer leur sens. C'est pourquoi elles fortifient grandement nos cœurs. La Paix à laquelle vous rêvez ne saurait, comme l'ancienne Paix Romaine, se réaliser que dans l'unité, cette unité que dans le sang des peuples libres. Et même, que vous le vouliez ou non, tout autre dessein serait maintenant chimérique, puisque les consciences que vous formez se sont affranchies de la notion chrétienne du Droit. Peut-être auriez-vous montré moins de hâte à l'avouer, car votre race n'est pas sans pudeur. Mais les dictatures latines, trop sensibles, enflammées de zèle, jouent du cynisme ainsi qu'une putain de ses hanches. Que ceux qui croient encore à la parole d'un dictateur lèvent la main ! Cher monsieur Hitler, il est vrai que les graphiques et les statistiques n'opposent rien à vos orgueilleux projets. Pour avoir quelque chance, avec nos quarante millions de Français, de maintenir nos libertés, nous devrions d'abord en faire le sacrifice à quelque demi-dieu semblable à vous, et nos vieilles terres humaines, nos terres chrétiennes, ne produisent pas cette espèce de monstre. Ni Saint Louis ni Henri IV ne furent des demi-dieux. Il est possible que le sang espagnol ait monté un moment à la tête de notre Louis le Grand, ce sang noir, ce poison. Mais le Roi-Soleil a toute sa vie péché en homme, en homme simple, qui ne s'en fait pas accroire, connaît sa faiblesse, il est mort humblement, et son Versailles lui ressemble, humain, trop humain, sans nulle prétention d'éternité, fait pour se détruire peu à peu, ainsi qu'un simple mortel, noblement, parmi les nobles arbres et les nobles eaux. Cher monsieur Hitler, nous n'avons jamais connu de demi-dieux, mais nous les attendions quand même, nous savions qu'ils viendraient un jour. Nul homme vivant n'a fait l'expérience de la mort et cependant la mort ne le surprend guère, en somme. Si prudemment qu'on nous ait jadis enseigné les Écritures, si pauvres d'imagination que soient la plupart de nos prêtres, il n'est pas un de nous, chrétiens français, qui n'ait appris dès l'enfance quelque chose du scandale universel qui doit marquer les derniers jours, et le probable avènement des demi-dieux.

Nous n'avons pas grand-chose à opposer aux demi-dieux. Si vous exceptez un petit nombre de traîtres ou de lâches, nous n'espérons pas sérieusement rivaliser de force et de férocité avec des peuples debout qui finiront par armer jusqu'à leurs nourrissons. Il a même plu au bon Dieu de nous en épargner la tentation. Nous manquons d'hommes, vous le savez, nous manquons d'hommes pour les mécaniques. La menace suspendue sur nos têtes n'est pas la défaite, mais l'écrasement. Après tout, ce que j'écris ici, un citoyen d'Athènes doué du don prophétique eût pu l'écrire au temps de Périclès. Son témoignage, pourtant, n'aurait pas eu le même sens que le mien.

Cher monsieur Hitler, voici que le temps approche où nous aurons seuls la garde du nom chrétien. Je ne dis pas de la Vérité chrétienne qui n'appartient qu'à l'Église. Nous savons qu'un nouveau Borgia, pire que le premier, pourrait revenir demain sur le trône de saint Pierre – le collège des cardinaux se composer tout entier de Borgias –, que la parole du Christ serait en sûreté dans de telles mains. Je dis le nom chrétien, je dis l'honneur du Christ, car il y a un honneur chrétien. Vous auriez tort de demander la définition de cet honneur, par exemple à l'épiscopat d'Autriche. Il n'a d'ailleurs pas de définition… Il est humain et divin tout ensemble et pour vous faire plaisir nous le définirons quand même. Il est la fusion mystérieuse de l'honneur humain et de la charité du Christ. Certes, l'Église n'a pas besoin de lui pour durer. Il ne lui est pas moins indispensable. L'expérience a dû vous apprendre depuis longtemps, cher monsieur Hitler, qu'en face de n'importe quel usurpateur les conclusions du théologien ne sont pas, en apparence du moins, bien différentes de celles du réaliste. Pour l'un comme pour l'autre le vrai Maître est le vainqueur. Chez les nègres d'Éthiopie ? Oui. À Vienne, aussi. Les gens d'Église ont pratiquement supprimé le principe de légitimité, pensant probablement qu'ils le confisqueraient à leur profit. Malheureusement cet espoir semble déçu. Leur légitimité temporelle subit le sort commun. C'est leurs personnes qui se trouvent aujourd'hui en péril, et pour défendre ces biens essentiels, ils cherchent des yeux la vieille épée de l'honneur, l'épée enchantée qui ne s'ajuste pas à toutes les mains. C'est triste, quand on a prêché la vanité des grandeurs humaines, rabattu la superbe des Rois consacrés, de tirer humblement par la manche le premier général venu, fût-ce le général Franco…

N'importe ! Nous nous trouvons donc plus libres que jamais de relever un honneur dont personne ne nous dispute l'héritage. Cet honneur est plus précieux au genre humain que la tradition hellénique. Il a donc plus de chances encore de survivre à son vainqueur. Cette tradition ne périra pas sous vos coups. Nous craignons plus pour elle les entreprises sournoises d'une nouvelle Renaissance italienne qui, à l'exemple de la première, fera saper par ses légistes, au nom de l'ordre, les fondements mêmes du droit. La puissance de vos mécaniques peut disposer de nos vies, mais c'est nos âmes que menacent les humanistes transfuges, éternels entremetteurs, fourriers de la future Barbarie. Cher monsieur Hitler, sans doute espérez-vous, par eux, tenir tôt ou tard la Rome chrétienne, nous couper, nous autres Français, de la catholicité, réussir là où échouèrent les hommes du Saint-Empire. Puissiez-vous engager toutes vos forces dans une telle entreprise ! Du Hainaut à l'antique Provence, celle de saint François, la vieille chevalerie franque commencera de remuer sous la terre. Le mot de liberté, que nos pères ont laissé trop souvent s'obscurcir au cours de leurs frivoles querelles, reprendra le sens religieux que lui donnèrent jadis nos ancêtres celtes. La liberté française deviendra du même coup la liberté du genre humain. Cher monsieur Hitler, l'espèce d'héroïsme que vous forgez dans vos forges est de bon acier, nous ne le nions pas. Mais c'est un héroïsme sans honneur, parce qu'il est sans justice. Cela ne vous apparaît pas encore, car vous êtes en train de dissiper les réserves de l'honneur allemand, de l'honneur des libres hommes allemands. L'idée totalitaire est encore servie librement par des hommes libres. Leurs petits-fils ne connaîtront plus que la discipline totalitaire. Alors les meilleurs d'entre les vôtres tourneront leurs yeux vers nous, ils nous envieront, fussions-nous vaincus et désarmés. Cela n'est pas du tout une simple vue de l'esprit, cher monsieur Hitler. Vous êtes justement fier de vos soldats. Le moment approche où vous n'aurez plus que des mercenaires, travaillant à la tâche. La guerre abjecte, la guerre impie par laquelle vous prétendez dominer le monde n'est déjà plus une guerre de guerriers. Elle avilira si profondément les consciences qu'au lieu d'être l'école de l'héroïsme elle sera celle de la lâcheté. Oh ! bien sûr, vous vous flattez d'obtenir de l'Église toutes les dispenses qu'il vous plaira. Détrompez-vous. Un jour ou l'autre, l'Église dira non à vos ingénieurs et à vos chimistes. Et vous verrez à son appel surgir de votre propre sol – oui, de votre sol allemand –, de votre propre sol et du nôtre, de nos vieilles terres libres, de la renaissante chrétienté, une nouvelle chevalerie, celle que nous attendons, celle qui domptera la barbarie polytechnique comme elle a dompté l'autre, et qui naîtra comme l'autre du sang versé à flots des martyrs.

Non, ce n'est pas vous que nous craignons le plus, cher monsieur Hitler. Nous aurons raison de vous et des vôtres, si nous avons su garder notre âme ! Et nous savons bien que nous aurons, prochainement sans doute, à la garder contre les artificieux docteurs à votre solde. Nous attendons l'offensive de ces successeurs des grands Universitaires du quinzième siècle, véritables pères du monde moderne, qui prétendront exiger de nous la soumission au vainqueur, cette rétractation, pénitence et satisfaction qu'ils obtinrent un moment de Jeanne d'Arc. Puis ils l'ont brûlée. Et déjà ils croyaient brûler avec elle, détruire à jamais, la fleur merveilleuse dont la semence semble avoir été jetée par les Anges, ce génie de l'honneur que notre race a tellement surnaturalisé qu'elle a failli en faire un moment comme une quatrième vertu théologale – ô nos pères ! ô nos morts ! ô cadavres chéris, de la Seine aux bords du Nil, à l'Euphrate, à l'Indus, sur toutes les routes du monde, ô cœurs simples, ô mains croisées, ô poussière, noms que Dieu seul connaît, nos pères, nos pères, nos pères !… Car un Saint Louis même, ce roi chevalier, ce roi franciscain, la médiocrité peut-elle encore essayer de l'aborder de biais – le biais de l'intérêt professionnel, du devoir d'État, que sais-je ? Ils reniflent, ils flairent, distinguent, argumentent, et finalement le justifient. Certes, le saint est depuis longtemps hors de leurs mains, au cœur triomphant de l'Église, mais ce grand beau jeune homme français aux cheveux blonds, aux yeux clairs, au courage enfantin, c'est aussi un prince, un prince qui bat monnaie, rend justice, un administrateur du temporel, enfin ! À ce titre, du moins, il leur appartient peut-être. Au lieu que la sage Lorraine, la Lorraine irréfutable est tombée un jour au milieu d'eux, sans nom, sans héritage et sans titre, tout héroïsme, toute pureté, la chevalerie elle-même tombée du ciel, ainsi qu'une petite épée brillante. Fille indocile, qui déserta la maison paternelle, coureuse en habit d'homme des grands chemins ouverts sous l'averse, des routes fuyantes pleines de querelles et d'aventures, capitaine ombrageux, rétif – et quoi encore ? un page, un vrai page, et qui aimait tant les chevaux, les armes, les bannières, un page aumônier, prodigue, magnifique (quand ma caissette est vide, le roi la remplit, disait-elle), un vrai page, avec ses gentils chapeaux ronds et sa tunique de drap d'or, et puis enfin quelques semaines, parmi ces vieux renards, ces *professeurs de morale*, ces casuistes, dans l'air épais de la salle d'audience, le petit théologien paradoxal qui en appelle à Dieu, à ses saints, à l'Église Invisible tandis que chaque question sournoise vient l'atteindre en pleine poitrine, la jette à terre toute ruisselante d'un sang sacré, notre sang, nos larmes, ô tutélaire, ô bien-aimée !

Qu'ai-je osé parler de rétractation ? Rétracter quoi ? Elle n'a jamais obéi qu'à une loi simple, si simple qu'on ne lui trouverait sans doute un nom que dans le langage des Anges : se jeter en avant. Non, la victoire n'était pas dans sa vie un événement merveilleux, un miracle, c'était sa vie même, le rythme innocent de sa vie – comment l'eût-elle reniée ?... la flamme sifflante fut son linceul.

Sous le soleil de Satan

Plon, 1926
Le Castor astral, 2008
« Le Livre de poche », n° 32427

L'Imposture

Plon, 1927
Le Castor astral, 2010

La Joie

prix Femina
Plon, 1929
Le Castor astral, 2011

La Grande Peur des bien-pensants

Grasset, 1931
« Le Livre de poche », n° 3302

Un crime

Plon, 1935
Phébus, « Libretto », 2011

Journal d'un curé de campagne

Grand Prix du roman de l'Académie française
Plon, 1936
« Pocket », n° 2301

Nouvelle Histoire de Mouchette

Plon, 1937
Le Castor astral, 2009
« Le Livre de poche », n° 32426

Scandale de la vérité

Gallimard, 1939

Nous autres Français

Gallimard, 1939

Lettre aux Anglais

Gallimard, 1946

Monsieur Ouine
Plon, 1946
Le Castor astral, 2008
« Le Livre de poche », n° 32858

La France contre les robots
Robert Laffont, 1947
Le Castor astral, 2009

Le Chemin de la Croix-des-Âmes
Gallimard, 1948
Éditions du Rocher, 1987

Les Enfants humiliés
Journal 1939-1940
Gallimard, 1949

Dialogues des Carmélites
Seuil, 1949
« Points », n° P132

Un mauvais rêve
Plon, 1950

La Liberté, pour quoi faire ?
Gallimard, 1953
« Folio Essais », n° 274

Dialogue d'ombres
Seuil, 1955 – nouvelle édition 1991

Le Crépuscule des vieux
Gallimard, 1956

Œuvres romanesques
Gallimard, « Bibliothèque de la Pléiade », 1961

Français, si vous saviez
1945-1948
Gallimard, 1961
« Folio Essais », n° 325

Le lendemain, c'est vous !
Plon, 1969

CORRESPONDANCE
Combat pour la vérité
Plon, 1971
Combat pour la liberté
Plon, 1971
Lettres retrouvées
Plon, 1983

Essais et écrits de combat
Gallimard, « Bibliothèque de la Pléiade »
tome 1, 1972
tome 2, 1995

La Vocation spirituelle de la France
(articles rassemblés par Jean-Loup Bernanos)
Plon, 1975

Les Prédestinés
(textes rassemblés et présentés par Jean-Loup Bernanos)
Seuil, « Points Sagesses », n° 32, 1983

Cahiers de Monsieur Ouine
(rassemblés et présentés par Daniel Pezeril)
Seuil, 1991

L'Expérience de Dieu
(avec Guy Gaucher)
Fides, 2002

Brésil, terre d'amitié
La Table ronde, 2009

Face aux imposteurs
Anthologie présentée par Jean Birnbaum
Garnier, « Les Archives du monde », 2013

RÉALISATION : IGS-CP À L'ISLE-D'ESPAGNAC
IMPRESSION : NORMANDIE ROTO IMPRESSION S.A.S. À LONRAI
DÉPÔT LÉGAL : NOVEMBRE 2014. N° 121089-6 (1504962)
Imprimé en France